DU MÊME AUTEUR

Sang bleu, Actes Sud, 1994.

Le Néant quotidien, Actes Sud, 1995 ; Babel n° 251.

La Sous-Développée, Actes Sud, 1996 ; Babel n° 349.

La Rage des anges, *Textuel*, 1996.

"Conte havanais à dormir debout", in *L'Ombre de La Havane* (sous la direction de Liliane Hasson), Autrement, 1997.

La Douleur du dollar, Actes Sud, 1997 ; Babel n° 361.

Les Poèmes de La Havane, Antoine Soriano, 1998.

Compartiment fumeurs, 1999.

Au clair de Luna, illustré par Claudia Bielinsky, Casterman, 1999.

CAFÉ NOSTALGIA

Titre original :
Café Nostalgia
Editeur original :
Planeta S.A., Barcelone, 1997

Illustration de couverture :
© Ronald Curchod, peinture (détail), 1999

ZOÉ VALDÉS

CAFÉ NOSTALGIA

roman traduit de l'espagnol (Cuba)
par Liliane Hasson

BABEL

A Ricardo.
A Pepe Horta et son Café Nostalgia.
A Ena, Rami, Lilith Rentería,
Yamile, Filiberto et tant d'autres
disséminés de par le monde.

Et je tremble, voyant les amis de mon âge,
Car les jeunes, les beaux, les joyeux passeront,
Et moi-même avec eux. Hélas, le temps ravage
Les générations ! La jeunesse est un rêve.

THEOGNIS DE MÉGARE, VIe siècle av. J.-C.

I

L'ODORAT, INTRANQUILLITÉ

Hier. C'était quand, hier ? Hier j'ai oublié mon nom. Au *vernissage*[1]* de l'exposition d'un sculpteur colombien, exactement douze minutes après mon arrivée, un homme est venu vers moi ; avant qu'il ne m'atteigne, j'ai cadré le personnage (manie de photographe) ; je me suis dit qu'on en ferait un beau portrait, avec son front profondément ridé, ses paupières lourdes, ses sourcils épais poivre et sel de même que ses cheveux, et un sourire engageant comme s'il me connaissait depuis toujours mais qui, à mesure qu'il approchait, s'est mué en grimace de doute. Son sourire, ou sa grimace, lui creusait des fossettes qui mettaient ses joues en relief. J'ai supposé qu'il allait me demander un simple renseignement d'ordre professionnel sur l'œuvre de l'artiste mais en fait, ce qui l'intéressait, c'était mon nom, un point c'est tout. Alors pendant quelques secondes j'ai eu un trou ; devant moi, une sculpture où le thème marin était nettement suggéré m'a aidée à récupérer ma marque de fabrique, mon identité. Les friselis du bronze ont éveillé dans ma mémoire l'odeur persistante de la mer : léthargie au parfum de goyave,

1. Les mots en italique suivis d'un astérisque sont en français dans le texte. *(N.d.T.)*

brise tranquille sous le nez comme lorsque monte l'écume de la mammée dans le bol du mixer, effluve moite du délicieux quartier de mangue fraîchement découpé, candeur du jus de canne, crabes frétillants dans le filet du pêcheur, *mamoncillos* vidés dans une petite tasse, café bouillant filtré dans une tétine de jute, coquillages ramassés sur le sable et des myriades de poissons fous qui viendraient chercher refuge entre mes chevilles… Ah, ça me revient ! me suis-je écriée en mettant mes neurones au défi ; les trois premières lettres de ce mot sont celles de mon nom. Mar… Je m'appelle Marcela, ai-je balbutié. L'homme, qui sentait la vanille, a bredouillé des excuses, il m'avait confondue avec une connaissance perdue de vue depuis des années ; mon hésitation provoqua sur son visage assombri une grande déception ; en un mot, il n'a pas cru que je lui avais donné mon vrai nom. Une telle auto-agression d'amnésie m'a déconcertée bien davantage. Mais au bout d'une heure, inconsciente et détachée, j'ai eu recours, une fois de plus, à la dé-mémoire et j'ai effacé l'incident. J'ai pris congé de tous les invités après avoir humé leurs odeurs respectives, y compris celles des gens que je ne connaissais pas et j'ai filé, excédée d'entendre toujours les mêmes frivolités dans les mêmes bouches.

Avant d'aller à la maison, j'ai fait un tour sur les Champs-Elysées et je suis entrée dans ce hall immense qu'est la parfumerie Sephora ; je me suis appliqué sur les mains et derrière l'oreille plusieurs parfums à succès, et j'ai essayé quantité de rouges à lèvres. Du coup, je me suis rappelé Prophétie, le parfum bulgare de ma jeunesse ; il schlinguait à mort. J'ai fini branchée sur Internet, devant les ordinateurs laqués en métal argenté situés au fond de cet espace gigantesque. J'ai passé en revue l'actualité mondiale. Pas de quoi pavoiser, rien que de flamboyantes catastrophes. A la fin, la foule des curieux renifleurs m'a fait sortir de mes gonds, pourtant j'avoue que la beauté de ces vendeurs et vendeuses si élégants m'a subjuguée, mais bientôt je me suis échappée dans la fraîcheur de la nuit. J'ai pris le métro à George-V. Le trajet jusqu'à Saint-Paul m'a paru court tandis que j'admirais un jeune couple présentant un spectacle de marionnettes entrecoupé de tangos. Une fois dans mes pénates, j'ai bu un thé au jasmin, me suis démaquillée avec un mouchoir humide et, avant de me coucher, me suis assurée, en écoutant à travers la mince cloison, que mon nouveau voisin regardait encore la télévision. Hier soir, ça a fait juste trois mois qu'est parti Samuel, mon voisin précédent ; plutôt que mon voisin, mon ami, mon amant platonique. Samuel, ô mon mystère.

Aujourd'hui, la matinée est déjà bien avancée, mais les fenêtres restent closes bien qu'il y ait enfin de la lumière dans ce coin si sombre de la planète. La communication semblerait si aisée à établir, mais il n'en est rien ; si je voulais parler à l'un des colocataires, il me faudrait le prévenir par téléphone avant de frapper à sa porte. Tant de circonspection nuit aux échanges. Autrefois, les relations amicales étaient moins cérémonieuses. Maintenant, il est conseillé de résoudre les problèmes par téléphone, par fax et même par Internet. Tant de progrès me rend maladroite et mes rares projets épistolaires ne font presque jamais le trajet de mon bureau à la poste, ils se consument en une longue, interminable léthargie, dans une chemise en plastique

que j'ai placée exprès sous la rainure de la fenêtre par où se faufilent la pluie, le froid, et toutes sortes d'accidents naturels. On subit un excès de préventions. Mieux vaut prévenir que guérir, ce vieux dicton est devenu la devise de l'humanité. Le téléphone, pourtant, demeure le grand divertissement ou plutôt la grande invention, d'une utilité incomparable, on dépense de l'argent, c'est vrai, mais on gagne du temps. Que deviendrions-nous si on nous privait soudain de téléphone ? Pourrions-nous nous adapter à ce changement ? Que faire si l'on nous empêche d'entendre, intranquilles, la voix de l'être aimé à l'autre bout du fil, alors que cette voix est l'unique consolation qui nous reste ? Mais le téléphone est impuissant à nous rapprocher de l'autre, il nous frustre en nous empêchant de sentir.

Aimer, c'est ce qui m'empêche d'aimer dans la routine. En effet, quand j'aime, je suis trop consciente de ce que j'éprouve car, à chaque fois, je tombe amoureuse avec l'intensité prophétique de l'adolescence. Est-ce que Samuel en aura été la preuve la plus récente ? Le fait même de vivre m'interdit de vivre dans l'insouciance, puisque je vis toutes les sensations avec excès. J'aime que le soleil pénètre ma peau jusqu'à ce qu'elle soit craquelée par d'horribles cloques, j'aime que les vagues de la mer plissent ma chair comme des poignards salés, que l'air infecte mes glandes lacrymales, en transformant la chassie en croûtes sableuses, j'aime avaler de la poussière, sentir dans ma gorge le picotement de la forte pollution. Bien sûr, vivre de cette manière si physique, si extraordinaire, m'anéantit ; alors je me réfugie dans les livres. Lire me pousse à lire. La lecture est le signe que j'ai encore mon innocence, que je peux encore questionner.

Questionner qui ? Quand j'arrive au milieu d'un livre, je cesse enfin d'être moi-même. Car, en lisant, je rêve. Mais lire, rêver et embrasser sur la bouche, c'est vivre avec mon moi, à l'intérieur de mon moi. J'apprécie la mélancolie du moi. Il existe une séduction étrange entre ton moi et le mien ; entre le moi d'un être qui, au nom d'une morale conventionnelle ou de traumatismes sociaux, déniera de l'importance au moi intime de l'autre. Seule la lecture peut faire coïncider les solitudes sans que notre ego s'impose par-dessus les époques, les lieux, les coutumes de l'autre. Accepter son prochain, ce n'est pas le tolérer, voilà une lapalissade que nous avons dédaignée trop vite. Le verbe tolérer contient une censure implicite. Certes, le fait de lire permet encore – mais non sans mal dans la mesure où il s'agit d'un comportement culturel – l'acceptation de l'autre moi, et dans les circonstances les plus heureuses, les plus rationnelles, nous admettons de l'intégrer au nôtre. Nous acceptons la peur de la mort, que nous assumons comme un fait de culture.

Je suis en train de lire et je rêve que je suis en train de lire et que je veux écrire une lettre à Samuel, sans y parvenir. A l'intérieur de ma lecture, je vois bien que lorsque je suis réveillée et que je me suis débarrassée de la peau du héros du livre, il ne me vient pas une seule idée qui vaille le tiers du quart d'un sou, mais, dès que je lis, l'intelligence m'envahit d'un coup, avec une beauté bouleversante, des mots comme des averses, comme les fleurs parfumées et incon- nues d'un jardin pérenne, infini, ou des phrases comme les vagues de ce vaste océan dont je rêve tandis que je lis un gros livre. L'étymologie de mon nom me fait souffrir. Oui, car la plupart du temps, quand je lis, je rêve de la mer, de son grondement obscur, mais je ne peux ouvrir la fenêtre et humer sa proximité car cela paraît tout simple, mais je suis en train de rêver et de lire, et, plus tard, je me réveille à l'intérieur de ma lecture, c'est-à-dire dans mon livre, et je me revois dans ma chambre de La Havane ; dans la pièce voisine, ma mère bavarde et s'affaire, je lui dis, *maman, j'ai rêvé de la mer,* elle répond je ne sais quoi à propos d'un numéro de la charade chinoise[1], il faudrait jouer à la loterie, dit-elle, s'il y avait une loterie ; au moment où j'ai l'impression que je vais voir ma mère, toujours dans ma lecture originale, pas celle que je fais en état de semi-veille, au moment où je crois qu'elle va entrer dans ma chambre, alors je reviens à moi et j'émerge des pages où je rêve de l'océan, de ma mère, de ma chambre. C'est alors que j'ai vraiment les yeux ouverts et l'esprit vide, sans une seule idée, incapable d'écrire la moindre lettre ; sinon je me laisse posséder par les souvenirs, par les voix de mes amis, par ces soirées si lointaines, par tout ce passé qui m'aliène, qui m'oblige au présent confortable. Quand ce passé était le présent, je m'y lovais comme sur un divan tiède, en laissant choir mon corps mince avec toute la légèreté de mes vingt ans. Naturellement je n'ai plus vingt ans et dans le présent, celui d'aujourd'hui, j'ai perdu mon agilité. D'ailleurs, mes parents ne vivent plus à La Havane. Ils m'ont abandonnée en 1980 pour partir à Miami. Ils ont refusé l'alternative dangereuse d'attendre que je quitte mon foyer de boursière et n'ont même pas eu le temps de me prévenir. Tout s'est passé

---

1. Dans la charade chinoise, très populaire à Cuba, chaque numéro correspond à un objet ou à un animal. *(N.d.T.)*

trop vite, un bus peint en blanc avec une inscription bleue en anglais est venu les chercher :

— C'est maintenant ou jamais, ont déclaré les autorités. Votre gendre est là, il vous attend dans son yacht au port de Mariel.

— Et la petite ? Nous devons aller chercher la petite ! a dû s'inquiéter ma mère dans une exhalaison de mandarine.

Ce à quoi mon père, odeur de banane, a répliqué aussi sec :

— La petite, nous viendrons la chercher tous les deux sur un autre bateau, à un autre moment ; elle se débrouillera, elle est plus énergique, plus déterminée que nous. Et puis, notre autre fille, ta fille aînée, tu n'y penses pas, à elle ? Son mari a pris des risques en venant jusqu'ici. On ne peut pas rater cette occasion, Lala, pense à Hilda, pense à nos petits-enfants, n'oublie pas que ça fait des années et des années qu'on essaie de se tailler de ce foutu pays.

L'espace s'est imprégné d'une odeur de mauvais cigare de boutique officielle.

L'autre petite, c'est ma sœur, aujourd'hui une dame comme il faut, mariée avec le même énergumène, mais ceci est une autre histoire, plus vieille que Mathusalem. Ma sœur Hilda, tisane de verveine, qu'ils avaient envoyée toute petite aux Etats-Unis pour la sauver du communisme, au cours de l'opération dite Peter Pan. Après ma naissance, ma mère s'est mise à craindre les voyages et, le temps aidant, ils se sont habitués tout doucement à l'idée de rester, par la faute de la peur superstitieuse que lui inspiraient la mer ou l'avion. Heureusement, Hilda n'est pas restée seule à Miami trop longtemps. Mes oncles maternels se sont chargés de la gâter, de lui offrir des études convenables dans une école de bonnes sœurs. Je suppose que ma mère avait résolu de m'abandonner avec une résignation douloureuse mais, à vrai dire, depuis que j'avais pris l'initiative de demander une bourse, je n'habitais plus à la maison, sauf les week-ends ; notre séparation l'avait très gravement affectée et elle s'est mise à penser à sa fille aînée, avec de plus en plus de nostalgie. Ma mère, donc, le jour de son départ définitif, a griffonné à la hâte, d'une main tremblante qui sentait l'ail, un mot qu'elle a coincé sous le saladier faisant office de milieu de table : *Marcela, ma petite fille, nous sommes partis par le port de Mariel.* C'était un vendredi. Samedi, en revenant de mon foyer de boursière, mes parents étaient déjà arrivés au Nord, et c'est moi qui ai écopé de la manif de dénonciation. Moi, un espoir des échecs cubains, j'étais d'ailleurs dans un internat pour surdoués. Aucun de nos voisins n'a tenu compte de ce détail ; désormais, pour tous ceux qui m'avaient vu grandir, j'étais devenue tout bonnement une fille de vendus à l'impérialisme, du coup j'étais, moi aussi, une pestiférée. Un an après leur arrivée à Miami, mes parents se sont séparés. Elle est serveuse à la cafétéria de l'aéroport et lui, gardien de parking. Pour moi, ils n'existent plus. Virés de mon cocon familial ! Ce n'est pas moi qui l'ai voulu ; ils n'ont plus jamais osé me regarder dans les yeux ; je ne leur reproche rien, mais nos rencontres se limitent à nous réunir pour les fêtes de Noël ou d'autres grandes occasions, ensemble, oui, mais pas mélangés, attention ; évidemment je m'occupe d'eux, je leur téléphone, je leur envoie de l'argent, ça ne va pas plus loin. Ma sœur, cette Hilda que je connais à peine, et qui ne laissera jamais sa personnalité s'épanouir, à cause de son machiste de mari, a pris ma place, mais je me trompe peut-être et ma place est toujours là, intacte, gelée, sait-on jamais. Pour sa part, Hilda a suffisamment souffert pour maudire ma naissance et mon existence car, si elle a vécu en orpheline de luxe, dans des résidences avec une alarme directement branchée sur la police, j'en porte la responsabilité.

Je dors de moins en moins et je lis de plus en plus. C'est par la lecture que, étendue de tout mon long, je m'abandonne à l'extase. Il est vrai que je repose, très peu d'ailleurs, au bord du danger, mais je rêve davantage en lisant. Personne n'a prétendu que la lecture c'est la santé, je ne sache pas que la lecture soit un analgésique ou un antimaladie-en-tout-genre. J'ignore pourquoi je lis autant – pour oublier Samuel répandant son odeur de cannelle, mais non, j'ai toujours lu, avant que Samuel n'ait servi de prétexte – ; je n'ai pas davantage analysé pourquoi je faisais tant de rêves en lisant, toujours les mêmes, les plages de sable, Samuel, mes amis, ma mère, certains lieux de la ville qui n'existent même plus dans la ville originelle. C'est pourquoi il vaut mieux sans doute la lire et en rêver que la vivre, et la humer. Dans mes lectures, je suis plus active que dans la vie. Je l'ai dit déjà, quand je reviens à moi, le passé m'envahit, quand je lis je peux rêver de ce que je veux, c'est-à-dire de ce qui me terrifie, de l'avenir. Il me suffit de fermer les yeux et je peux convoquer la saveur de l'anecdote à venir, comme s'il s'agissait d'une recette culinaire. Tandis que je lis, enhardie, la puissance de l'auteur s'empare de moi et j'imagine ainsi que j'écris de longues lettres. En interrompant ma lecture, j'efface l'intertexte de mon esprit, comme une machine, tel l'ordinateur auquel personne n'a intimé l'ordre de sauvegarder l'information.

Parfois, la correspondance fantôme que je conçois sur des pages et des pages d'un livre ne s'achève pas en une nuit, elle se prolonge hors de ce livre, hors de l'aube. Je peux être en compagnie de Cavafis et imaginer une lettre conçue dans son style ; quand j'ai fini de lire les poèmes du Grec, je prends un roman actuel et ma lettre imaginaire adopte le ton désinvolte de l'auteur débutant. J'ai rêvé ainsi des missives durant des livres et des mois. Chaque lecture est une nouvelle expédition sur le Léthé, la plupart de mes voyages nocturnes se produisent à bord de mes livres, et mes messages sont les rêves qui en émanent et que je peux seulement rafistoler et terminer quand, la fois suivante, je referme les yeux et m'abandonne. Alors je m'écroule, morte, comme si j'avais perdu mes yeux pour suivre le futur phrase après phrase.

Mes crises épistolaires inventées en fonction des œuvres publiées n'ont rien à voir avec la mémoire. Ce sont des oublis, ou des histoires entendues sur d'autres lèvres, mais qui en semi-veille prennent une proportion exorbitante, comme si je les vivais de nouveau, les ranimais en communiquant avec leur destinataire, ou comme s'il s'agissait simplement de troubles cérébraux excessifs, cultivés et appréhendés. Le destinataire de mes lettres, ou de mes rêveries, pourrait être la personne que je connais aussi bien que l'auteur du livre. Samuel ou Swann, par exemple.

Je ne me représente jamais de films à partir des livres que je lis, je devine des lettres, lesquelles se transforment en expériences oniriques savoureuses, une réjouissance sensuelle en pensée. Je visualise encore moins le livre en tant que tel, je ne conscientise pas l'acte intellectuel. Je vis une autre vie avec lui. Cette vie, je la transgresse par des chapitres de mon cru, sous forme de nombreux feuillets jamais écrits, toujours inventés dans un sortilège jubilatoire. J'ai sous les yeux des pages et des pages noircies de *Mon cher un tel, ma chère une telle* d'où surgissent les images, toujours des séquences narratives à la première personne. Ce sont des mots qui me décrivent les figures des personnages. Ce sont des bribes de conversations ; à l'aube, quand je veux m'en souvenir, je n'y arrive pas, j'ai beau m'asperger le visage à l'eau glacée, faire un effort mental considérable et prendre une Phytine (un cachet pour raviver la mémoire), toutes les phrases se dérobent. Je sais que j'ai entendu la houle, c'est comme je vous le dis, dans ce style plat genre *papier mâché**, je sais que j'ai été sur le point de caresser ma mère, ou de bercer Samuel comme s'il était mon enfant, sa tête bouclée dans mon giron ; mais c'est tout, sauf que j'ai failli, au coin d'une rue, buter sur un ami, voilà, n'insistez pas, mon cerveau ne vaut pas un clou. C'est pourquoi j'essaie constamment de lire n'importe où, dans le métro, dans le bus, dans les parcs, afin de déjouer deux sentiments aussi opposés que le souvenir et l'oubli ; mais parfois je ne peux pas me concentrer. Oh, s'il tombait une pluie drue et limpide, si un orage éclatait, fleurant le tapis d'herbes trempées, le bitume défoncé, si la vapeur du pavé plein d'ornières s'élevait et si l'odeur d'humidité m'obligeait à fermer les paupières et à me concentrer ; oh, si je pouvais lire en ayant la sensation que je réapprends, que je bute sur la fille que j'ai été, si dépendante de ma bande d'amis (car je dépends de l'amitié comme l'araignée de son fil), et si je pouvais ainsi mener à bien ma correspondance. Le malheur ici, c'est que la pluie tombe rectiligne et inodore. Là-bas, sur Cette-Ile-là, il pleut en biais, il pleut en courbe et dans toutes les directions, la pluie se fouette elle-même, le tourbillon d'eau flagelle l'horizon, dans une odeur salée. Tout le monde se plaint parce que je ne donne pas signe de vie. Le problème, c'est que, assise devant ma page blanche, j'ai une lettre en tête, au contenu banal ; elle s'achève toujours par un adieu qui, logique de la survie oblige, devra être joyeux, il lui faudra réconforter le destinataire, lui souhaiter tout ce qu'il y a de mieux, avec l'espoir que nous nous reverrons bientôt. Un beau jour, nous nous reverrons, dans pas longtemps. C'est précisément ce qui me fait perdre le désir de répondre ; vite, je me précipite sur un livre de l'étagère, ou vers la librairie la plus proche. Qui a dit déjà que le libraire est comme un médecin de famille de l'âme ?

Les années passent et ce "beau jour", celui des retrouvailles avec l'amant, avec la mère, avec l'ami ou l'amie n'arrive jamais, alors ceux que nous avons perdus de vue quand nous avions vingt ans, nous verront-ils maintenant de la même façon, la quarantaine venue ? Je viens d'avoir trente-sept ans, Silvia doit en avoir quarante-cinq, mon Dieu, dire que Silvia, violette sauvage, a quarante-cinq ans ! Quand je l'ai perdue de vue, c'était une très belle femme de trente ans ! Ana, Ana l'énigmatique a enfin mis au monde une fille, à Buenos Aires, son vœu le plus cher, elle avait failli imiter Madonna et s'offrir une annonce dans le journal : ON CHERCHE SPERMA-TOZOÏDE BON TIREUR. Ana avec un bébé argentin, incroyable ! C'était la comédienne la plus primée de l'époque, une bête de scène, une jeune femme qui avait su tirer du viol qu'elle avait subi dans son enfance une carrière théâtrale extraordinaire. Quand les choses ont pris une tonalité grise surfilée de noir, elle a dû partir au Venezuela travailler pour la télévision où elle est devenue l'actrice la plus cotée dans les séries *Unitarios*, je veux dire les téléfilms, mais plus rien n'a été pareil. Le triomphe ne se mesure pas à cette aune ; quand on t'a interdit la possibilité de choisir, quand tu as bu la coupe du manque de liberté jusqu'à la lie, tu ne pourras plus jamais savourer cette liberté sans que la morsure de la mémoire ne te blesse les lèvres. A présent, nous jouissons d'une liberté illusoire, nous ne savons que faire du danger de cette liberté. Ana est l'une de mes meilleures amies : je veux que tu le saches, Ana, je t'aime, mon jasmin rebelle. Je sais que cela fait mauvais effet de dire "je t'aime" à une personne du même sexe, cela paraît suspect. Mais c'est que je t'aime, Ana, il n'est pas d'autres mots pour te témoigner mon sentiment, voilà tout. Il y a deux jours, elle m'a téléphoné ; elle s'adonne à l'astrologie et à l'énergie positive pour retrouver sa place dans le monde, elle m'a même révélé quelques secrets pour attirer sur moi la chance et trouver le bonheur. O, Ana, je souhaite ardemment te voir interpréter de nouveau ton personnage emblématique, *Yerma*, au théâtre Mella, là-bas au Vedado. Je veux connaître ta fille, Ana, mais pour le moment c'est impossible, je n'aurais pas la force de voyager en avion jusqu'à Buenos Aires. Ta place dans le monde, c'est la scène.

Andro, grosse caboche et tignasse emmêlée, a triomphé là où presque tous triomphent, à Miami ; cependant, il a triomphé dans un domaine où presque personne ne triomphe à Miami, dans la promotion et la vente de livres. Il est libraire.

(Pourtant, ce qui lui tournait la tête sur Cette-Ile-là, c'était la peinture.) Au début, on l'a beaucoup critiqué, on l'a accusé d'espionnage pour un camp ou pour un autre, on lui a empoisonné l'existence. Mais, depuis peu, il a été sacré homme de l'année dans les journaux les plus populaires. Il me répète dans chacune de ses lettres : "Ici, c'est la cambrousse, reste où tu es, ne viens pas, ne quitte pas l'Europe. Sans compter que des haricots noirs, on peut en manger n'importe où, sauf sur Cette-Ile-là." Andro est mon âme sœur. La part masculine qui est en moi. Nous sommes connectés par télépathie, par magie, par un je ne sais quoi, comme l'a écrit saint Jean de la Croix. Tout ce qu'il reçoit, je le reçois aussi, instantanément. D'ailleurs, Andro fut l'un de mes grands amours impossibles. Pour me guérir de lui, ce qui ne fut pas une plaisanterie, il me fallut m'initier à la conduite de ma sexualité et à la maîtrise extrême de mes tourments paranoïaques. Un peu comme d'apprendre à nager tout habillée, de jouer les innocentes ou, plus romantique encore, de faire la sainte nitouche. Andro, c'est mon titan.

Enma, orange satinée, se dore au soleil de Tenerife ; elle a toujours été bronzée, elle s'est entichée d'huiles et comprimés bronzants, et d'onguents Thalgo. Heureusement, nous avons renoué la splendide amitié de notre première jeunesse, par téléphone, par télépathie, ou via Internet, et l'on se moque des poissons rouges. Randy, confiture de mangue, fait des dessins pour enfants, à Tenerife aussi ; il est de ceux qui m'écrivent avec le plus de constance et il m'envoie des coupures de presse sur des désastres écologiques. Ces deux-là, je les ai vus au cours de brèves vacances. César, marmelade de pamplemousse, peint à l'étage au-dessous de mon bureau, son œuvre a gagné en esprit de synthèse, il n'écoute plus Freddy Mercury à pleins tubes, *We are the champions, my friends*. Pachy, vigne vierge, a emménagé dans un atelier plus spacieux grâce à l'adjoint au maire ; là, il continue de graver ses couteaux brûlants sur des toiles douceâtres et sur des femmes de glace. Julio, *piña colada*, tente de faire du cinéma à Caracas. Oscar, jus de pastèque, écrit des poèmes en prose à Mexico, aussi timide qu'à l'adolescence. Winna, marmelade de prune, rédige elle aussi de longs traités érotiques d'une grande délicatesse, à Miami ; je ne sais pas combien de fois nous avons vu ensemble *La machine à explorer le temps* ; l'héroïne portait le même nom qu'elle. Félix, son mari, est cameraman pour une chaîne importante. Enfin, Monguy le Bègue-anone, José Ignacio-tulipe, Yocandra-potage-aux-haricots-noirs ou sucre-brun-brûlé, Daniela-sang-de-colombe, Saúl-pomme-de-merveille, Isa-marguerite japonaise, Carlos-coquelicot, Igor-banane-flambée, Kiqui-citron, Dania-acacia, Lucio-romarin sauvage, Roxana-gardénia, Cary-bougainvillée, Viviana-origan, Maritza-lys, Nieves-cumin, Luly-cèdre, El Lachy-galant-de-nuit, Papito-guazuma… Et pour finir Samuel, anis et cannelle, mais c'est lui qui aurait dû se trouver en tête de cette liste par rang de senteurs et de préférence. Mon bureau déborde de lettres éloquentes, fidèles, désespérées, amoureuses ou envieuses, et je ne parviens pas à y répondre, seulement parce qu'une douleur me vrille la poitrine, que l'air me manque et que la commissure gauche de ma bouche se paralyse. Arriver à la fin, prendre congé, c'est mourir. Comment dire adieu à ceux que je ne peux humer ?

Je déteste les adieux. Je ne supporte pas de couper court, de changer de disque. J'ai horreur de déménager. Mais disparaître sans même un au revoir, c'est accablant. Je n'aime pas faire ce que je ne voudrais pas qu'on me fasse. Pourtant, que de fois n'ai-je pas voulu m'éclipser, partir pour un endroit où aucune de mes connaissances ne pourrait détecter mon angoisse. Du moins ai-je réussi à effacer les traces de mon existence, les principales en tout cas. Je vis à Paris. C'est si imprévisible, si chic, si luxueux, si *mortalitique* et *pestifère* (ces deux adjectifs, en argot havanais, définissent le *nec plus ultra*), si exubérant, de dire comme ça, *je vis à Paris*, que c'en est répugnant ; car je vis à Paris faute de pouvoir vivre dans ma ville. Je vis à Paris, mais je ne vois jamais Paris du même œil que je verrais La Havane. Quoique, depuis toute petite, j'avais toujours été obsédée par le désir de venir à Paris, puisqu'on se figurait que dans cette ville chaque citoyen était un bébé ou une cigogne...

Par bonheur, je me suis vite débarrassée de deux idées stupides : croire au père Noël, et penser que les enfants viennent de... Paris ! Une ville où dans les années quatre-vingt il a fallu faire campagne pour que les femmes se décident à avoir des enfants. J'ai toujours voulu m'installer là où je pourrais être anonyme, et Paris reste Paris, avec ses intrigues, ses beautés, *bontés et mauvaisetés*, comme dirait Andro, avec ses misères aussi, et un taux déterminé de banditisme, à en croire les journaux télévisés qui, soit dit en passant, ne diffusent jamais une bonne nouvelle. Ici, personne ne se mêle de rien, tous tes voisins se fichent éperdument de savoir avec qui tu t'enfermes chez toi (tant que tu ne fais pas de bruit, il n'y a pas d'histoires) et pour les excentricités, elles ne durent pas plus de cinq minutes : il y aura toujours une excentricité plus grande pour effacer le scandale de la précédente. C'est pourquoi j'ai choisi cette ville, parce qu'on peut encore s'y cacher avec un certain naturel. Son ciel n'est pas le mien, mais il y en a un. Le soleil est éphémère, l'hiver long et trop précis, ce qui est impardonnable ; l'avantage, c'est son élégance, l'odeur dense des siècles qui en émane. J'ai appris à m'adapter à un été qui est à l'image de l'hiver cubain. Du reste, je l'avoue, je ne suis pas une fan de la chaleur ni du soleil, tout en les préférant. Ça n'a pas été une mince affaire de trouver le calme dans cette ville. En arrivant ici, peu importe comment, l'histoire n'a pas le moindre intérêt et je la raconterai plus tard quand je ne pourrai pas faire autrement, bref, quand je suis venue, j'ai passé quelques mois à apprendre le français à l'Alliance, suivis d'une longue période passée à vagabonder sans rien faire ; certes, je dois reconnaître que j'ai été une invitée de luxe, mais dans un endroit où à tout moment on me jetait à la figure que cette maison ne m'appartenait pas, que j'étais là comme un cheveu sur la soupe, où l'on me demandait toutes les secondes quand j'aurais des papiers en règle pour pouvoir travailler, où l'on me reprochait sans ambages de ne pas m'intégrer à la société comme une personne normale, de n'être qu'une fainéante, une punk, une espèce de SDF, c'est-à-dire *sans domicile fixe*,* mais avec un domicile occupé ; j'étais une espèce de squatteur nantie d'un titre nobiliaire. Les récriminations pleuvaient, résultat de l'impuissance, du dépit amoureux ; je me disais parfois qu'elles pouvaient provenir d'une artériosclérose avancée. Après tous ces reproches, j'en ai eu plein le cul, alors j'ai décidé de prendre un train et de disparaître. J'ai déjà signalé que je déteste disparaître, mais j'adore les trains.

Je suis descendue au premier nom de ville qui a su transformer mon tumulte intérieur en séduction : Narbonne. J'ai connu la faim, le froid, les rages de dents, facile à dire, mais quand il faut dormir dans un abri de cartons par trois degrés au-dessous de zéro, ce n'est pas de la rigolade. A force de me nourrir de carottes volées, je suis devenue orange. J'ai enfin trouvé du boulot à la récolte du maïs. J'ai travaillé au noir pendant six mois, dans les champs, sans sécurité sociale, sous un faux nom, avec pour toute adresse un sac de grains de maïs. Jusqu'au moment où j'ai gagné assez pour louer une petite piaule sans toilettes ; alors j'ai mis dans les blanchisseries une annonce de baby-sitter, camouflée, bien sûr. Quelques mères se sont présentées, méfiantes au début ; au bout d'un certain temps, elles ont déclaré n'avoir jamais embauché de nourrice aussi parfaite. J'ai fini par économiser suffisamment d'argent pour revenir sans honte aucune, mais avec rancune, la tête haute, dans la résidence où on avait tellement calomnié mon honneur. Ça c'est tout moi, la dignité passe avant tout. C'est mon foutu orgueil.

Il m'attendait, propre comme un sou neuf et poudré de talc anglais à la lavande ; je l'avais avisé de ma visite par courrier et il régnait dans son vaste salon, bien calé au fond du canapé en velours mordoré, car il prenait toujours des poses avantageuses par rapport à moi. Mais après mon départ, il ne se montrerait plus jamais hautain ; victime d'une attaque de paraplégie, la moitié droite de son corps était restée paralysée. Même dans cet état, décharné, les cheveux jaunâtres, les pupilles bleu pâle, vitreuses de fièvre, avec une écume de salive compacte qui lui pendait aux commissures des lèvres ; même dans cet état, en cet instant suprême, il avait décidé de troquer son fauteuil roulant pour un autre siège, afin de me dominer du haut du canapé mordoré, et avait demandé à sa servante portugaise de placer un coussin derrière sa bosse. J'ai ébauché le geste de lui offrir mon bras pour qu'il puisse se pencher en avant, mais il a refusé en grognant. Sans mot dire, j'ai pris dans mon sac à main une pochette de Franprix et je lui ai tendu une liasse de cinquante billets de cinq cents francs ; ainsi, je lui remboursais le billet d'avion, plus les dépenses qu'il avait dû faire pour moi durant mon bref séjour dans sa demeure et, naturellement, les mille deux cents dollars qu'on lui avait extorqués pour prix de ma personne, lors de notre mariage à La Havane. Traite légale. Avec un autre grognement, il a protesté tout en se cachant les mains comme un enfant pour ne pas accepter l'argent. J'ai jeté la liasse sur le canapé.

Qui était-il ? Je me le demande encore ; pourtant, la réponse paraît d'une extrême simplicité. Un an après que mes parents m'eurent abandonnée, j'ai fait la connaissance d'un touriste, et ce n'est pas par hasard, car à l'époque les voyageurs commençaient à affluer sur l'île après tant d'années de loi sèche par rapport au tourisme capitaliste, interdit pour cause de diversionnisme idéologique, selon ceux qui font et défont les lois. J'attendais le bus avec une patience angélique, tout en faisant du stop, et il est passé en frimant, au volant de sa Nissan à plaque étrangère. Il m'a offert de me raccompagner chez moi. Il avait soixante-dix ans, moi dix-neuf. Il émanait de lui un arôme d'huile solaire, car il venait de la plage ; moi je dégageais une odeur trouble, mélange d'eau de Cologne Fiesta et de cold-cream en boîte. Cependant, nos épidermes se repoussaient, ils n'ont pas sympathisé du tout. Nous nous sommes mariés parce que moi, j'avais besoin de me barrer pour rejoindre mes parents et que, de son côté, il se sentait vieux et abandonné. Nous avons décidé de consulter sans tarder un cabinet d'avocats ; mais le temps de rassembler toutes les paperasses nécessaires à la délivrance de mon autorisation de voyage en France accompagnée de mon mari, j'avais déjà vingt-trois ans. C'est l'âge de mon premier voyage à l'étranger, je peux marquer ce jour d'une pierre blanche car de plus, je me suis retrouvée ici, à Paris, excusez du peu. Ma trajectoire avait été la suivante, de La Vieille Havane à un village de scaphandriers, Santa Cruz del Norte, de là, retour à La Vieille Havane, puis direction la Ville lumière. Pendant toute cette période, de dix-neuf ans à vingt-trois ans, d'innombrables histoires traumatisantes et extraordinaires sont arrivées dans ma vie. Mon mari passait le plus clair de son temps en France, mais revenait dans l'île, religieusement, une semaine tous les deux mois, dans le but d'accélérer les démarches. Pour mes papiers, ça marchait avec une lenteur record vu que le bureau d'émigration cubain avait pour seul objectif de dépouiller ce Français sénile. Enfin, j'ai pu partir. Notre vie conjugale a été un enfer, comme je l'ai déjà plus ou moins raconté. J'ai disparu, puis reparu quand j'ai pu rembourser sou après sou la moindre dépense. J'ai reparu afin de divorcer pour cause d'incompatibilité épidermique, mais c'était déjà un peu tard. Je ne lui jette pas la pierre. Il était gentil, mais vieux.

Il était énervé et baveux. Soudain, j'ai eu la certitude que le tremblement de ses mains tachées de son était dû à la maladie de Parkinson.

C'était son anniversaire, et lui qui n'avait jamais voulu se laisser aller à la tristesse les jours de fête n'a pu retenir une larme, à laquelle j'ai trouvé une couleur champagne. Il célébrait ses quatre-vingt-deux ans. Il a ouvert la bouche et son haleine a répandu une odeur d'ail ; ce geste et cette odeur ont accaparé toute mon attention, car ils m'ont rappelé les mains de ma mère. Il a marmonné un discours pour me rassurer quant à mon statut légal en France :

— Tiens, tes papiers sont prêts, tu dois aller les signer, tu as droit à la nationalité française, étant mariée avec moi…, a-t-il dit, l'air faussement assuré.

J'ai refusé en secouant la queue de cheval qui me descendait sur la nuque et il a compris. J'ai décidé de tenter ma chance à la préfecture de Police à titre personnel et d'entreprendre les démarches pour l'obtention d'un simple permis de séjour, que je méritais parce que j'étais moi et non pas l'épouse de quelqu'un. Je n'allais pas davantage demander l'asile politique, ils ne me l'accorderaient pas, car nous, les habitants de Cette-Ile-là, nous n'avons à peu près droit à rien, nulle part sur la planète : comment prouver en effet une persécution, un abus de pouvoir, des mauvais traitements ? La politique est une parfaite saloperie ici, là et tout là-bas ; les politiciens sont tous de mèche pour leurs basses besognes. On lit dans Bioy Casares que Lord Byron déclara à des journalistes qu'il avait simplifié sa conception de la politique : il ignorait tous les politiciens. Moi, pareil : ce qui m'intéresse, c'est de prouver mes aptitudes comme être humain, mon honnêteté, c'est d'exercer mon droit à la liberté individuelle ; c'est mon luxe minimal, ou le risque que je souhaite courir à titre personnel. J'avais été contestataire à l'école, dans mon cercle d'amis, au travail, et là-bas sur l'île cela signifiait quelque chose, mais ici, ce n'est guère que le sempiternel état d'esprit du Parisien. Mon mari et moi, nous nous sommes séparés sans drame, du moins en ce qui me concerne. Je ne me suis plus jamais souciée de son existence jusqu'au jour de son décès. Je me suis retrouvée à la tête d'un héritage colossal auquel j'ai renoncé, à la grande satisfaction de ses sœurs, nièces, neveux, cousins, et de toute la famille qui se pointa à la dernière minute. Je jure que pendant toute la période où j'ai habité dans cette demeure, je n'en ai jamais vu aucun, ils ne lui téléphonaient même pas pour s'enquérir de sa santé. En fait, si nous avions signé ce contrat de mariage, c'était parce qu'il se mourait de solitude entre les quatre murs de son château de Versailles chauffé au gaz ; lui avait besoin d'une compagnie et moi, d'un passeport. Cet après-midi-là, dans sa résidence des Champs-Elysées, devant le cercueil et en présence du notaire, ses parents étaient plus nombreux que si on avait rassemblé les royaumes d'Espagne, d'Angleterre, la principauté de Monaco, celle du Liechtenstein, et tous les autres royaumes existants. Ils me regardaient tous de travers ou alors faisaient semblant de ne pas me voir, ils ne voulaient surtout pas constater ma présence. Mais sur son testament une seule personne figurait, moi, comme légataire universelle. Quand le notaire les informa de ma décision de renoncer aux comptes bancaires, aux appartements et aux maisons de campagne, sans parler des châteaux, je reçus un torrent infernal de baisers : les Français, quand ils se mettent à embrasser, c'est quatre fois, deux baisers sur chaque joue, ça donne une de ces mélasses. Dans ce salon, au contraire, flottait une vapeur épaisse d'inhalation mentholée, genre Pavosan.

Aujourd'hui encore, je regrette cet élan d'orgueil. Il devient de plus en plus difficile de rester dans ce pays, mais j'ai tout de même fini par obtenir la carte de séjour de dix ans. J'ai tenu bon et persévéré, au point de prendre pension, pour ainsi dire, à la préfecture de Lutèce, d'abord tous les trois mois, ensuite tous les ans, en un cercle vicieux des plus éprouvants : déclaration d'impôts, sécurité sociale, certificat de domicile, attestation bancaire, déclaration de revenus. Car en définitive, ce dont il s'agit, c'est d'entretenir, avec l'argent que l'on gagne, ces bons à rien qu'engendre la bureaucratie. Comme j'étais loin de remplir toutes les exigences requises, j'en ai vu de toutes les couleurs, vexations, insultes, on m'a ballottée d'un ministère à l'autre, avec des lettres qui ne pouvaient rien prouver. J'ai dépensé une fortune pour des documents absolument sans valeur, sécurité sociale étrangère, sécurité sociale étudiante, timbres par-ci, notaires par-là… Un vrai cauchemar postexistentialiste. Moi au moins je savais lire et écrire en français et je comprenais le sens des questionnaires. Combien de fois ai-je dû aider des Arabes analphabètes à remplir leurs formulaires ! Entre-temps, je bossais à droite et à gauche à mes risques et périls, n'ayant pas encore de permis de travail. En outre, on me payait en espèces.

Ainsi, au cours de cette vie chaotique, j'ai connu Charline au marché aux puces de la Porte de Clignancourt ; elle seule, après le vieux, m'a adoptée pour de vrai. Charline est une femme au regard intelligent plein de séduction, fleurant bon le basilic ou la menthe. Son âge, je ne pourrai jamais le deviner, je ne sais pas si elle a eu recours à la chirurgie esthétique, mais le fait est qu'elle n'a pas bougé depuis ses quarante-cinq ans ; elle en a peut-être davantage, mais cela ne se voit pas. Charline vendait des chapeaux des années vingt dans une baraque grouillant de morpions et de poux. N'empêche qu'on lui en achetait en pagaille, car ce qu'elle offrait avant tout, c'était sa joie de vivre, son esprit, sa vitalité. Pour vendre l'un de ses chapeaux, elle racontait à la cliente qu'il avait appartenu à Djuna Barnes ; elle inventait ainsi ce que la femme avait besoin d'entendre. C'était une marchande d'illusions. Ici, les gens sont très tristes, très mornes ; ici, ils ont besoin d'amour, de tonnes de rêves.

Un dimanche où ma fichue situation me faisait sombrer dans le désespoir, Charline m'a proposé de faire un voyage en voiture avec elle ; elle m'a avertie de ne pas oublier mon passeport. Nous sommes allées en Espagne, en passant par Andorre. Là, mes histoires de papiers nous ont fait perdre quelques heures. Je rentre en France avec un visa professionnel ; jusque-là, on m'avait d'abord délivré un visa touristique, ensuite des permis temporaires de séjour, car j'avais beau avoir été mariée avec ce vieillard français, je devais rester bien sage à attendre passivement, dans mon pays d'origine, l'autorisation d'entrée dans le cadre du regroupement familial. Chose qu'il n'avait pas voulu accepter, si bien que j'avais dû faire le voyage en tant que touriste, avec un sauf-conduit de trois mois. Le coup du sauf-conduit était des plus amusants pour moi, car je n'avais rien vu de pareil sinon dans le film *La Tulipe noire*, interprété par Alain Delon, ou dans *Cartouche*, avec Belmondo et Claudia Cardinale. A notre retour, Charline a fabriqué un contrat de travail et je me suis mise à vendre des cannes dans son échoppe.

C'est ainsi que j'ai pu régulariser ma situation pour un an au moins.

Un jour, à midi, la vente ne marchait pas très fort, il faut dire que les cannes ne se sont jamais bien vendues dans sa boutique, contrairement aux chapeaux car, en fait, le public payait plutôt pour entendre son boniment, à elle, que pour acquérir les melons ou les chapeaux cloches de Chanel, façon pot de chambre ; que Charline me pardonne, mais qui allait s'enticher de chapeaux tout abîmés des années vingt, en plein dans les années quatre-vingt ? Bref, ce lundi à midi (le marché aux puces est ouvert samedi, dimanche et lundi), j'ai laissé l'Algérien qui travaillait en alternance avec moi, et je me suis éclipsée du côté de la boutique d'appareils photo d'occasion. Médusée par un Canon archi-usé, j'ai fait main basse sur lui pour cent francs. Ce fut le début de ma perdition. En fin de journée, j'ai acheté une pellicule en noir et blanc et j'ai dégoté chez les *bouquinistes** des quais un livre de Doisneau, un autre ouvrage très cher d'Henri Cartier-Bresson, et un troisième de Tina Modotti, pour cinq francs. J'ai pris le RER – un train de banlieue – et j'ai dévoré ces livres dans mon wagon. Je n'ai jamais appris autant en si peu d'heures.

Le mardi, mon jour de congé, j'ai battu la semelle à qui mieux mieux, et je me suis retrouvée dans la cité la plus affreuse de la périphérie parisienne. J'ai tout photographié, les habitants, les maisons, les terrains vagues, les animaux, les plantes, les arbres, jusqu'aux flaques d'eau putride. Je suis arrivée dans ma chambre, à moitié morte ; à l'époque, j'habitais un sixième et dernier étage rue des Martyrs. En entrant, j'étais obligée de m'installer sur mon lit car l'espace étant réduit au strict minimum, ce lit, qui mesurait quatre-vingt-dix sur cinquante centimètres, l'occupait tout entier. Assise sur mon matelas, je rabattais une planche, ça me faisait une table, ensuite, avec une poulie, je faisais descendre une autre planche plus petite, voilà pour la cuisine ; les toilettes collectives étaient sur le palier, les effluves de pisse et de caca, c'était la puanteur routinière, pour nommer cela avec distinction et délicatesse. En hiver, le froid qui transperçait le toit de zinc me brisait les os, en été je cramais comme une banane frite. Je me vantais de posséder deux vêtements de rechange qui puaient invariablement la merguez-frites. Ce mardi, je suis rentrée exténuée, j'ai ouvert la porte, je me suis jetée sur mon matelas et j'ai dormi jusqu'au mercredi soir, étirée de tout mon long, par conséquent j'ai dû garder la porte ouverte pour laisser dépasser mes guibolles dans le couloir. La nuit de mercredi, je me suis réveillée si affamée que même l'odeur insupportable de la cuisine indienne des voisins m'a mis l'eau à la bouche ; du coup, j'ai oublié les photos, l'appareil, et je suis allée au McDonald's le plus proche, celui qui se trouve boulevard Barbès, angle Rochechouart. J'ai tellement bouffé que j'ai failli étouffer. Une salive aigre m'est montée à la gorge et je l'ai ravalée de peur de vomir. J'en avais assez de manger le menu des voyageurs pauvres, un maxi-hamburger, des frites au goût de papier journal, du Coca à volonté… J'ai eu envie de revenir à la maison par la rue des peep-shows et, pour la première fois depuis longtemps, j'ai éprouvé le désir vorace de coucher avec quelqu'un, de caresser un corps nu, de dire *je t'aime, tu me plais, ne t'en va pas, s'il te plaît, regarde-moi, ne me quitte pas*. J'avais besoin de prier, de supplier, j'avais besoin qu'on me prie et me supplie tendrement. Mais ensuite, je me suis persuadée que je m'en fichais, j'ai fait semblant de n'avoir nul besoin de ce qui pourrait ressembler de près ou de loin à de l'amour. Ce paysage annoncé au néon ne correspondait pas à ma conception de l'amour. J'ai réintégré mon antre. Le lendemain, je devais me lever de bonne heure pour me rendre au bureau d'aide aux immigrés de la mairie ; il m'arrivait parfois d'y décrocher des petits boulots occasionnels.

Je me demande pourquoi je me suis levée si tôt ce jeudi-là, pour le plaisir sans doute, car ici personne ne se pointe au bureau avant dix heures du matin, mais moi, question ponctualité, je suis réglo un max. J'ai attendu l'ouverture dehors pendant une heure. Je venais à peine d'entrer dans la mairie que j'ai dû faire deux pas en arrière, ayant aperçu une annonce à propos de photos, placardée sur le mur. Je suis donc revenue sur mes pas et devant le panneau, près du bureau des renseignements, j'ai pu lire : Concours pour photographes amateurs. Suivaient d'innombrables explications. Evidemment, c'était un concours pour crétins, mais c'est bien ce que j'étais, une crétine amateur de photos, faute d'avoir trouvé une distraction plus intéressante. A l'époque, je tuais mon ennui en lisant, mais ce n'était pas une lecture consciente comme aujourd'hui, c'est-à-dire que j'étais une lectrice femelle, pénétrée et possédée par les histoires. Bref, pour ne pas vous assommer avec mon récit, j'ai présenté mes photos des quartiers hyper-pourris à cause de la pauvreté et, par miracle, j'ai gagné. La misère est photogénique, elle se vend bien et, par-dessus le marché, on la récompense.

Mon prix, c'était une bourse pour New York. Je n'en revenais pas. Je ne souhaitais pas quitter Charline, je n'ai jamais aimé faire mes adieux, à personne, encore moins à ceux qui m'ont témoigné leur confiance, je veux dire, leur amitié ; je me suis dit qu'elle comprendrait si elle avait vraiment de l'estime pour moi. Non, je ne pouvais pas quitter de but en blanc l'être qui avait joint sa solitude à la mienne ; étant superstitieuse, j'ai pressenti qu'une conduite aussi ingrate me porterait malheur. Finalement, je suis allée la voir. Comme d'habitude, elle débitait un baratin faramineux à un client à qui elle essayait de vendre une canne qui, à l'en croire, aurait appartenu à Verlaine au temps de ses amours tumultueuses avec Rimbaud lors du fameux coup de feu sur la Grand-Place de Bruxelles. Dès qu'elle m'a vue, elle a lâché son acheteur en plein milieu d'une phrase et a jeté la canne dans un coin. C'est simple, nous avons pleuré toutes les deux, manière d'anticiper notre solitude prochaine. Elle m'a offert un chapeau qui, m'a-t-elle assuré, avait appartenu à Anaïs Nin ; ce n'était peut-être pas vrai, mais la phrase et le chapeau m'ont remonté le moral.

— Ce chapeau a coiffé la petite tête coquine d'Anaïs Nin ; j'espère qu'il te donnera de beaux rêves et des centaines d'aventures sexuelles, dit-elle en me caressant la joue comme si c'était celle de la turbulente écrivaine.

J'ai fredonné la chanson de Silvio :

> *Une femme à chapeau*
> *comme un tableau du vieux Chagall,*
> *qui se désagrège au centre de la peur*
> *et moi qui ne suis pas bon je me suis mis à pleurer,*
> *mais alors je pleurais sur moi-même,*
> *maintenant je pleure de la voir mourir.*

Je suis entrée dans New York par le pont de Brooklyn, j'en ai eu la chair de poule ; à la vue des deux tours et de l'Empire State Building, j'ai été prise d'une crampe d'estomac. Doux Jésus, que c'est, qui tue par l'épée périra par l'épée. Elle a appris ses frasques par des lettres qu'elle a découvertes, cachées sous la tapisserie de l'armoire, sur l'étagère où elle empilait les chemises amidonnées et repassées de cette espèce de dégénéré ; que Dieu, ou quelqu'un d'autre, le punisse comme il le mérite. Moi j'aurais agi exactement comme elle ! Non, j'aurais attendu de les prendre la main dans le sac, lui et sa maîtresse, et là, insitout et ipsofaitout, je les aurais brûlés vifs. (Ces *insitout* et *ipsofaitout* révélaient la duplicité de sa déclaration.)

A ces mots, j'ai failli tomber raide sur le pavé, ou prendre mes jambes à mon cou. La peur m'a subitement remué les sangs, le plasma m'irriguait dans un désordre absolu, ensuite une certaine faiblesse, agréable en quelque sorte, m'a envahie, puis un désir inexplicable de m'enfuir, de ne pas être témoin de cet accident, de ne plus sentir les battements de mon cœur, de ne plus exister dans mon corps. Je ne pouvais empêcher mon visage de refléter la terreur, à l'idée que l'on me prenne pour la maîtresse de la victime. Je suais à gros bouillons, pour ne pas dire purée, du sommet du crâne aux talons. Ma camarade de classe a scruté mon visage avec répugnance ; alors c'est elle qui s'est fondue dans la foule, en courant comme une folle. Quant à moi, les vertiges, l'envie de vomir, la terreur, m'ont empêchée de décoller mes pieds du bitume. J'ai pensé à l'enfant et j'ai même eu le courage de demander de ses nouvelles quand le panier à salade a disparu avec la criminelle à son bord, en soulevant des nuages de poussière.

— O mon trésor, heureusement que le gamin, on l'avait envoyé chez sa grand-mère ! Tu te rends compte s'il s'était trouvé sur les lieux du crime ? Il aurait été traumatisé pour la vie. Mais dis donc, qu'est-ce qui t'arrive ? Tu es pâle comme un mort ! Oh, qu'est-ce que je raconte, Dieu me pardonne ! chuchota la femme aux yeux exorbités. (Elle avait un goitre, et un timbre de voix sec comme un craquement d'allumette.)

Je n'ai pas cherché à connaître le nom du petit, pourtant j'éprouvais un besoin indéfinissable, peut-être morbide, d'en savoir plus sur lui, de l'étreindre, de le consoler, de le supplier de me pardonner. J'ai voulu m'enfuir sans demander mon reste ; j'aurais dû me soucier alors du prénom de l'enfant, on ne sait jamais... Le tumulte des commérages tardait à se dissiper et je me suis éloignée de ce lieu comme si j'avais des ailes. A trois rues de là, ma soi-disant copine pleurnichait, pelotonnée dans un coin. Jusqu'ici, j'avais décidé de ne pas mentionner son identité par superstition, pour ne pas attirer le mauvais œil, et parce que les noms constituent un symbole important du caractère d'une personne (c'est pourquoi je m'inquiète d'avoir oublié le mien pendant le *vernissage**du sculpteur colombien), or précisément, ce qui caractérisait cette fille, c'était qu'elle ne possédait pas la moindre dimension symbolique : elle était le portrait craché et encadré de l'anodin, de l'anonyme. Mais à ce stade de mon récit, je vais le révéler : elle se nommait Minerva, elle donnait l'impression de s'enduire la peau de mère de vinaigre, et je peux assurer qu'elle n'avait rien à voir avec la déesse romaine. Au collège, nous l'appelions Mine, et quand quelqu'un demandait pour déconner : "Mine de quoi ?", nous répondions en chœur : "Mine d'étrons." Ça la rendait hystérique, car elle savait ce qu'on racontait sur elle, qu'à la place du cerveau, elle avait une crotte de bique qui se balançait dans le vide. Quand je me suis approchée de Minerva ou Mine d'étrons, elle a réagi comme si elle avait vu le diable en personne, puis elle m'est tombée dessus en m'abreuvant d'insultes, et quand elle en a eu marre elle m'a accablée de reproches, tous infondés :

— Toi, tu as couché avec lui, pourtant je t'avais dit de ne pas le faire, je t'avais bien avertie au sujet de sa femme, que c'était une poison et qu'elle se vengerait. Voilà le résultat, elle l'a tué, quelle horreur, elle l'a brûlé vif ! Et maintenant, comment tu te sens, t'es contente de toi, hein ? On m'avait prévenue, toi t'es une fille à problèmes, tu veux toujours faire l'intéressante... Dis donc, t'aurais pas pu coucher avec un gars du collège, un mec de ton espèce, sans engagement ? (Son regard était encore plus violent que ses paroles, j'ai réalisé qu'elle avait même envie de me battre.) Ecoute-moi bien, ne mets plus les pieds à la maison, je ne veux pas que ma famille ait le moindre soupçon. Ou alors nous finirons dans les flammes comme lui. Celle-là, à sa sortie de prison, elle est capable de tout. Même de foutre le feu au pays !

— Arrête, déconne pas, tout ce que j'ai fait, c'est de lui donner mes lettres, je l'ai jamais revu, crois-moi, je l'ai même pas rencontré par hasard. Toi, t'as jamais voulu me donner son adresse, ça fait que j'ai jamais su où il habitait jusqu'à aujourd'hui. Crois-moi, enfin. Je n'ai rien fait de mal, je te jure, qu'est-ce qu'il peut y avoir de mal à écrire une série de lettres ?

J'ai essayé de me défendre de ses accusations, tout en sachant que mon autodéfense ne lui faisait ni chaud ni froid. Il n'y avait rien à expliquer, c'était de ma faute si la femme trompée l'avait assassiné, un point c'est tout.

— Tes lettres, évidemment ; si tu ne les avais pas remises, il ne les aurait pas planquées. Et à l'heure qu'il est, il ne serait pas raide comme un bâton ; je veux dire réduit en cendres, en jambon fumé ; la meurtrière n'en serait pas une, par conséquent on ne l'aurait pas emprisonnée, et leur fils... Oh, dis donc, leur fils ! Pauvre gosse !

Elle s'est mise à sangloter désespérément et son visage s'est couvert de taches violacées.

J'ai constaté avec surprise que jusqu'à cet instant elle n'avait pas pensé à lui ; par contre, moi, c'est la première chose qui a bouleversé ma conscience : ce gamin innocent. Elle était si abattue que je l'ai laissée là ; elle me poursuivait à courte distance en grommelant des injures. Je l'ai menacée d'informer tout le quartier de sa complicité si elle ne tenait pas sa langue ; la peur qui ronge l'âme, comme dans le film, l'a apaisée, mon chantage a réussi à la calmer. Bientôt ses jérémiades et ses reniflements ont cessé et du coin de l'œil, je l'ai vue qui s'éclipsait dans la rue maudite où elle habitait. Je suis rentrée chez moi.

Les ragots qui ont retenti à l'affiche de radio-trottoir pendant le mois furent les suivants : la criminelle avait brûlé vif son mari, lequel était encore pire qu'elle, à cause de la tripotée d'infidélités consommées en pleine possession de ses facultés mentales et conjugales. L'événement a suscité toute une série de commentaires et de légendes. Mais la maîtresse du type, personne ne soupçonnait qui c'était, un mystère qui a maintenu vivaces les racontars vieil-havanais. Ma mère taxait l'autre femme de pute de quat'sous, de démolisseuse de foyers heureux, de tueuse à gages, car pour ma mère la vraie responsable du crime, c'était la pétasse ; elle pariait gros, ma mère, elle pouvait mettre sa main au feu que ça n'allait pas en rester là, sûrement qu'il y avait anguille sous roche, quelque chose de plus ténébreux, un paquet de fric en jeu. Mon père, lui, ne bronchait pas, ce qui n'était pas du tout son genre. Je l'ai soupçonné d'être mêlé à une drôle d'affaire, de jupons sans doute, parce que ses mains se sont ankylosées et il a laissé glisser son tournevis par terre au moment où ma mère a décrété à son intention, sans prendre de gants :

— Et toi, fais gaffe, t'as intérêt, parce que si je te surprends hors terrain, non seulement je te transforme en cochon grillé comme les Espagnols ont traité l'Indien Hatuey, mais d'abord je me trouve une hache et je te découpe en petits morceaux, après je te passe à la moulinette, puis je mets ton hachis dans le mixer et je te filtre dans la cafetière. Du hachis recyclé, voilà dans quel état on te trouvera. Du mari mixé, c'est tout ce qui restera de toi.

Pendant des mois, les objets coupants ou pointus, les couteaux, les pics à glace, les fourchettes même, les épingles à cheveux, les ciseaux, les lames de rasoir ont disparu de la cuisine ; sans parler des allumettes et des liquides inflammables. Ma mère rigolait quand elle ne trouvait pas l'une de ces soi-disant armes dangereuses, au dire de mon père. Plus d'une fois, elle m'a expliqué d'un air complice :

— Chacun se gratte où ça le démange, il a sûrement quelque chose à se reprocher, mais tant que je n'en sais rien, tant pis… Après tout, ce truc-là ce n'est pas un parfum qui s'évapore ni une savonnette qui fond, affirmait-elle en désignant avec son aiguille à tricoter les parties génitales de papa. Grand bien lui fasse, à l'autre femme. Il est sain et sauf tant qu'il ne dévoile pas le moindre indice. Mais le jour où il rentrera à la maison avec un suçon, ou la chemise tachée de rouge à lèvres, je te l'égorge vite fait. Rien ne pourra le sauver, même pas le Chinois de la charade qui, d'après les mauvaises langues, était un guérisseur cantonais.

J'avais du mal à fermer l'œil, car je me voyais en danger permanent d'être découverte. Quand le sommeil venait enfin, l'homme moustachu m'apparaissait dans mes cauchemars, embrasé et hurlant pour que j'éteigne les flammes. Juste au moment où j'allais verser un seau d'eau, je me réveillais. Heureusement, Mine, ma camarade de classe, a fermé son bec pendant une période acceptable ; elle était terrorisée à l'idée de se voir accusée de complicité, du moins c'est ce que je croyais. Cependant, trois ans après, elle allait lâcher le morceau, mais elle avait pu quand même garder le secret jusqu'à ce que les gens aient effacé l'incident de leurs circonvolutions cérébrales. A cette époque, ma conscience était en feu, la culpabilité m'asphyxiait comme la fumée émanant d'un bûcher incandescent. De plus, j'ai perdu l'appétit, je m'isolais et pouvais passer des jours entiers à observer mes genoux rugueux, dans la contemplation des accidents de mon corps. J'ai laissé tomber les bandes de copains ; j'arrivais au collège à l'instant de la seconde sonnerie définitive d'entrée, et je quittais la classe sans dire au revoir. A l'heure de la récréation, enfermée dans les toilettes ou cachée sur la terrasse, je fumais comme un pompier. Je ne sais pas si mon corps s'est mis à changer parce que je l'ai tellement examiné : il subissait des transformations physiques de minute en minute. Je maigrissais à vue d'œil, tandis que mon ventre s'est mis à gonfler de façon vertigineusement disproportionnée. J'ai tenté de le dissimuler en mettant le corsage de mon uniforme par-dessus la jupe, évasé comme une tunique, mais au bout d'un moment, quand le bouton de ma jupe a sauté et que l'élastique que j'avais adapté entre l'œillet et l'autre bout s'est étiré jusqu'à craquer, il n'y avait plus de solution. Un beau matin, pendant que je m'habillais furtivement, ma mère a foncé sur moi et m'a flanquée par terre d'un coup de poing :

— Dévergondée ! T'es tombée enceinte, je savais bien que l'un de vous deux allait me jouer un mauvais tour ! Ton père ou toi. Je vois que tu as pris les devants. La seule personne qui vaille la peine dans cette famille, c'est ta sœur. J'ai bien fait de la sauver de ce pays immoral. Aujourd'hui même, nous irons voir le gynécologue à la polyclinique. Je ne te demande même pas qui est le père, car si je le savais je ne saurais pas par où commencer, le tuer, lui, ou t'emmener chez le docteur. Mauvaise fille, qu'est-ce qu'ils vont dire, les voisins ? Attends un peu, si ton père l'apprend, il va te brûler vive !

Je ne sais pas pourquoi nous autres, habitants de Cette-Ile-là, nous souffrons de cette fièvre pyrotechnique. Quand on n'incendie pas une ville – souvenez-vous de Bayamo à l'époque coloniale –, nous nous menaçons de nous faire rôtir les uns les autres, avec le même naturel que pour boire un verre d'eau. Je n'ai pas voulu la contredire, notamment parce que son humeur passait de la fureur à la tendresse, et de but en blanc elle se demandait, au paroxysme du bonheur, où elle placerait le berceau de son futur petit-fils. A deux heures de l'après-midi, nous avons filé à toute blinde à la polyclinique. Dans la salle des curetages, une flopée de jeunes filles se débattait pour s'inscrire afin de se faire avorter, la bagarre était identique à celle de la queue pour les glaces au Coppelia ; d'ailleurs, dès qu'elles avaient obtenu un numéro, les visages de ces filles, qui avaient mon âge pour la plupart, reprenaient leur passivité, et reflétaient la même indifférence qu'en attendant le moment de déguster une Sundae au chocolat dans l'ex-Cathédrale de la glace, aujourd'hui rebaptisée les Funérailles du Qui s'en souvient.

Après quatre bonnes heures, on a appelé mon nom. N'ayant pas la moindre idée de ce qui m'attendait, j'ai été plus effrayée d'entendre la voix de l'infirmière dans le micro que de m'imaginer en train d'écarter les jambes pour la première fois, sans rien sur moi, dans une nudité totale, devant un inconnu. Je me suis levée et j'ai marché avec une lenteur extrême devant ma génitrice, qui m'a poussée brutalement en me disant de me dépêcher car la consultation était pour aujourd'hui, pas pour demain. Je me suis mise à trembler à la vue du docteur qui se savonnait les mains dans un lavabo dégoûtant, ensuite il les a rincées et séchées avec une serviette non moins cradingue. J'ai observé le brancard rigide et j'ai eu un étourdissement. L'infirmière m'a ordonnée sans ménagement :

— Va uriner dans les toilettes, ma petite, faut pas lambiner, ôte ta culotte et grouille-toi pour venir t'allonger.

— M'allonger ? ai-je demandé en me montrant plus stupide que naïve.

— Tu ne penses tout de même pas que le médecin va t'ausculter debout, a rétorqué ma mère.

Le docteur a examiné mon corps pendant que je me dirigeais vers les toilettes.

— A vue de nez, je peux faire un diagnostic, elle doit en être à peu près au sixième mois. Vous avez tardé à vous présenter. Naturellement, il n'est pas question d'une interruption. Pendant qu'elle se prépare, je vais lui faire son carnet de grossesse.

Il s'agissait, ou il s'agit, parce que ça existe toujours, d'un cahier où l'on inscrit les consultations des femmes enceintes. J'ai répliqué :

— Je ne suis pas enceinte, docteur.

— Tais-toi, et obéis à la jeune camarade infirmière ! a grondé ma mère, tandis que le docteur s'est mis à se curer les ongles avec la pointe d'un crayon, ce qui a eu pour résultat de les lui teindre au graphite.

Je suis revenue vers le brancard dans la tenue exigée par l'infirmière, nue au-dessous de la ceinture. À moitié morte de honte, j'ai eu une crise de larmes. Le docteur s'est approché, la tête penchée, avec un sourire d'énergumène, et il a eu le cynisme de s'enquérir tout bas, pour que personne d'autre que lui et moi n'entendent :

— T'as pleuré quand on te l'a mise ?

Une vapeur de kérosène est montée à la surface de ma peau. Un jet de salive au goût de Bénadryl a jailli de mes lèvres.

J'ai eu envie de lui casser la gueule à coups de pied. J'aurais pu, car mes jambes étaient restées commodément à sa hauteur, étant donné que j'avais les genoux sur deux étriers de métal dressés de chaque côté du froid brancard. Si je ne l'ai pas piétiné, c'est pour éviter le scandale et pour en finir le plus vite possible avec cette sinistre humiliation. Si je n'avais pas été, moi aussi, intriguée par la croissance démesurée de mon ventre, j'aurais étripé le docteur à coups de poing et tout saccagé dans son cabinet. Au lieu de me toucher le ventre, il l'a blessé, en enfonçant sans pitié à l'aveuglette ses grosses pattes glacées et velues ; ensuite, sans s'excuser, il a enroulé le drap jusqu'à mon cou et m'a palpé les seins moins rudement. Son regard s'est fait délicat et lourd d'interrogation, par chance, avant de commettre l'acte irréparable que je ne lui aurais nullement permis d'accomplir, à savoir introduire son doigt dans mon vagin. Penché dessus, tout en ajustant ses lunettes à monture en plastique, cassées en deux et fixées au milieu avec du sparadrap, il l'a examiné, les yeux rivés sur mon clitoris. Ensuite il l'a palpé, avec son majeur, il l'a massé en rond comme pour essayer de m'exciter, de le mettre en érection. Par-dessus mon ventre, j'ai perçu qu'il souriait d'un air malicieux, je n'ai pas répondu à ses caresses, j'ai tenu bon, les dents et les paupières serrées. Heureusement pour lui, il n'a pas touché plus à fond.

— Rien de rien. Pas plus de grossesse que de beurre en broche. Il n'y a pas eu pénétration.

Tel fut son verdict. Il est retourné au lavabo, a arraché ses gants en plastique et s'est lavé méticuleusement, en se concentrant, des doigts aux coudes.

— Docteur, peut-être qu'elle s'est seulement un peu amusée. Vous savez, je connais une fille, on l'a engrossée sans la lui mettre, rien qu'avec une goutte de sperme qui a mouillé à peine sa petite culotte.

Je me demande comment ma mère a pu parler de cette manière si irrespectueuse.

— Oh, camarade, ne dites pas d'absurdités. Chez votre fille, il doit s'agir d'une grossesse nerveuse. Les cas semblables sont nombreux. Je vous recommanderais plutôt un psychiatre ; pas pour vous, bien sûr, mais pour la gamine. De toute façon, je vais prescrire un antibiotique, elle a une inflammation pubienne. (Puis, s'adressant à moi :) Tu dois faire ta toilette à l'eau bouillie, fillette, tu as de la *monilia*, ce n'est pas bien grave, quatre-vingt-dix-neuf pour cent des femmes de ce pays en sont affectées, c'est un parasite de l'eau polluée, qui provoque des pertes blanches.

J'ai poussé un soupir, triomphante. J'ai laissé ma mère pérorer, plus déçue et méfiante vis-à-vis du médecin que de moi. Dehors, le soleil calcinait les cimes des arbres, la vapeur du bitume brûlait la plante des pieds à travers les semelles des tennis. Je me suis dit que si les gens avaient une telle obsession du feu, ce n'était pas pour rien, le climat les y poussait. Ma mère a reparu derrière moi un quart d'heure après ; elle brandissait l'ordonnance et maudissait le médecin. Cela m'a convaincue qu'en définitive elle désirait un petit-fils à tout prix. En route vers la maison, peut-être par la magie qui désinhibe le stress, ou par lavage de cerveau, mon ventre a commencé à s'aplatir. Une semaine après, j'avais repris un tour de taille convenable, mais je restais maigre comme un clou et ressemblais à Gandhi. Le découragement ne me quittait pas pour autant. Les traitements psychiatriques n'ont servi à rien, ils ont seulement réussi à calmer la paranoïa, la schizophrénie, en d'autres termes, la peur. Mais j'ai vécu dans l'incertitude de savoir si oui ou non j'avais été responsable de la mort de cet homme, brûlé vif par les mains de son épouse. Sur les autres protagonistes épisodiques et les survivants, j'ai obtenu des informations de première main. Une personne très proche de cette famille a raconté à mon père, en ma présence, qu'on avait emmené l'enfant vivre chez sa grand-mère dans une vieille bâtisse, à l'angle des rues Luz et Compostela. Quant à la meurtrière, elle faisait les deux ans de prison que lui valait son délit et plus tard, en cas de bonne conduite, elle aurait droit à la réinsertion dans la société. Si ça se trouve, c'est elle qui a mis le feu à la Compagnie des téléphones, quelques années plus tard. Elle ou une autre illuminée. La justice ne tombe jamais sur les vrais coupables. Là-bas, l'illumination, c'est de dépenser des allumettes et de l'alcool en sabotages altruistes.

Enma et Randy ont été les seuls amis capables de me distraire de mes soucis. Ils passaient le plus clair de leur temps au cinéma d'art et d'essai Rialto, et m'y invitaient très souvent. Nous y avons vu, entre autres, *Vertigo* d'Hitchcock, avec Kim Novak. Kim Novak, je l'ai photographiée dernièrement à Paris, à l'Arlequin, quand elle est venue présenter le même film, mais restauré, avec des couleurs que le metteur en scène lui-même ne put voir. Enma et moi, nous étions dans la même classe, Randy était deux classes en-dessous, donc on n'avait pas de cours en commun, mais des amis, oui. Notre passe-temps favori, qui se transforma en passion authentique, au centre de nos vies, consistait à collectionner des photos ou des coupures de presse sur des acteurs et actrices célèbres. C'est Randy qui détenait l'album le plus riche, car il échangeait des produits de grande valeur (la ration de lait condensé du mois, des bijoux de sa mère, des daguerréotypes anciens, des vieux disques à soixante-dix-huit révolutions, quelle horreur, soixante-dix-huit au bas mot, comme s'il ne suffisait pas d'une !) pour toute page de journal ou de magazine jauni par les ans. Randy était en adoration devant la méchante Bette Davis, l'énigmatique Ingrid Bergman et l'affriolante Marilyn. Enma, quant à elle, délirait devant la victime Joan Crawford, cette pute de Rita Hayworth ou la vulgaire Vivien Leigh. Ma préférée, c'était la susceptible et fatale Marlène Dietrich, la raisonnable et emblématique Greta Garbo, et avec Randy je partageais Marilyn, que je tiens plus pour un génie lyrique qu'un symbole sexuel.

Au lieu d'étudier, nous nous sommes entièrement consacrés aux vies hollywoodiennes. Nous rêvions, en inventant des amours impossibles entre actrices et acteurs, nous essayions de connaître la couleur de la robe que Bette Davis avait portée dans *La Vie privée d'Elisabeth d'Angleterre*, car nous avions vu ce film dans une copie abîmée en noir et blanc. Ou de savoir si Elizabeth Taylor avait effectivement les yeux mauves. Si les propos attribués à Vivien Leigh au sujet de la mauvaise haleine de Clark Gable, dans la scène du baiser d'*Autant en emporte le vent*, n'étaient pas une infâme calomnie, surtout que cette scène est le photogramme de l'affiche promotionnelle du film.

Enma et Randy avaient une vision très claire de leur avenir. Randy aspirait à devenir acteur à Hollywood, Enma ferait n'importe quoi, en dehors de ce pays. Elle a toujours été la plus dynamique de nous tous, elle m'incitait à peindre des murs pour qu'on gagne cinq pesos par jour, ou à fabriquer des chaussures à semelles de bois. La semelle et le talon de bois, c'était son père qui les fabriquait, un excellent ébéniste qui ne pouvait pas construire de meubles car on avait réquisitionné son atelier de menuiserie à l'heure du Triomphe. Quant à nous, nous nous efforcions de dénicher des lanières en cuir, ou en vinyle, ou en grosse toile, que nous teignions ensuite, afin de nous lancer dans la fabrication de chaussures à la mode. A plusieurs reprises, nous avons manqué de matériel, de semences pour clouer le cuir, la toile ou le vinyle de l'assemblage transformé en soulier. Chez moi, assise sur la cuvette des W.-C., j'ai examiné le couvre-lit rouge de mes parents. Il était assez grand, épais, de couleur pourpre, vachement chouette pour une paire de chaussures à hauts talons. Avec un soin extrême, j'ai décousu le bord du couvre-lit, j'en ai coupé un morceau sans faire un pli, puis j'ai fait un ourlet que j'ai surfilé, pour qu'on ne remarque rien. Quand mes parents sont rentrés, ils ne se sont pas aperçus du désastre. A l'heure du coucher, je me suis brossée les dents au bicarbonate, faute de dentifrice Perla, quand j'ai entendu un hurlement provenant de la poitrine et de la gorge maternelles. Elle a surgi devant moi, le corps enroulé dans la couverture, genre nuisette ; le bord de l'ourlet lui arrivait aux genoux. Je me suis dit que j'avais eu la main lourde, les ciseaux aussi. J'ai répondu humblement sous son regard inquisiteur que je n'y étais vraiment pour rien, que j'y pigeais que dalle à ce qu'elle allait me demander, qu'à mon avis, la couverture s'était retrécie toute seule, car ces lainages soviétiques étaient comme un cancer des os, ils se consumaient peu à peu.

Nous avons vendu seize paires de chaussures à semelles rouges, à trente pesos chaque. Une semaine après, la clientèle a défilé chez la grand-mère d'Enma pour les rapporter. D'abord, les plaquettes des talons, qui provenaient de pneus de camions, adhéraient au bitume, et les gens perdaient leurs souliers. Une dame a même perdu la vie car, dans le pugilat pour récupérer sa chaussure collée au goudron, un bus 27 lui a écrasé le crâne. Ensuite, les agrafes des cahiers scolaires (faute de semences) ne tenaient pas, elles sautaient comme un bouchon et on risquait de se crever un œil au premier pas. Par-dessus le marché, et ça c'était le pire, ils nous montraient leurs pieds écorchés, les courroies étaient d'une qualité épouvantable, elles donnaient si chaud que c'était un sauve-qui-peut général, le pied se mettait à transpirer, et quand on se déchaussait la peau venait avec. Enfin ma mère est arrivée, violette de rage comme la cape de santa Flora dans l'église de la Merced ; elle venait de découvrir des fragments de sa couverture (on dirait le titre d'un recueil de poèmes) aux pieds crottés de la Négresse aux fesses rebondies qui travaillait avec elle. Avant de lui demander où elle avait dégotté des chaussures aussi insolites, elle s'est penchée pour examiner l'épaisseur et le moelleux de l'étoffe. Après, elle a cherché et trouvé qui avait vendu un produit aussi élégant à la Négresse ; quand elle a obtenu le nom et l'adresse de la fabricante et de la négociante, elle n'a plus eu le moindre doute.

— Espèce de garce ! Alors comme ça t'as foutu en l'air mon couvre-lit pour fabriquer des hauts talons et les vendre ! Magouilleuse !

Elle s'est retenue de me zigouiller quand Enma lui a mis sous le nez une liasse de deux cents pesos gagnés dans d'autres ventes, par exemple de flacons de shampooing à la pomme coupé d'eau oxygénée et de savon de ménage fondu, ce qui devenait, par œuvre d'alchimie, un shampooing colorant si on y ajoutait quelques gouttes de mercurochrome ou du bleu de méthylène. Avec cette somme, ma mère pourrait s'acheter deux autres couvertures et il lui en resterait pour s'offrir un caprice.

— Le malheur, c'est que je ne sais pas si j'en retrouverai une du même écarlate que la précédente. C'était un rouge tellement sensationnel !

Et elle a soupiré, apaisée.

Randy apprenait les claquettes, pour imiter Gene Kelly dans *Chantons sous la pluie* ; Enma et moi, on continuait à trafiquer sur l'article le plus simple manquant sur le marché normal – ou anormal ? Un jour, à midi, nous allions chez elle après avoir subi une réunion politique au collège. Nous remontions la rue Trocadero en direction de la rue Galiano, quand un chaton nouveau-né s'est pris dans nos jambes. Enma lui a flanqué un coup de pied qui l'a fait valdinguer à deux mètres de haut ; naturellement, le félin est retombé sur ses pattes, fier de ses sept vies. Aussitôt, nous nous sommes condamnées pour cet acte de violence, elle pour l'avoir effectué, moi pour l'avoir permis. Il faut dire qu'elle détestait les animaux, Enma, surtout les chats. Elle m'a dit qu'elle en avait marre des études, marre de vivre au compte-gouttes, elle m'a dit qu'elle ne supportait plus personne, à part son frère et moi :

— Tu n'as jamais envisagé de partir ? m'a-t-elle demandé à brûle-pourpoint.

— Non, je ne partirai jamais d'ici. Je ne pourrais pas vivre à l'étranger, ai-je répondu avec la plus profonde conviction.

— Mais vivre à l'étranger, sais-tu seulement ce que c'est, puisque tu n'as jamais dépassé Guanabacoa ? Puisque tu ne connais même pas une seule personne qui puisse te raconter ce que c'est de vivre loin de cet enfer.

Elle faisait les questions et les réponses.

— Malgré tout, Enma, je crois que notre place est ici. Il vaut mieux essayer de changer les choses ici, plutôt que de changer ce qui ne nous appartient pas. J'y crois, moi, ici c'est mon soleil, mon ciel, mon océan. Mes parents sont ici. Mes amis également. Oui, j'y crois vraiment. Tu diras que c'est de la sensiblerie, mais je suis ainsi faite.

J'ai débité tout ce discours avec toute la foi dont est capable un être humain qui vit dans les nuages.

— Mais c'est quoi, qui est à toi ? C'est quoi, qui doit t'appartenir ? Quelle manie ont tous ces gens de se croire propriétaires de cette île ! Moi je ne veux pas avoir un pays à moi. Aucun. Je veux seulement avoir à moi ce que je gagnerai à la sueur de mon front. (Les ailes de son nez palpitaient, sa poitrine montait et descendait, elle s'est mise à se gratter les oreilles furieusement.) J'ai des bourdonnements, a-t-elle dit dans un souffle.

Je la savais asthmatique, mais pas hypertendue, pourtant c'étaient les symptômes qu'elle semblait présenter, car elle devenait tout à fait comme ma tante paternelle : quand elle faisait de la tension, elle se ratatinait. Je l'ai emmenée à la polyclinique la plus proche. Le médecin fut aussi stupéfait que nous en constatant qu'une fille de quinze ans souffrait d'une telle hausse de tension, de 12 à 18. On lui a administré les médicaments appropriés pour calmer son malaise, en lui enjoignant de fréquenter à l'avenir la consultation de son quartier, car elle devrait certainement commencer un traitement sérieux.

— Le seul traitement infaillible, ce serait de pouvoir m'arracher, a-t-elle murmuré entre les dents.

J'ai brouillé les cartes en esquissant un sourire, j'ai fait semblant d'avoir entendu une plaisanterie, mais je savais qu'Enma me prenait à témoin de son idée fixe : partir. Cela pouvait être sa façon banale et passagère de se venger pour la souffrance endurée par son père quand on lui avait réquisitionné son entreprise. Non, chez Enma c'était clair comme de l'eau de roche depuis toujours. Partir était la seule alternative. Mais ce jour-là, quand nous avons pris congé du médecin, Enma était revigorée et moi, moins angoissée ;

nous sommes allées nous asseoir sous la futaie du Paseo del Prado, notre futaie perdue ; de fait, c'est sur ces bancs que nous avions lu le poème de Rafael Alberti.

— Tu t'imagines, lui ai-je dit, les gens du siècle dernier passaient ici ; les femmes couvertes de dentelles portaient des robes blanches créoles et tenaient des ombrelles brodées de cannetilles et de strass. Sur ces bancs, on pouvait admirer les cabriolets qui roulaient en direction de la Cortina de Valdés, à l'époque où le parapet du Front de mer n'avait pas encore mordu sur l'espace de l'océan.

— J'ignore quelle sera ma place dans le monde, Marcela. Mais certainement pas ici. Je n'ai rien à voir avec cette pourriture. Je crois au progrès du genre humain et à tout ce que tu voudras, mais depuis longtemps, je trouve que ça sent mauvais.

J'ai déconné à pleins tubes. Il faut envisager les choses par le gros bout de la lorgnette, ai-je proposé. Ce n'est pas tout blanc ou tout noir. J'ai enfoncé le clou : il faut comprendre. Enma s'est levée, m'a prise par la main et m'a presque suppliée de l'emmener voir le fin fond de La Vieille Havane. Bien qu'elle soit née dans le quartier de Centro Habana, les bas quartiers la fascinaient, là où suintait la rumba que l'on jouait sur des cageots, ou le *guaguancó*, sur des bidons d'essence. On est passées devant le cinéma Payret, on a traversé la Fabela, on est entrées au cœur de la vieille ville par la rue Teniente Rey. On s'est arrêtées devant l'église del Angel, dans le parc del Cristo. On a levé les yeux vers le balcon d'angle.

— Ismael doit être en train d'écrire ses poèmes philosophiques, a-t-elle fait remarquer.

Je me suis moquée d'elle :

— Tu parles ! Ismael doit être en train de se branler avec un tuyau d'arrosage fourré dans le

114

cul, tout en admirant une photo de la même posture dans une revue porno déguisée sous une page de *Juventud rebelde*.

— Ah, tu crois qu'il est pédé, Ismael ? Il m'a pourtant fait la cour.

Enma a toujours été innocente sur ces questions. Je l'ai détrompée :

— Les pédés qui s'autorépriment font la cour aux filles pour donner le change. Ismael doit être en train de lire. C'est la seule chose qu'il aime et il a bien raison. Il a même pas de couilles pour s'assumer.

Ismael, c'était le gars sympa de notre classe, cinglé de maths et de littérature, avec une préférence marquée pour cette dernière. C'était un fan de José Ingenieros. Il connaissait par cœur *El hombre mediocre* et nous le récitait comme un modèle à suivre pour arriver, tout droit et sans escale, au progrès. Cependant, c'est José Martí qu'il aimait par-dessus tout, après, il faisait semblant d'aimer Enma à la folie, mais cela a duré le temps pour lui de se trouver. C'est-à-dire le temps de faire le zouave à l'entrée de l'hôtel Plaza, une zone de drague gay. Les femmes de notre génération sont des femmes sans hommes. Chaque fois qu'un mec nous plaît, c'est une crevette. Je ne dis pas cela avec mépris, je trouve merveilleux que notre argot les définisse comme un aliment marin délicieux. C'est qu'ils ont, ces petits phoques, une intelligence hors série, un esprit pétillant, un génie peu commun, une vivacité très spirituelle. Il nous reste deux options : vivre avec eux sans nous toucher, mais alors notre vie n'est qu'une façade, une erreur par conséquent. Chacun pour soi à l'heure de vérité, pas question de s'envoyer en l'air. Ou bien s'aimer entre femmes, et se débrouiller pour trouver des donateurs de sperme quand nous voulons un enfant. Il existe des cas exceptionnels (il ne devrait pas en être ainsi) de ménages totalement efficaces, mais leur pourcentage est infime eu égard à nos exigences croissantes. Ce sont les exceptions qui confirment la règle de l'anormal. Nous avons battu le record des divorces sur Cette-Ile-là.

— Ismael n'a pas d'avenir ici, lui non plus, a rétorqué Enma.

— A t'entendre, personne ici n'a d'avenir.

Je commençais à y voir rouge, car je n'arrivais pas à me faire à l'idée de tout dénigrer. Comme je serais perdante par la suite ! En outre, le fait d'avoir été séparée de ma sœur Hilda, la rancœur entre nous deux par la faute de cette séparation, la rivalité pour gagner l'amour de nos parents, tout cela me déchirait.

— Allez, on change de sujet. On va découvrir ce qui, dans cette ville, est encore capable de nous passionner. Montre-la-moi, toi qui es à moitié garçon manqué et chef de bande.

Elle a souri d'une façon qui signifiait qu'elle ne partirait jamais, qu'elle ne m'abandonnerait jamais. Qui aurait prédit que la première à abjurer, ce serait moi ? Car Enma a eu beau lutter de toutes ses forces pour obtenir un billet qu'elle soupçonnait sans retour, elle n'a pu partir que cinq ans après que j'eus pris mon envol. Les adieux, dans l'aquarium de l'aéroport, furent cruels, mais nous avions l'intuition que nous allions nous revoir sous d'autres cieux, sans doute moins éclatants.

Mais, à ce moment-là, elle me demandait de l'emmener parcourir la ville ancienne, ce que j'acceptai parce que j'étais fière de mes ruines, l'Historien lui-même ne m'arrivait pas à la cheville pour ma collection de vieilles pierres et de mosaïques brisées. Je l'ai guidée le long de la rue Teniente Rey jusqu'au parc Habana, en passant par l'ancienne pharmacie de Sarrá, l'une des trois, parce que les autres, Johnson et Taquechel, ou ce qu'il en reste, se trouvent rue Obispo. Après lui avoir montré les imprimeries où je jouais quand j'étais petite, l'école primaire que j'avais fréquentée, le bâtiment du 67 rue Muralla où, un ami et moi, on avait découvert un cadavre de bébé, et l'hôtel Cueto, joyau de l'*art nouveau** havanais, nous sommes descendues par la rue Inquisidor, comme pour aller de l'autre côté de la baie, aux Elevados. Au croisement des rues Inquisidor et Santa Clara, je lui ai parlé d'une de mes camarades, Tamara, une mulâtresse qui imitait Sara Montiel, et dont la plus grande aspiration dans la vie était de devenir vedette pour une nuit et, pour couronner le tout, d'épouser Tony Curtis. Je ne pigeais rien à ces caprices, mais nous étions copines, et pour lui faire plaisir je me tapais tout le répertoire de *Carmen la de Ronda*, que les rigolos appelaient Carmen la Ronde. Nous avons poussé jusqu'aux ruines de la demeure où avait vécu Alexander de Humboldt, nous avons rebroussé chemin par Inquisidor, rejoint les arcades et dévalé San Ignacio. Les maisons de mon enfance s'écroulaient sous les fils de fer, les étais, la crasse, en résumé elles s'effondraient à cause de la haine et de l'humidité. Nous avons tourné à droite dans la rue Acosta et continué par la rue Cuba jusqu'à l'ancienne Placita, en face de l'église del Espíritu Santo. Nous n'avons pas franchi le seuil de l'église. Je lui ai désigné l'endroit où mes parents me conduisaient pour me faire faire une piqûre de pénicilline quand j'avais une amygdalite, rue

Cuba, entre les rues Jesús María et Merced. Nous nous sommes assises sur le seuil de la maison de ma tante paternelle, devant la façade d'un autre temple, celui de la Merced. M'étant arrêtée un court instant pour me reposer les pieds, car c'est un long trajet, le cafard s'est vengé sur mon pharynx : à force de tristesse poussiéreuse, mes muqueuses ont sécrété une terrible glaire. Je me suis revue toute petite, au baptême de ma cousine Asela, j'avais deux ans et demi, c'est sans doute mon premier vrai souvenir.

Le ring de boxe était fermé. Avant que mes bouts de seins ne pointent, mon oncle Eliseo a eu l'idée géniale de me déguiser avec une chemise à lui toute trouée, de marque Taca, et des bermudas militaires ; il m'a tailladé les cheveux au couteau en laissant juste une mèche devant comme les loubards, il a détaché les créoles que j'avais aux oreilles, m'a forcée à m'envelopper les mains et les talons de bandages piqués dans l'armoire à pharmacie de sa femme, enfin il m'a lâchée comme un coq de combat au milieu du ring. Il m'a conseillée de me protéger le visage et la poitrine, en ajoutant que j'avais un grand avantage, ne pas avoir de valseuses, je n'aurais donc pas besoin de suspensoir. Tous les après-midi, travestie, je boxais de tous mes poings contre les machos du quartier. Pour l'entraîneur, j'en étais un aussi, j'étais inscrite sous le pseudonyme de Marcel. Jusqu'au jour où l'on m'a mise KO : quelle ne fut pas la surprise de l'entraîneur quand il s'est vu forcé de me donner un bain d'eau glacée ? En me déshabillant, il n'a pas trouvé de zizi mais une fente, il a failli tourner de l'œil. Mon oncle, honteux, a avoué : en attendant que sa femme lui donne un garçon, il avait décidé de faire de moi le boxeur de la famille. Enma en pissait de rire. Ce que je regrette le plus de cette époque, c'est la saveur de nos fous rires. Nous avons continué dans la rue Paula jusqu'à la gare et nous sommes arrivées à la maison natale de José Martí. Là nous nous sommes amusées à examiner son écriture en pattes de mouche, photocopiée et agrandie pour impressionner les visiteurs ; c'est la seule chose intéressante de l'Apôtre et ils la conservent avec une fierté excessive. De toute façon, le lieu garde son mystère, et je ne peux nier que c'était l'un des endroits où l'on allait le plus volontiers.

Un après-midi, avec son frère Randy, nous nous sommes assis sur le parapet du Front de mer, pour nous gaver de mangues. Nous avions acheté ces petites mangues à la vieille aux chats, une mendiante qui se trouvait dans le dénuement le plus absolu ; son activité consistait à nourrir tous les chats de Centro Habana. Elle se promenait avec deux gros sacs bourrés de restes, suivie d'un cortège de félins puants et galeux. Randy nous a fait promettre de rester en contact, quel que soit le lieu où l'on se trouverait dans le futur. Ferme sur mes positions, j'ai déclaré que je ne me barrerais jamais à l'étranger, que je ne bougerais pas de l'île pour tout l'or du Potosí.

— C'est quoi, ça ? a questionné Randy.

Je lui ai demandé, les dents striées de filaments de mangue fibreuse :

— T'as pas fait histoire-géo de l'Amérique latine au collège ?

— Si, mais ça m'embête et je ne retiens rien.

Ironiquement, je lui ai répondu :

— Eh bien, si un de ces jours je me taille au Salvador ou en Bolivie, je ne sais pas comment diable tu vas me dénicher !

Tout en suçotant le noyau dépiauté de sa mangue, il s'est moqué de moi en citant les paroles d'un boléro :

— D'après *la saveur de toi,* tu dois avoir une saveur de mangue.

— La saveur, ça ne laisse aucune trace, mon trésor, a rétorqué Enma. Ce qu'on mange, on le chie.

— Eh ben, qu'est-ce qu'elle est poétique, aujourd'hui, *my sister* !

Sur ces entrefaites, un type est passé avec un polaroïd ; il vendait des portraits pour cinq pesos. On lui a demandé de nous prendre trois photos, assis sur le parapet du Front de mer, une pour chacun, afin de ne pas oublier qu'un jour nous fûmes jeunes et charmants. Une telle joie sur nos visages augurait une séparation. Le rire se paie par des larmes. Enma était en blanc, avec une jupe à volants et un corsage brodé ; ce jour-là je lui avais prêté un sac en osier qui appartenait à ma mère. Randy portait un jean bleu foncé très moulant, des baskets, dernier cri du capitalisme importé, un tee-shirt beige à manches courtes. Moi je portais une jupe de même style que celle d'Enma, mais en nylon, à rayures de fleurs blanches et vertes ; mon corsage, quoique plutôt délavé, était en lin rouge, avec des petites dentelles aux manches et autour du cou, don d'une architecte madrilène qui l'avait acheté au Corte Inglés et me l'avait offert lors de sa visite à Cuba, alors qu'elle s'obstinait à retrouver les traces de ses racines familiales ; et elle avait failli y laisser la peau, à force de ratisser l'île de l'Orient à l'Occident ; son grand-père était l'architecte qui avait dessiné les plans du Centro Asturiano. Sur les photos où nous figurons, Enma, Randy et moi, on aperçoit derrière nous la mer dorée et un pétrolier soviétique qui entre dans la baie.

Malgré le soutien moral de mes deux grands amis, je n'arrivais pas à oublier complètement l'incident de mon caprice amoureux réduit en cendres torrides. J'avais tout à coup des accès de terreur, plus tard le temps a allégé ou soulagé l'accumulation de sensations d'égarement. Je ne le nie pas, j'ai assumé cette histoire comme un signe du destin qu'il me fallait mettre à profit pour nourrir mon état mélancolique. Mais le malaise n'a pas toujours été favorable et je sombrais dans de profondes dépressions. Le pire, c'est quand je vois encore cet événement comme s'il s'était produit dans un cauchemar diabolique qui a aliéné mes futures relations amoureuses. Même celle que j'ai eue avec Samuel, qui annonçait l'élimination de tout repli négatif. Mais qui irait imaginer que sa présence remuerait le passé en affirmant encore davantage mon remords ? Quand le souvenir m'assaille, des battements douloureux me prennent les tempes pendant des journées interminables. Je fais un autre rêve moins angoissant : le père et le fils jouent au base-ball dans le parc ensoleillé des Amoureux, naguère appelé – j'ai pu l'apprendre dans un recueil de récits de Calvet Casey – le parc des Philosophes, où il y a même eu des statues grecques ; maintenant, j'évoque Luz y Caballero avec sa coupe de cheveux médiévale et son nez retroussé en pierre, ainsi que les bustes de Félix Varela et de José Antonio Saco, et je caresse, de mes mains bouleversées par la mémoire, le tapis de feuilles mortes pourries et piétinées. L'enfant gambade, heureux, il est de dos par rapport à l'endroit où je me trouve. Je veux voir son visage ! J'aimerais passer ma langue sur ses joues, j'ai besoin de connaître sa saveur ! Même si la saveur se défèque.

III

L'OUÏE, OUBLI

Les rêves symbolisent-ils les choses oubliées ?
Forment-ils notre espace exclusif de liberté
authentique ? Oubli et liberté ne s'opposent pas
forcément, ils peuvent être complémentaires.
Oublier, est-ce que cela nous délivre des cauchemars ? Oublier, est-ce que cela délivre ? Je n'en
suis pas certaine, et pourtant, ce n'est qu'à travers les rêves que, bien involontairement, je
peux mentionner l'interdit. Les paroles, autant
en emporte le vent, tant qu'elles ne sont pas
écrites. Un indigène d'une tribu d'Amazonie ou
d'Afrique a-t-il les mêmes rêves, les mêmes oublis
qu'un Havanais ou qu'un Parisien ? J'en doute.
Quand je rêve, j'écoute ce que le souvenir a effacé.
   Arrête de déconner comme ça, Marcela, mêle-
toi de ce qui te regarde. Pour l'instant, ce qui me
regarde, c'est de foncer dans la rue pour entendre les voix des passants, pour contempler le
soleil et prendre sa température puisqu'il finira
bien par se lever, le soleil, pour lézarder avec mon
Canon prêt à immortaliser toute scène imprévisible. Par exemple, des néo-hippies dont les
oreilles, le nez, les lèvres, la langue, le nombril,
le sexe aussi, je suppose, sont percés d'anneaux,
en train de se bagarrer à coups de bouteilles
au métro Saint-Paul ; ça, je l'ai vu l'autre jour,
mais je n'avais pas mon appareil sur moi.

Charline n'avait pas tort de critiquer ma décision de m'installer dans le Marais, rue Beautreillis, dans une vieille bâtisse française de style vieil-havanais, de pronostiquer qu'il se produirait quelque chose de bizarre, qui marquerait ma vie encore plus fort ! A l'en croire, ce quartier fourmillait de voix, de saveurs et de bizarreries, y compris les fantômes du XVIIe siècle, et bien entendu, les plus récents, qui hantent cet hôtel particulier où je suis locataire. C'est vrai, en face de chez moi se trouve l'immeuble où le chanteur Jim Morrison a vécu et cassé sa pipe, la veine passée au crible d'une overdose ; j'ai senti son souffle fugace et voluptueux me caresser ; parfois je marchais sur le trottoir et il passait près de moi en exhalant un étrange halo amphétaminique, une saveur de patchouli a pénétré dans ma gorge, sa voix a murmuré une chanson à mon oreille craintive. Oui, le plus attrayant dans ce quartier, c'est bien qu'il conserve encore sa magie, grâce à la permanence irrationnelle de ses turbulents personnages diurnes, à l'entêtement de ses fantômes fanfarons ou réellement glorieux, ou de ses esprits moqueurs (abracadabra !) qui refusent de se tirer ailleurs avec armes et bagages.

J'ai changé de quartier après ma visite éclair à La Havane. C'est à peine si je peux aborder ce sujet, j'en ai la gorge nouée. J'avais déjà décidé d'abandonner mon travail de photographe quand un homme d'affaires français m'a suppliée de l'accompagner, car il avait besoin d'un témoignage graphique de sa visite. Quant à moi, j'avais besoin d'argent. Je m'étais juré de ne plus jamais retourner là-bas, mais je ne nie pas que j'ai eu des fourmis dans les jambes. Encore que je n'aie pas fait mes préparatifs avec un enthousiasme débordant. Je redoutais de me heurter à des cadavres vivants. J'ai dû payer un visa d'entrée dans mon propre pays. J'ai fourré dans une valise quatre vêtements de rechange, des pellicules vierges et mon matériel de photo. Je suis arrivée à l'aéroport havanais de bon matin, en raison d'un retard de la Cubana de Aviación. Comme dans la devinette : "Quelle est la compagnie la plus pieuse du monde ? – La Cubana de Aviación, elle vole si Dieu veut." A la douane, j'ai attendu deux heures la sortie et le contrôle des bagages. Le tumulte, joint à ma nervosité, m'a bouché les oreilles, l'homme d'affaires m'a priée de ne pas attirer l'attention, il ne voulait pas que trop de gens sachent que j'étais cubaine, j'ai souri ironiquement, c'était déjà un secret de Polichinelle.

Quand j'ai quitté ce no man's land et franchi cette frontière si terrible par la souffrance psychologique qu'elle génère, quand j'ai foulé le pavé ramolli, j'ai humé mon pays à pleins poumons. Doux Jésus, ça sentait bon l'enfance et les amis ! Je n'ai pas eu le temps de m'attarder, on nous a fait monter dare-dare dans un bus du protocole pour nous conduire dans une résidence de même catégorie. J'ai passé ces quatre jours à circuler dans l'autocar, protégée des regards par des vitres en verre fumé, de la villa aux différents ministères, de réunions en réunions, l'objectif de mon appareil s'interposant toujours entre mon regard et la réalité. La dernière nuit, j'ai pu m'échapper vers le Front de mer, là j'ai payé un taxi touristique pour filer à Santa Cruz del Norte, à mon retour j'ai flâné dans La Vieille Havane, désolée et en ruine. J'ai pleuré devant ma maison, j'ai fait la tournée des domiciles de mes amis absents. J'ai demandé au chauffeur de se garer quelques minutes devant la prison de la Cabaña, où dépérissait Monguy.

J'étais revenue, oui et non, car je ne pourrais rien raconter étant donné que je n'avais rien trouvé, sinon de la misère, de l'amertume et des absences. Même si, çà et là, dans la cour d'une vieille bâtisse, il y avait des gens qui dansaient au son d'un tambour sacré *batá*, même si les filles qui faisaient le tapin sur le Front de mer semblaient saines et gaies, le laisser-aller filtrait de toutes parts. Evidemment il y avait la vie, et il fallait bien la vivre contre vents et marées, hardiment. Le lendemain matin, je devais repartir.

A la douane, on m'a dépouillée de toutes les pellicules que j'avais utilisées, sous prétexte que j'avais photographié des sites stratégiques. L'entrepreneur français, écumant de rage et au bord du collapsus, n'avait pas atteint son objectif : acheter une plage pour sa femme et y implanter plusieurs hôtels. Il a traversé la douane en pestant contre la terre entière ; par miracle on n'a pas été arrêtés. Au fond, je m'en réjouissais, va te faire foutre, lèche-cul, ça t'apprendra à dire en France que Cette-Ile est une merveille. Je suis montée dans l'avion avec l'impression de n'avoir pas mis les pieds là-bas, avec la mauvaise conscience d'y être retournée presque en complice, l'âme déchirée. Plus jamais. Je ne dirai à personne que j'y suis retournée, ai-je pensé. Je ne pourrai pas me le pardonner, jamais. Je crois que j'ai bouclé la boucle, pas en or mais merdique, de mon histoire officielle en tant que photographe, et de mon aveuglement patriotard.

Il y a quelques mois, on m'a proposé un poste de maquilleuse de télévision, que j'ai accepté sans hésiter, après avoir réussi un stage terriblement ennuyeux qui exigeait, bien sûr, une parfaite maîtrise des ficelles du métier ; j'ai donc assez de temps libre dans la journée, car la plupart des émissions sont enregistrées ou diffusées le soir. Ainsi, je peux me coucher tard et faire la grasse matinée, c'est ce que j'adore dans la vie de mon quartier, il invite au noctambulisme. Je suis de plus en plus minimaliste concernant les plaisirs, je les sélectionne avec soin, je collectionne ceux qui ne causeront aucune blessure, aucun déchirement sentimental. Pourtant, j'ai beau m'efforcer de ne pas succomber à la tentation, je me laisse invariablement broyer par d'amers délices ; dernièrement, j'ai souffert assez durement et, pourquoi le nier, je l'ai déjà expliqué plus haut, les états d'âme négatifs me nourrissent, élèvent mon âme, enrichissent mon énergie créatrice. Il n'y a pas longtemps, j'ai maquillé un homme politique en exercice ; après avoir fait briller sa calvitie, en absorbant la graisse qui dégoulinait des quatre poils collés à son crâne, j'ai étalé de la poudre beige sur sa tête, non sans avoir enduit son teint d'une base mate de chez Lancôme ; j'ai dû lui dessiner les sourcils avec une ombre marron pour rehausser la valeur de son regard et escamoter son front et sa calvitie démesurés ; de surcroît, j'ai dû lui accentuer le blanc des yeux car il les a petits, comme ceux d'une souris, et lui allonger les cils au *maybelline*, enfin j'ai utilisé tout un flacon de fond de teint tout neuf pour boucher les cratères de sa figure ; d'un trait de peintre, j'ai dessiné à coups de pinceau Chanel ses lèvres rentrées et ridées et j'ai dû m'en remettre à l'éventail des roses d'Yves Saint-Laurent pour que sa bouche semble afficher une santé splendide d'adolescent. En effectuant les dernières retouches, j'ai eu l'impression d'avoir devant moi sa marionnette des Guignols. Chose incroyable, il a veillé au moindre détail, il maîtrisait à merveille l'art de la lumière, se demandant laquelle se marierait avec telle teinte de rouge à lèvres, ou si ses dents ne paraîtraient pas trop tachées ou jaunâtres par rapport à tout ce fard rose sur ses joues et son menton ; en résumé, il m'a demandé instamment de teindre sa denture en blanc perle, et de veiller au grain pendant les coupures publicitaires, pour aller éponger la graisse sur son nez, car les projecteurs lui faisaient éliminer son cholestérol à gros bouillons. J'en ai conclu que si ce ministre était aussi calé en politique qu'en maquillage les choses iraient peut-être relativement mieux. Aucun politicien plus soucieux de ressembler à Ken (le pseudo-mari de la poupée Barbie) que de prononcer un discours cohérent n'arrivera à liquider l'intolérance qui envahit la planète.

Voilà à quoi je cogite, en dirigeant mes pas vers ma succulente rue Saint-Antoine, mon petit chou à la crème ; je peux affirmer qu'à partir de là, tous les chemins mènent à l'éternité. De Saint-Antoine, direct au septième ciel. En m'y promenant, j'ai été envahie par l'ambiance épicée la plus sublime, par les mélodies les plus extravagantes. C'est au point qu'en sillonnant ses trottoirs, je peux imaginer que je débarque dans la baie de La Havane ou dans celle de Matanzas. Ma langue se raidit au souvenir de la saveur salée de la pointe de mes cheveux, mes tympans titillés confondent klaxons de voitures et sirènes de cargos.

A l'angle des rues Beautreillis et Saint-Antoine, je tire trois cents francs à la billetterie du Crédit du Nord ; au kiosque d'en face, j'achète la presse. A la une du journal paraît un article sur Cette-Ile, je le plie dans l'autre sens pour éviter de me gâcher la journée avec les boniments habituels.

En somme, c'est le même article ressassé : beauté insulaire, tropicalité, musicalité, prostitution, santé et éducation soi-disant garanties, une pincée de pauvreté par la faute de l'embargo, outre un nombre infime de dissidents, par leur propre faute cette fois, ces têtes de mules. Pour abréger, notre couillonnade de chaque jour. On a l'impression que les journalistes profitent du voyage payé par leur quotidien pour s'éclater, après ils copient comme des fous sur d'autres articles eux-mêmes copiés sur d'autres, et ainsi de suite dans une succession d'antisèches identiques à celles que nous fabriquions à l'école pour nous tuyauter et être reçus ric-rac.

Je ne réussis pas à rayer Samuel de ma liste de préférences, je ne parviens pas à tirer un trait sur lui ; un frisson me parcourt du bassin à la glotte, juste entre les dents et sous la langue. Je me donne un mal fou pour effacer le timbre de sa voix, ses paroles apaisantes, sans parvenir à le destituer de son règne sur mes neurones. Malgré tout, je ne peux nier que son départ a été un baume, au contraire de ce que j'appréhendais, et j'éprouve une sensation identique à celle qu'aurait produite sur mon palais l'anesthésie du dentiste, un fourmillement paralysant. Je ne veux pas être anéantie par les scrupules de conscience. S'il est parti à New York, tant mieux, je me réjouis de lui avoir trouvé du travail chez Mr Sullivan, qui prendra soin de lui comme s'il s'agissait de moi, sa fille de substitution. Samuel sera heureux de travailler dans le domaine qui le passionne par-dessus tout, il filmera selon son bon vouloir, ou plutôt celui de la pub ; mais un jour, il ira loin, car ce n'est pas le talent qui lui manque. Un jour, il fera du cinéma (peut-être pas celui de ses rêves), quand il ira enfin à

Los Angeles, je veux dire à La Mecque. Je ne devrais pas me soucier d'organiser sa vie. J'ai besoin de rééquilibrer mon propre univers. Ce n'était pas de sa faute et, s'il s'est montré vindicatif dans son amour, ce fut de manière inconsciente. Le hasard, une fois de plus, a pris les choses en main et a tiré parti de la situation au moyen d'un *deus ex machina* pour dévier le cours des destinées. Oh, Marcela ! fais comme si tu réussissais d'un coup à abolir le passé, prends sur toi et laisse-toi aller à l'extase ; assume ta solitude et compare posément les rues d'une ville étrangère avec celles de ton enfance, constate que des gens accablés de problèmes s'y meuvent et découvre leur beauté, en dépit de leur abattement ; tu devras te remémorer le passé sans douleur. Oh, les fêtes, les réunions de ta jeunesse ! Mais toute évocation, tout exercice de mémoire sont liés à Samuel. Oh, Samuel, mon coup de grâce ! En tout cas, le sang n'a pas coulé, juste un filet de vin rouge sur une bouche d'égout.

En allant vers Saint-Paul, j'examine avec une avidité de scénographe les êtres et leurs paysages ; des Parisiens, des touristes ou des étrangers installés ici, en ce premier jour printanier de l'année, prennent du bon temps avec *nonchalance** (c'est un mot français que j'adore), en plein air, assis aux terrasses des cafés. Je sais que je respire le même oxygène, je suis une personne de plus, qui savoure l'air et entend les vrombissements tapageurs. Beaucoup ont remplacé le kir par la bière, les femmes exhibent leurs jambes nues, un peu trop blanches, il faut dire. A la hauteur du chausseur Girod où l'on ne vend que des souliers d'occasion démodés, mais en parfait état, je ralentis afin d'examiner les dernières soldes et soudain, j'entends un accent faubourien qui m'est familier :

— Oh, dis donc, vise-moi ces godasses comme elles sont chouettes pour envoyer à maman. (La jeune fille tient une paire de chaussures italiennes à semelles compensées, elle les examine de près pour ne pas se gourer sur leur qualité et demande le prix. Pour toute réponse, la vendeuse fait le geste de placer l'étiquette de façon encore plus visible.) Cinquante francs ? Oh, non, mon trésor, c'est affreusement cher, fais-les-moi à trente. Des pompes comme ça, même ton arrière-grand-mère, si elle ressuscitait au Père-Lachaise et se pointait à poil au coin de la rue, elle te les achèterait pas.

C'est Anisia, la cousine de Vera, je l'avais connue dans l'avion pendant les neuf heures de trajet entre La Havane et Paris, c'est une journaliste convertie au bouddhisme. Anisia habite à Paris depuis cinq ans et elle y évolue comme si elle était née ici, ou plutôt comme si elle n'avait pas bougé de Los Sitios, avec cette désinvolture frisant la vulgarité. C'est une brune décolorée, ici elle doit se teindre à L'Oréal, pas à l'eau oxygénée. Elle a les sourcils arqués à la Marlène Dietrich, les lèvres pulpeuses, mais gercées par l'air sec, car elle utilise un rouge longue durée qui se fendille. Elle arbore un grain de beauté coquin sur le cou ; de corps, elle est acceptable entre la poitrine et les cuisses, car elle a de gros seins mais des guibolles toutes maigres. La vendeuse française accepte de mauvaise grâce, sans piger un traître mot du baratin de l'autre qui fait de grands gestes en lui brandissant sous le nez la paire de chaussures en croco. Satisfaite de son acquisition, elle s'aperçoit que je suis là à l'observer, amusée et captivée par son tapage.

— Eh ! Qu'est-ce que tu fiches par ici ? Ah, mais c'est vrai, t'habites à deux pas. Tu avais disparu de la circulation, toi. Où c'est que tu étais ? T'es plus jamais passée à la maison. On a froissé ta sensibilité ?

— J'en ai assez des soirées, je n'ai rien contre vous. C'est un problème de caractère, je suis du genre pénible. En plus, j'ai un travail fou.

Je mens pour me tirer de ce mauvais pas.

— Tu t'es remise à la photo ? demande-t-elle en faisant mine d'appuyer sur le bouton d'un appareil, puis elle désigne l'étui du Canon suspendu à mon cou.

— Non, maintenant je suis maquilleuse de télé.

Je présume que cette phrase va l'impressionner.

— Putain, c'est géant ! Tu dois voir des tas de célébrités, Alain Delon, Catherine Deneuve, Gérard Depardieu, toute cette bande de vedettes. Hein ?

— Ça dépend des fois.

Je remarque à quelques pas un homme de grande taille, voûté, à la calvitie naissante. Il l'attend, maintenant il vient vers nous, je me rends compte qu'il est enrhumé, *en avril ne te découvre pas d'un fil** ; il me serre la main avec une extrême amabilité et dit bonjour dans un castillan hésitant. Ensuite, il tire doucement Anisia par la manche de son chemisier bleu pastel. Elle le repousse, mais aussitôt ses bonnes manières et une tendresse simulée reprennent le dessus, et elle s'excuse auprès de son compagnon, qui a toutes les apparences d'un Français de pure souche ; il ne lui manque que la perruque poudrée :

— Attends deux petites secondes, mon chou, on y va. (Elle se tourne vers moi.) Il faut que j'y aille. Passe à la maison un de ces quatre, on fait toujours la nouba ; tu les connais, les franchouillards, on dirait tout le temps qu'ils vont s'ouvrir les veines, alors ça les ravigote de danser. Allez, quoi, viens ! Et ton copain, ce drôle de Cubain apathique ? Il était du genre intello, hein ? N'empêche, c'était un brave type, ça se voyait de loin, un mec vachement sympa.

Elle faisait les questions et les réponses d'une traite.

— Il est parti à New York.

Je n'ai pas pu m'empêcher de hausser les épaules.

— Oh, ma poulette, t'es restée toute seule ? Enfin, sûrement que vous vous écrivez et que tu vas le voir de temps en temps, ou alors c'est lui qui vient te voir. Dis donc, pour lui c'est formidable, s'installer à Manhattan, la classe. Il a bien fait, ici ça tourne super mal, avec cette espèce de Le Pen-du-pénis. En plus, ma vieille, dans ce foutu pays, on risque pas de se faire beaucoup de tunes. Les gens sont très radins, ils les lâchent au compte-gouttes. Bon, fais-toi voir, radine-toi à la maison. On t'a à la bonne, tu sais bien.

Tout à coup, elle attrape le bras du type et le pose d'autorité sur ses épaules, puis elle souffle un baiser dans ma direction ; ils tournent les talons et disparaissent vers la Bastille. Je vais à la brasserie La Fontaine Sully et je m'attable près de la baie vitrée pour me délecter du spectacle de la rue, des passants vêtus de couleurs théâtrales : vert, terre de Sienne, jaune canari, rose fluo, rouge brique, bleu ciel, turquoise. Je commande une saucisse-frites, je suis si affaiblie que j'y vois double, un léger étourdissement me prend et je sens un élancement continuel en haut de la nuque. A la table voisine, un sexagénaire efféminé à moitié siphonné feuillette *Le Canard enchaîné ;* il semble assez petit et porte un pantalon en peau d'agneau, une chemise couleur sang de taureau, et un nœud papillon, en agneau aussi ; il a une touffe de cheveux crépus sur le devant et une espèce de catogan ; entre les frisettes sur le front et les mèches qui lui descendent dans le cou, il a graissé et lissé énergiquement sa chevelure. Il n'arrête pas de poser sa fourchette, de faire tinter bruyamment son couteau contre son verre. A présent il repousse la table et se lève ; oui, il doit mesurer environ un mètre soixante, peut-être moins. Il sort et rentre, il a laissé son assiette intacte – un plat de viande à la sauce piquante, garnie de pâtes ; une fois de plus, il ressort et fait le guet des deux côtés de la rue, il doit attendre son partenaire.

L'appétit coupé, je pique quelques frites de ma fourchette, mon palais est devenu douloureux ; tout en mâchant et en faisant tourner chaque bouchée avec ma langue, je pense aux fameuses soirées d'Anisia, un vrai complot pour pimenter la nostalgie tant de fois ressassée. Les Cubains descendent de l'avion d'AOM et vont s'éclater aussi sec. Nous sommes de plus en plus nombreux dans cette ville. Nous sommes de plus en plus, dispersés de par le monde. Nous envahissons les continents ; nous sommes des insulaires typiques qui, une fois à l'étranger, ne peuvent aspirer qu'au souvenir. Attachés au nom des rues, nous cultivons une géographie du rêve. Dormir, c'est revenir un peu.

Ayant avalé la moitié d'une *mousse** au chocolat afin de mêler les saveurs salées et sucrées, je règle mon addition et sors, non sans avoir buté sur le portemanteau vide ; qui tombe d'un coup sur le petit pédé énervé à qui on a posé un lapin. Je remets tout en place, je bredouille des excuses, il les reçoit de mauvaise grâce et je cours me perdre dans la foule des passants. Oh, le printemps ! Je dis ces mots en fixant le soleil pour le supplier de me blesser les pupilles. Oh, une lance incandescente de lumière mauve qui se clouerait dans mes paupières ! La musicalité de la ruelle où je marche me semble pâteuse.

Aucune scène ne mérite d'être photographiée. Chose paradoxale, la profusion n'est pas toujours photogénique. Le trajet de la rue Saint-Antoine à la rue de Rivoli est ce qui m'inspire le plus au cours de ma promenade frustrante. Je décide alors de m'enfermer dans la Maison européenne de la photographie, rue de Fourcy ; on y expose des photos d'Henri Cartier-Bresson, prises au cours de ses voyages européens. Je me fais d'une traite les quatre étages de l'exposition d'où je sors déprimée, en raison de la densité du mouvement dans l'œuvre de cet artiste. J'inscris dans mes archives mentales une activité culturelle de plus, pourtant j'avance sur la voie de la vacuité. Je me balade encore un moment dans des petites rues, puis je décide de me réfugier à la maison, je suis une esclave du téléphone, c'est pourquoi j'aime et j'abhorre cet appareil au nom si extravagant : SAGEM. Samuel aurait-il téléphoné de New York ? Ana de Buenos Aires ? Andro ou Winna l'ont-ils fait de Miami, ou Lucio du New Jersey ? Et Silvia, de l'Equateur ? Igor a peut-être faxé une lettre de Caracas, ou de Bogotá, à moins qu'il ne soit à Mexico, ou à Guadalajara, ou qu'il ne soit rentré à La Havane. Lui et Saúl sont les seuls à voyager et à retourner souvent dans notre Ithaque. De Mexico, je pourrais recevoir aussi des nouvelles d'Oscar, le génie de l'essai pictural.

J'ouvre ma porte et la première chose que j'entends, c'est le goutte à goutte sur le lavabo, il faut que j'appelle les Ouvriers de Paris ; non, je ferais mieux d'aller au BHV acheter le robinet, de téléphoner à Tirso, le plombier cubain qui était autrefois mannequin à La Maison, ça me reviendra moins cher, sans compter qu'il a besoin de fric. Il vient de débarquer, marié à une Française qui a trente ans de plus que lui ; elle le nourrit de sachets de tisane à la vanille et de salades de cresson et de pourpier. Je lance mon imperméable sur le canapé et jette un coup d'œil au voyant lumineux du répondeur : il indique neuf messages. J'appuie sur la touche avec un mélange d'anxiété et de terreur. Et si c'étaient mes amis ?

— *Mar ? Mar, tu es là oui ou non ? Toi alors, tu mènes une vie de bâton de chaise. T'arrêtes pas, ma parole, profite un peu de ta maison. Enfin, je te téléphone parce que j'ai appris que ce mois-ci ils ont donné avec la carte de rationnement à Cuba... évidemment, où est-ce que ça pourrait être ? C'est bien le seul pays où la carte de rationnement existe encore. Bref, je parie que tu devineras pas ce qu'ils ont donné ? Cinq livres de riz et une demi-livre de détergent, sans doute pour laver le riz, point final. Jusqu'à quand, ma vieille ? Bref, mon trésor, je viens de me marier... Oh, j'oubliais, c'est Silvia à l'appareil, donc je viens de donner ma main, pas à couper, mais en mariage, à un Argentin tout ce qu'il y a de cultivé et de calme. Je n'ai pas changé de pays, non, je reste à Quito, Équateur. Dis donc, j'irai peut-être à La Havane pour le Nouvel An, si les enfants de pute du consulat m'accordent un visa. Dis-moi si tu as du courrier ou un colis à envoyer là-bas. Ce que tu voudras. Voilà, je t'ai écrit et jusqu'ici je n'ai pas reçu de réponse. Affectueusement, tchao.*

— *Allô, Marceliña, Ana à l'appareil. Je t'appelle du Brésil, mais je retourne à Buenos Aires. Ton thème astral de ce mois-ci est sensationnel. Concentre-toi sur les quelques mots que je t'avais* transmis, mets ton énergie face à la lumière, quand tu sortiras, fixe le soleil et demande-lui ce qu'il y a de mieux. Ma fille vient d'avoir six mois. Elle est mignonne tout plein. Tu vas venir ? Je ne peux pas trop m'attarder au téléphone, je suis chez une chanteuse cubaine. Je te rappellerai à mon retour en Argentine. Quand est-ce que tu vas répondre à mes lettres, bordel ? N'abuse pas du chocolat, ni du vin. Pour le fromage, vas-y mollo ! D'après ton signe zodiacal, t'auras des emmerdes côté foie.

— Hé, dis donc, fais pas semblant que tu y es pas, je sais que tu y es, de quelle Sûreté tu te caches ? Ici Andro, tu me manques. J'ai quelques potins à te raconter sur Cuba. Je t'avais envoyé une carte postale de la Vierge de la Charité du Cuivre en trois dimensions, mais ça date de l'an dernier. Et maintenant, décroche, tu vas te marrer avec les nouvelles blagues de l'île. Oui, merde, j'arrive ! Je te laisse, parce que je suis dans un café et ils vont me rendre dingue. Bises.

— Marcela-c'est-Igor-je-me-dépêche-j'ai-piqué-une-ligne-de-l'hôtel-Cohiba-pour-que-tu-saches-que-nous-allons-bien-grâce-à-tous-les-saints-t'en-fais-pas-pour-nous-t'as-des-nouvelles-des-autres ?-je-t'appellerai-un-autre-jour-tchao.

— Dis donc, fillette, je ne sais pas si Andro a réussi à te joindre, en tout cas il a dit qu'il essaie-rait. C'est moi, Lucio. Il y a des nouvelles de l'île. Ici à New York, tout va bien. J'ai fait la connais-sance de ton Samuel, il est adorable. A Miami ils sont tous en émoi. Il paraît que quinze balseros viennent d'arriver sur leur radeau, mais on ne sait pas ce qu'elle va en faire, la Clinton. Tu dois être au courant, pour les lois migratoires en cours… Quand c'est que tu vas revenir dans ton pigeonnier, nom de Dieu ?

— *Ma petite, c'est ta maman. Nous sommes en bonne santé, c'est l'essentiel, et ton père, comme d'habitude, il ne dessoûle pas, il s'est mis avec une gamine balsera. Ta sœur te passe le bonjour. Tes neveux grandissent. Et toi, comment vas-tu ? Bon, téléphone-moi, il faut que je raccroche, je pars au boulot. Cette cafétéria de l'aéroport, elle me casse les pieds. Bye.*

— *Mar, c'est moi, Samuel. Tu n'es pas là. Je t'aime… et je t'emmène au cinéma. Tchao. Oh, ça marche comme sur des roulettes. Tchao. Au fait, j'ai reçu une lettre de Monguy.*

— *France Télécom vous informe que le numéro que vous avez demandé n'est pas attribué…**

— *Bonjour, c'est Oscar, je t'appelle de Mexico, je passerai peut-être par Paris, dis-moi s'il y a moyen de se voir. Je meurs d'envie de bavarder avec toi dans un bistrot parisien. Un rêve sur le point de se réaliser. Enfin, c'est pas trop tôt, après tant d'années ! Au revoir**

— *Chérie, c'est nous, Enma et Randy, il fait un temps superbe à Tenerife, comme toujours. Nous n'oublions pas tes dernières vacances dans les parages. Nous avons passé des moments merveilleux. Est-ce que tu vas revenir bientôt ? Nous t'envoyons quelques petits cadeaux par la poste, le film* Fantasia. *On l'avait vu au Cinecito, tu te rappelles ? Et puis des chorizos et de la soubresade, enfin des petits trucs pour aider à vivre, quoi. Bisous. Au revoir.*

La sempiternelle goutte d'eau qui coule dans le lavabo produit l'effet comique d'une sonate tragique en bruit de fond des messages. J'ai la tête en feu, je me sens vidée. Je réponds ? Est-ce que je leur téléphone à mon tour ? Le plus intéressant, ça doit être la lettre de Monguy, que détient Samuel. Je l'imagine, écrite au crayon sur un papier jaunâtre en bagasse, plié, froissé, aux caractères minuscules à peine déchiffrables ; un vrai chef-d'œuvre de la communication. J'imagine la formule d'adieu, l'ancien slogan révolutionnaire mis pour rigoler : *Il faut savoir tirer, et bien tirer*. Référence au fusil, pas au sexe. Sur mon canapé, je m'adosse à un coussin, je ferme les yeux et m'endors presque, je pense à Monguy derrière les barreaux. Monguy le Bègue, qui va aux latrines de la prison et s'introduit la lettre, un minuscule tortillon de papier, dans le cul, mais au bord, de façon à ce qu'elle ne pénètre pas trop loin dans les replis. Ensuite Monguy, le jour de la visite des familles, à l'écart des autres prisonniers, se met à pousser, pousser, il arrive à lâcher un premier pet, il pousse, pousse, voilà le deuxième et la lettre qui sort avec. Il plonge sa main par derrière sous son pantalon, fait semblant de se gratter le coccyx et plus loin, jusqu'à la raie des fesses, quelle démangeaison, putain ! Enfin son doigt touche le parchemin de bagasse souillé d'excréments. Il l'extrait entre son annulaire et son majeur, en un tour de passe-passe. En silence, comme s'il admirait le paysage, il le glisse entre sa cuisse et celle de son pote. Le parrain en religion de Monguy prend ce papier, avec deux doigts également, fait semblant qu'un moustique l'a piqué à la cheville, puis il se gratte le talon. Voici la lettre en lieu sûr, dans sa chaussette. Plus tard, Raúl, le parrain de Monguy, s'arrangera pour trouver un messager occasionnel et discret en partance pour Miami, qui la postera, afin que Samuel la reçoive à Manhattan.

Monguy le Bègue emprisonné, c'était le plus voyou des mecs, celui qui dansait et déconnait le mieux dans la bande, une blague après l'autre, un mauvais tour après l'autre. Il était vachement mordu de Maritza, mais elle n'en voulait pas parce qu'il était chabin ; quoique, quand il s'agissait de danser avec lui, c'était toujours elle qui emportait le morceau. Pour danser avec Monguy, il fallait s'inscrire plusieurs mois avant la fête. Minerva, la Mine d'étrons, elle en devenait verte de jalousie quand elle n'arrivait pas à avoir Monguy comme cavalier. Elle en avait toujours pincé pour lui, mais lui n'avait d'yeux que pour Maritza. Maritza par-ci, Maritza par-là, jusqu'au moment où il en a eu marre de lui courir après et qu'il s'est mis avec Nieves, la Négresse. Minerva ne se lassait pas d'envoyer des piques :

— Non mais tu te rends compte, être noire et s'appeler Nieves[1] ? Et ce Monguy, qu'est-ce qui lui a pris de se coller avec une Négresse ? Au lieu de faire progresser la race. Je le lui ai dit, moi, qu'en me perdant il perdait un trésor, ce n'est pas tous les jours qu'un chabin a l'occasion de fréquenter une blonde aux yeux verts.

— Tais-toi donc, sois pas raciste. Faut voir ce qu'elle est jalouse, cette fille. T'as qu'à t'en trouver un autre, mon chou. Les mâles, c'est pas ce qui manque, dans ce pays, a déploré Lourdes, que tout le monde appelait Luly.

— Oh ! toi on t'a pas sonnée. D'ailleurs, c'est pas à toi que je causais, c'est à Marcela. Mêle-toi de tes oignons, ajouta Mine, qui tenait entre ses dents dix épingles à cheveux, pour se faire un tourbillon en enroulant d'abord une longue mèche raide et épaisse à partir du milieu de sa tête, autour d'un tube en carton de talc Brisa, ensuite, à l'aide d'un peigne édenté, elle séparait ses cheveux mèche par mèche, autour de son crâne.

1. *Nieves* : neiges. *(N.d.T.)*

140

— Si tu es si blanche que ça, je ne sais pas pourquoi tu t'amuses à te faire le tourbillon, à ma connaissance, le tourbillon, ça sert à défriser les cheveux crépus. Hein, Marcela ? (J'ai approuvé en esquissant un sourire.) Tu es peut-être une fille très blanche aux yeux verts, mais ta grand-mère, où c'est qu'elle est passée ? T'as dû la cacher dans le placard. Moi on m'a dit qu'elle était fille d'une esclave et d'un propriétaire espagnol, de ceux qui leur flagellaient le dos, a lâché Luly impassible, tout en décorant d'arabesques les marges gauches de son cahier de biologie.

— Arrête de déconner, ou je te casse la gueule !

Mine se jeta sur Luly comme une tigresse. Moi j'étais là, comme d'habitude, pour les séparer.

— Mais enfin, qu'est-ce qui se passe ? Vous battez pas, merde !

Soudain, les gifles ont claqué. Quand je me suis interposée, elles m'ont labouré la figure de leurs ongles au vernis couleur perle. Les griffes de Luly se plantaient comme des crochets dans le tourbillon de Mine, des poignées de mèches de cheveux lui restaient entre les doigts. Mine trépignait comme une jument, elle m'a fait déguster, j'en ai eu les guibolles couvertes de bleus. Tandis que, ployant sous la douleur, je massais ma cheville, Mine a planté ses crocs dans l'épaule de Luly. Celle-ci l'a attrapée par les cheveux et a réussi à les lui arracher, mais un bout de chair est entré dans la bouche de Mine. Ça a crissé comme si on déchirait une étoffe de velours. Quand j'ai vu couler le sang, je me suis dit qu'elles dépassaient les bornes. J'ai tiré d'un coup sec la barre de fer de la fenêtre et j'ai averti en cognant trois fois par terre :

— Vous allez vous calmer, bordel, ou je vous fends la tête avec cette matraque, salopes vous faites chier le monde pour rien !

Elles se sont figées en découvrant, d'après mon regard, ma rage et ma détermination à tenir parole.

Minerva a craché le fragment de peau dans l'évier et là elle s'est rincé la bouche. L'épaule de Lourdes saignait. J'ai couru à la pharmacie, j'ai désinfecté la morsure à l'eau oxygénée, aussitôt il en a suinté une écume blanche, je l'ai imbibée de mercurochrome et j'ai recouvert l'écorchure de sparadrap. J'ai conseillé à la fille de se faire vacciner contre le tétanos et la rage. Par chance, chez Luly il n'y avait que nous, sa maman était allée faire la queue pour acheter du shampooing à la boutique Flogar, son père travaillait jusqu'à sept heures du soir et son grand-père ne reviendrait de la polyclinique qu'après son rendez-vous, fixé à quatre heures, pour recevoir sa ration d'aérosol.

— Je ne remettrai plus les pieds chez toi, ne m'invite plus à venir ici, sanglotait Mine.

— Qui t'a invitée ? Toi, si t'es ici, c'est grâce à Marcela, qui est mon amie. Tu t'es plutôt mal conduite envers elle. Tu as raconté assez de trucs dégueulasses sur son compte, faut pas pousser. Qu'un type a été brûlé par sa faute, et patati et patata. C'est l'affaire de Marcela, une brave fille, vraiment, et qui reste ta copine. En plus de ça, c'est moi qui ne veux plus que tu viennes chez moi. Fous le camp !

Mine a emporté sa sacoche en nylon fermée par un cadenas en plastique, où elle rangeait ses bouquins, ses affaires de classe et sa trousse de maquillage. Elle a tourné les talons. Elle est passée devant moi en évitant mon regard. Sans lui laisser le temps de traverser le salon-salle à manger, je l'ai rattrapée par le coude. Alors elle a fixé le miroir où elle pouvait m'observer en me tournant le dos ; elle avait l'air drôlement marrant, toute déplumée, le tourbillon défait, elle toujours si impeccable. Je lui ai demandé tout bas :

— Alors comme ça, tu fais circuler des saloperies sur moi ?

— Pardon, Mar, je ne t'avais jamais rien dit pour ne pas faire d'histoires entre cette garce et toi. Je ne sais pas pourquoi tu la défends toujours autant. Mine d'étrons !

Luly s'interposa tout en essayant de faire du rangement malgré son bras immobilisé, en effet, dans la mêlée, elles avaient renversé les bibelots, les meubles et même brisé un vase à fleurs, ainsi que le compotier du milieu de table. L'autre supplia :

— Mais je n'ai rien dit, moi. C'est elle qui invente. Je t'en prie, ne la crois pas, surtout.

— Je dois la croire car c'est mon amie, ai-je rétorqué, prête à lui arracher les yeux. A qui encore tu as été raconter ce bobard ?

— A personne d'autre, je te jure. Marcela, pardonne-moi, tu sais comme je suis menteuse. (Alors elle s'adressa à Luly.) C'était un mensonge, je t'avais dit ça pour que tu te décides à me prêter tes souliers vernis, c'était pour me faire bien voir.

Luly n'a pas bronché, au contraire, elle lui a jeté un sombre regard lourd de mépris. Moi j'ai compté jusqu'à dix en m'armant de patience. Trois ans s'étaient écoulés depuis l'accident, et j'avais trouvé un refuge psychologique auprès de mes amis ; nous avions presque tous fréquenté la même école, nous avions terminé le collège et commencions le lycée ; mais il y avait aussi d'autres jeunes dans le groupe, un peu plus âgés que nous, qui venaient d'instituts technologiques ou même de l'université. Par exemple,

Monguy le Bègue était étudiant dans une école technologique de construction civile. Minerva faisait partie de la bande par intermittence, elle n'était guère acceptée, on la trouvait antipathique et imbue d'elle-même (elle n'était pas intelligente mais se prenait pour une lumière, elle était plutôt du genre de ces abrutis qui apprennent par cœur les mille six cent soixante-trois pages du Larousse, juste pour épater la galerie et humilier les copains), hypocrite, menteuse et par-dessus le marché, elle allait moucharder chez les profs. Mais, grâce à moi, elle pouvait s'immiscer dans nos fêtes : je plaidais toujours pour l'acceptation de l'autre, de Minerva, plus précisément ; peut-être parce que je me sentais redevable envers elle d'avoir simplement été témoin de la rencontre malheureuse (il faut bien lui trouver un nom, puisque ce rendez-vous n'a jamais eu lieu) entre Jorge, le vioque moustachu brûlé vif, et moi.

— Je n'ai pas bien entendu, tu parles tout bas, tu as dit que c'était un mensonge, n'est-ce pas ? ai-je insisté en scrutant Luly du coin de l'œil.

J'avais besoin d'affirmer haut et fort qu'il s'agissait de l'un des multiples ragots de Mine.

Luly, en titubant, balayait les fragments de céramique du vase et les morceaux de verre du compotier ; les fleurs et l'eau mêlées aux saletés du sol formaient un magma grisâtre. La jeune fille se mit à siffloter une chanson à la mode de Leonardo Favio, histoire d'apaiser la douleur de son épaule :

Aujourd'hui j'ai cueilli une fleur, et il pleuvait, pleuvait,
j'attendais mon amour, et il pleuvait, pleuvait.
En hâte, les gens passaient, couraient,
et la ville est restée déserte, car il pleuvait.

J'ai été soulagée de voir que Luly n'était nullement curieuse de savoir si l'histoire racontée par Mine était vraie ou fausse, au contraire, elle feignait de s'affairer à ranger le salon, mais en réalité elle jubilait d'avoir réussi à provoquer un affrontement entre nous. A la fin de la mélodie qu'elle fredonnait, elle constata :

— Voilà, tu sais maintenant quel genre de fille c'est, ta petite copine. Une sale hypocrite, un point c'est tout !

— Alors, c'est un bobard ou pas, Mine d'étrons ? Dépêche-toi de t'expliquer, avant que je perde la boule.

J'étais revenue à la charge, les nerfs en pelote. Elle a maugréé, mielleuse :

— Enfin, voyons, j'ai déjà dit oui.

Je lui ai pincé le bras.

— Oui, quoi ?

— Oh, flûte, lâche-moi ! Oui, c'est un de mes ragots. Je te demande pardon.

— Ah, bon. Je croyais. J'aime mieux ça. N'oublie pas que samedi prochain, il y a une soirée chez Monguy, sur sa terrasse. Commence pas à la ramener avec moi, tu sais très bien que ça dépend de moi, qu'on t'invite ou pas, peut-être même que si tu te tiens comme il faut Monguy te fera faire quelques pas de danse.

Je faisais du chantage, sans le moindre scrupule.

A vrai dire, je ne comprenais pas pourquoi Mine se sentait si dépendante de moi, alors que ç'aurait dû être tout le contraire ; c'était elle qui détenait sur mon compte un secret d'une valeur incalculable. Enfin, je ne me suis plus creusé la tête et me suis mise à aider Luly à faire le ménage. Mine lui dit au revoir plusieurs fois et ne reçut pas l'ombre d'une réponse, alors elle sortit en claquant la porte. On s'est regardées Luly et moi, écroulées de rire et on s'est précipitées à la fenêtre. Minerva traversait déjà la rue Sol, en larmes.

— A ta place, je m'y fierais pas. Pour le mouchardage et la vulgarité, elle est championne, et c'est une foutue raciste bourrée de complexes. En plus, t'as pas vu comme elle se colle toujours avec des mecs impossibles ? Tu te rappelles, l'année dernière elle avait voulu me souffler Kiqui ? Enfin, tant pis ; après, il l'a plaquée vite fait pour Dania.

Du dos de la main, Luly essuya sa morve noire de poussière, puis son regard fut attiré par une autre cible dans la rue.

— Tiens, voilà Otto, l'ingénieur civil, ce gars-là, je l'adore, il est hyper-excitant, seulement il vient de se marier avec une fille à qui il a fait un gosse l'année dernière. Alors ça, jamais de la vie ! Je veux pas d'histoires avec des mecs mariés, encore moins s'ils ont des enfants !

— Tu fais bien, ai-je dit, les lèvres tremblantes.

Otto leva les yeux vers notre balcon, avec un sourire engageant. Il me rappela Jorge, parce qu'il portait aussi la moustache ; sauf que l'ingénieur avait des cheveux longs qui lui descendaient jusqu'aux épaules. Aussitôt, je suis rentrée dans l'appartement en attirant Luly vers moi. Elle agitait la main dans un salut trop spectaculaire.

Tous les samedis que Dieu faisait, nous avions une soirée. Les terrasses changeaient à tour de rôle. Un jour chez moi, un jour chez Viviana, la fois d'après chez Papito, ensuite chez Dania, ou chez Ana, ou chez Nieves. Les plus réussies se déroulaient sur la terrasse d'Andro, nous les réservions pour les dates exceptionnelles, par exemple le 31 décembre, nous le fêtions chez lui. Andro ressortait les décorations de Noël du temps de la colonie, guirlandes ou petites ampoules de couleurs que sa mère n'osait extraire de leurs pochettes de cellophane que pour des nuits de Noël tronquées, ou plus exactement interdites, et alors, avec trois fois rien, nous organisions nos bringues. Le grand jeu c'était de danser, de transpirer, de nous amuser, de déconner ; la bouffe, c'était pas notre truc, en revanche on s'est mis très jeunes au rhum, à la bière, à l'alcool en général, encore que moi je n'ai jamais bu au point de me soûler.

La terrasse de Monguy le Bègue était la plus vaste. Nous devions grimper au cinquième étage d'un immeuble situé rue Compostela entre les rues Luz et Muralla. Le père de Monguy se débrouillait pour prolonger l'installation électrique de leur logement à l'extérieur, car ils habitaient sous les toits, dans l'appartement du haut. Il prolongeait la ligne en raccordant entre eux des câbles de couleurs et de calibres différents, et branchait ainsi le tourne-disque placé au pied de la porte déglinguée de la terrasse, ensuite, il fixait un projecteur de soixante watts entre le linteau et le cadre de la fenêtre qui servait d'appel d'air pour la cage d'escalier. Ça n'éclairait pas des masses, mais on n'y tenait pas tellement non plus. En fait, les soirées les plus réussies se déroulaient chez les garçons car leurs parents, pas toujours bien intentionnés, acceptaient la pénombre plus volontiers, à la satisfaction de leurs enfants mâles. Par contre, quand les réceptions avaient lieu chez une fille, nous devions supplier des semaines à l'avance pour obtenir l'autorisation de monter sur la terrasse, et quand par hasard cela marchait, les parents n'arrivaient pas à brancher des projecteurs très puissants car la situation énergétique du pays n'a jamais permis un tel luxe.

C'était chez Le Bègue que l'on mangeait le mieux. Sa mère raclait les fonds de tiroir, si nécessaire, pour qu'on n'ait pas de gargouillis d'estomac et elle nous préparait des amuse-gueule avec tout ce qui lui tombait sous la main : biscuits à la mayonnaise, biscuits au poisson fumé, biscuits à la marmelade de pample-mousse, biscuits au pâté russe – une espèce de sauce compacte à base de piments et d'oignons. Des conserves roumaines de poivrons farcis au riz, ou de poulet aigre, que les gens avaient bap-tisé du nom sonore de *Ja-ja à la jardinière*, allez savoir pourquoi. L'alcool, c'était un de leurs voi-sins qui le rapportait d'un cargo ancré dans le port depuis des temps immémoriaux ; il s'agis-sait presque toujours de rhum, de bière en bou-teille, ou de vodka Stolichnaya que nous pouvions nous procurer pour la modique somme de six pesos, malgré son excellente réputation ; certes, pour l'époque, six pesos c'était déjà une somme respectable, vu que les salaires ne bougeaient pas, mais tout de même la corruption n'avait pas atteint son niveau actuel. On pouvait aussi ache-ter à l'épicerie d'Etat un vin hongrois sirupeux qui avait un goût de jus de chaussette, le Tokay, mais c'était du vin, alors on plaisantait avec ce slogan : *notre vin est aigre, mais c'est notre vin.* Question nourriture, le pire c'était chez Luly. Sa mère ne donnait rien, et ne disait pas où l'on pouvait trouver les choses. Parfois, pour cause de négligence ou d'artériosclérose, son grand-père allait au réfrigérateur planqué dans sa chambre et en ramenait un pot de mayonnaise. Aussitôt, la mère le stoppait, lui arrachait le récipient des mains et grondait le vieillard en grinçant des dents :

— Papa, garrrrde ça, papa !

La mode d'alors, c'étaient les robes à dos nu, l'ourlet au ras des fesses, et les hauts talons vernis. Moi, je portais une robe de ce genre en coton de couleur vert clair, que j'adorais parce que je pouvais danser avec toute la nuit sans avoir à me l'ajuster sur le corps, elle ne remontait pas, et la transpiration ne laissait pas de traces sur le tissu, car elle séchait instantanément. La soirée commençait quand Monguy arrivait, triomphant, avec des disques empruntés : Sang, sueur et larmes, les Beatles, Aguas Claras, Jackson Five, Roberto Carlos, Santana, Rolling Stones, Irakere, Led Zeppelin, Van Van, Silvio, José Feliciano, lequel était interdit pour les raisons qui nous avaient empêchés de lire *Moby Dick* entièrement : les constantes invocations à Dieu. Les parents de notre hôte s'éclipsaient discrètement dans leur appartement afin de ne pas manquer leurs émissions de télé.

Ces disques empruntés provenaient sans doute des résidences des enfants des dirigeants, à Miramar, ou du même navire marchand qui fournissait les boissons alcoolisées. Monguy atterrissait avec une serviette sous le bras, *comme un simple collégien*[1], euphorique jusqu'au délire. D'habitude, les filles s'arrangeaient pour arriver en groupe ; celle qui habitait le plus loin de la maison où la fête se déroulait ce soir-là devait se préparer la première et sortir assez tôt pour cueillir les autres au passage. Ce samedi-là, ce fut mon tour d'aller chercher Enma, Randy et Maritza (Randy était le seul garçon qui se joignait à notre groupe car, étant le frère d'Enma, ils habitaient dans la même maison) ; puis on passait chez Nieves, puis chez Viviana, ensuite chez

1. Extrait d'un poème de José Martí. *(N.d.T.)*

Luly. Nous sommes partis chercher Ana tous les sept, et la dernière fut Minerva. Il était entendu que les garçons, sauf Randy, étaient déjà là. En effet, quand nous sommes arrivés, seul Monguy manquait à l'appel, ce qui était normal puisqu'il était allé se procurer de la musique. Bientôt, il a grimpé les escaliers quatre à quatre, hors d'haleine, mais en brandissant son trésor, les hit-parades de la frénésie. Nos conversations tournaient autour du bahut, des profs, des potins sur les chanteurs internationaux, que nous lisions dans des magazines étrangers. C'était Andro qui se pointait bardé de revues, car il avait une tante qui voyageait dans les *mauvais* pays, les capitalistes. Certes, Le Bègue fournissait la musique, mais le "musicaliseur", le *disc-jockey*, c'était Andro ; il enchaînait les morceaux avec la maestria d'un chef d'orchestre. Il savait que la nuit devait commencer par des danses pour s'éclater, celles de chez nous ou des rocks pour permettre à chacun de choisir son partenaire. Certains étaient déjà casés, pour ainsi dire. Maritza avait toujours été destinée à Monguy, Viviana à Papito, Luly à Lachy, Ana allait avec Randy, Roxana avec Igor. Quant à José Ignacio, Carmen Laurencio, Maribel, Carlos, Saúl, Isa, Kiqui et Cary, ils formaient une autre bande et s'organisaient à leur manière. Enfin Nieves, Enma, Randy, Mine et moi, nous dansions avec ceux qui restaient seuls, ou bien entre nous. José Ignacio essayait de m'inviter à danser, mais sa présence ne me faisait plus ni chaud ni froid, et je prenais plaisir à lui faire croire que j'étais incapable de bouger de ma chaise, car mes chaussures me donnaient des ampoules, ou parce que j'étais claquée par le cours de gym. J'avais à peine refusé son invitation que j'acceptais celle d'un autre, dans le seul but de lui en faire voir, de le vexer.

Andro, c'était le roi des soirées. Alors forcément, la reine c'était la première fille qu'il invitait à danser. Il est venu vers moi en traînant les pieds pour une conga, il a marqué les premières mesures de *Bacalao con pan*, m'a prise par la main et nous avons inauguré la nuit. Entre deux tours, j'ai remarqué du coin de l'œil que Monguy et Maritza se joignaient à la danse, bientôt suivis des autres. Mine, complexée, se rongeait de jalousie, assise dans une encoignure du muret de la terrasse.

— Mine, ne te fffie pas à ce mur, il ne tient pas et tttu pourrais tttomber, la mit en garde Monguy le Bègue.

— Ça sera pas une grosse perte, a fait Luly, et on a éclaté de rire.

— Eh ! Le Bègue, quand est-ce que le carburant va arriver ? (Saúl se renseignait sur la boisson.) J'ai le gosier sec, et par temps sec pas moyen de remuer ses abattis.

— M'man, le cccarburant ! a crié Monguy en direction de l'escalier, pour que sa mère sorte le rhum et la bière Laguer (ou la guerre) du frigo.

Immédiatement, les verres, les bouteilles et les seaux à glace ont circulé. Bientôt, deux gars en uniformes militaires se sont pointés en haut de l'escalier. On est restés pétrifiés devant une telle apparition. On ne connaissait personne qui faisait son service militaire et on a eu peur qu'ils viennent faire du grabuge. Le visage d'Andro est passé de la stupeur au sourire le plus radieux qu'il m'ait été donné de voir.

— C'est vous ? Pour une nouvelle, c'est une nouvelle ! Mes amis, la fête continue, c'est des potes à moi. Pas de problème.

Puis il se tourna vers eux.

Aussitôt, Monguy offrit à chacun une pinte de bière. Ils refusèrent en alléguant qu'ils étaient en permission et qu'ils ne pouvaient réintégrer leur unité avec une haleine éthylique ; mais que plus tard ils s'arrangeraient pour boire sans boire. Puis ils continuèrent à bavarder avec Andro, en se donnant des tapes vigoureuses dans le dos.

— Comment vous m'avez retrouvé ? demanda Andro, chemise ouverte, tout en jouant avec les poils de sa poitrine.

Il aimait les exhiber, car il en avait eu avant les autres.

— Facile, on est passés à la baraque. Ta maman nous a filé l'adresse, et vu qu'on n'avait pas où aller, eh ben on s'est dit que peut-être tu te fâcherais pas si on débarquait chez toi sans crier gare, expliqua le mulâtre aux yeux verts en se caressant les burnes.

— Ça va pas, mon vieux, me fâcher, moi ? Mettez-vous à l'aise ! Ici, ce n'est pas les filles qui manquent, hein ? Vous ne voulez vraiment pas boire un coup ?

Andro ne savait pas comment leur faire plaisir.

Ils refusèrent d'un signe de la tête et firent un geste de la main qui voulait dire doucement, du calme ; puis ils firent un geste suggestif pour signifier que plus tard ils se taperaient une cuite. Pour ce qui est de manger, ils ont mangé, ils crevaient de faim et liquidèrent chacun trois plateaux de biscuits, deux boîtes de poivrons et deux de poulet. Le mulâtre se tourna vers Mine, car elle avait l'air plutôt seulette et il n'avait pas envie de faire une gaffe en draguant une fille déjà engagée. Quand il se dirigea vers le muret, elle changea de place. Elle qui faisait la difficile, elle est servie, ai-je pensé, et je n'ai pas pu m'empêcher de chercher les yeux d'Ana, qui déjà se fixaient sur moi. Ana s'approcha avec son verre de rhum entre les lèvres.

— Elle ne voulait pas de mulâtre ? Bien fait. (On s'est tordues de rire.) Allez, prends-en une gorgée.

— Je ne peux pas, ma dernière bagarre avec mon pater, ç'a été pour ça. Ma vieille m'a supliée de ne pas boire. Ils doivent m'attendre à la maison de pied ferme pour flairer mon haleine, ai-je répondu, navrée.

— Moi, j'ai une solution pour la loi sèche, affirma le troufion esseulé.

Il était brun, de type indien, les yeux couleur de miel. Dès qu'il s'est approché de nous, j'ai senti la puanteur de chien crevé qui montait de ses bottes, et une odeur de volant d'autobus émanait de son uniforme vert olive ; n'empêche, il m'a plu tout de suite, mes désirs érotiques enfouis depuis trois ans se réveillèrent soudain. Je questionnai sans le regarder trop fixement pour ne pas lui donner d'illusions :

— Une solution, laquelle ?

Il alla vers un coin de la terrasse pour prendre son sac à dos, d'où il tira une pochette contenant une seringue. Il prit à Ana son verre de rhum et y plongea l'aiguille. Il pompa du liquide, retroussa sa manche, serra son avant-bras avec un élastique de bureau et de sa main libre il tapota la veine qui gonfla en menaçant d'éclater, puis il s'enfonça l'aiguille dans la chair pour s'injecter le contenu. Ana en siffla d'admiration et faillit tomber dans les pommes. Moi j'en fus dégoûtée, mais l'acte me séduisit et suscita en moi une impulsion irrésistible.

— Tu veux impressionner qui, toi ?

Je lui ai arraché la seringue des mains, j'ai été chercher du rhum et j'ai reproduit l'opération, cette fois dans ma propre veine. Je ne m'étais jamais fait de piqûre jusque-là, j'avais même peur de me pincer, mais j'ai fait ça pour ne pas être larguée, pour ne pas être en reste par rapport à lui. Mon coude s'est mis à enfler aussitôt et un frisson infernal a parcouru mes articulations. Je me suis dit que ça allait me passer en dansant, je l'ai attrapé par le bras et l'ai conduit au milieu de la terrasse.

Il dansait en expert de la Tropical ; mes yeux ont tournoyé dans mes orbites, c'était du moins la sensation qui m'envahissait. Je me suis appuyée contre lui, ma tête lui arrivait sous le menton. Sa chemise entrouverte laissait voir sa peau égratignée par les ronces pendant les manœuvres. J'ai déboutonné le reste, je l'ai aidé à s'en défaire. Dessous, il portait un maillot de corps de même couleur vert olive. Sa peau abîmée faisait peine à voir, éraflures, cicatrices, tatouages, jusqu'à son cou boursouflé par des piqûres de moustiques et de guêpes, pelé par les démangeaisons.

— Il fait une chaleur terrible, enlève cette saloperie d'uniforme, ai-je osé lui lancer, la langue pâteuse.

Presque personne ne s'est aperçu de notre cuite, chacun se livrait au pelotage individuel, y compris Mine avec son grand mulâtre aux yeux verts. J'ai collé mon visage contre celui du jeune homme, j'ai tiré la langue pour caresser le creux entre ses tétons ; il n'était pas très velu, mais à cet endroit, ses poils enroulés tissaient comme une cape douillette, j'ai accumulé de la salive et craché pour la recueillir ensuite du bout de ma langue, pour mieux le savourer. Il avait une saveur de crème fraîche.

— Arrête, ou je vais avoir la trique raide ici même, a-t-il protesté en écartant ma tête de ses tétons.

Andro a traversé la terrasse pour dévisser l'ampoule, alors la clarté de la pleine lune a régné. Il est revenu près du tourne-disque et s'est mis à flirter avec Viviana, sans pour autant cesser d'épier le couple que nous formions, Arsenio le troufion et moi. Nieves avait enfin dragué Monguy et se frottait contre lui, tandis que la mélodie foudroyante de *American Woman* s'élevait vers le ciel constellé d'étoiles. A part Ana et Josy, personne ne s'était rendu compte de ce que nous avions fait avec le rhum, le soldat et moi ; Ana, déconcertée, commenta à la fin du disque :

— Moi, pour rien au monde je ne me lancerais dans un truc pareil, mais si, d'après toi, ça empêche d'avoir une haleine éthylique, eh ben, fouette, cocher ! Hé ho ! dites ! n'allez pas trop loin quand vous fricotez. Vous savez, en bas, il y a pas mal de marches sans éclairage, vous n'êtes pas obligés de vous exhiber ici. Tiens-toi à carreau avec les Carmen Laurencio et les Minerva, n'oublie pas que c'est elles, les pontes du Rassemblement, et cette année t'es bien forcée de faire partie du PPA, oui ou merde ; si tu la veux, ta carte, tire pas trop sur la corde. A toi de voir. Si tu la veux pas, alors t'as qu'à faire péter la baraque.

Le Rassemblement, c'était la réunion où l'on décidait, de façon définitive et en public, si quelqu'un réunissait les conditions requises pour obtenir le document de militant de l'Union des jeunes communistes ; c'était donc là qu'on déballait le linge sale de tout le monde, même des plus réglos, et chacun devait s'auto-attaquer à coup de *mea culpa*, bref c'était la séance d'autocritique ; même s'il n'y avait rien à critiquer, les filles devaient s'autodétruire moralement, car en dix-sept ans de vie, c'était bien le diable si on n'avait pas commis quelque délit indigne du militantisme. Le PPA signifiait Plan de préparation d'admission, et nous devions tous appartenir à cette organisation, impossible de s'y dérober, sous aucun prétexte.

Le *fricotage*, pour Ana, c'était le flirt poussé : bisous, suçons, pelotages de nichons et de fesses, branlettes. Tout, quoi, sauf baiser. N'empêche que Mine, assise sur le muret, avait écarté les cuisses, que le garçon y fourrait son zizi, et qu'elle commençait avec son bassin un mouvement de va-et-vient rythmé des plus suspects. Les yeux de la fille, partis au septième ciel, larmoyaient de plaisir, un filet de bave s'échappait de ses lèvres entrouvertes, ses narines se dilatèrent en une respiration saccadée.

— Mar, est-ce qu'il se la tape, oui ou oui ? me susurra Ana à l'oreille, malicieusement.

J'ai éprouvé un désir exorbitant de me trouver à la place de Minerva. En ce temps-là, je confondais encore le sexe avec l'amour. Viviana faisait la danse des canards, un rythme à la mode, avec comme cavalier José Ignacio, qui ne me quittait pas des yeux. Andro mit un autre disque :

— Messieurs-dames, votre attention s'il vous plaît, on va secouer la tête !

José Ignacio en profita, fit deux petits pas au hasard et décida de venir de mon côté. Carmen Laurencio défit ses cheveux et se désarticula devant Carlos. Cette insupportable nana secouait la tête si impétueusement qu'on avait l'impression qu'elle se détacherait du tronc et prendrait son envol vers l'obscurité des immeubles. Enma avait mis le grappin sur un haltérophile qui venait d'arriver, un cousin de Monguy que l'on surnommait Tête-de-minette, car il avait une beauté de jeune fille, on lui voyait même un grain de beauté au-dessus de la lèvre supérieure. Randy, mal luné parce qu'ils n'avaient pas apporté de vieux disques de jazz américain, décida d'aller au cinéma Cervantes voir pour la onzième fois *Chantons sous la pluie*. José Ignacio me chuchota dans le creux de l'oreille :

— Tu t'es injecté quoi, du rhum ?

— Non, crétin, de la strychnine, ai-je répondu sans dissimuler la répulsion que sa présence provoquait en moi.

— Grand bien te fasse. T'as eu mal ? demanda-t-il. (Je lui dis que non en claquant la langue.) Cela n'a rien d'amusant, de s'injecter du rhum. Notre pays n'a pas besoin d'une jeunesse droguée. Car appelons les choses par leur nom, tu viens de te droguer. Qu'est-ce qui t'arrive par rapport à moi ? Je te trouve très indifférente.

— Les choses ne m'arrivent pas, à moi. Elles se produisent. Alors, tu vas me balancer ?

Je l'ai plaqué en pleine phrase.

Arsenio et Igor discutaient de motos et de voitures derniers modèles des States. Ils mouraient d'envie de conduire une moto infernale, genre Suzuki, en attendant ils faisaient travailler leur imagination, transformés en acolytes inséparables, en potes pour l'éternité, avec tout ce machisme pas si vulgaire des *abakuás*[1], je veux dire. Monguy et Andro entonnèrent le disque de Roberto Carlos, bientôt rejoints par nous tous. Nous avons fait la ronde comme dans une mêlée de rugby, en apostrophant les étoiles :

Jésus-Christ, Jésus-Christ, Jésus-Christ, me voici.
Je regarde le ciel et je vois un nuage blanc qui passe,
Je regarde la terre et je vois une multitude qui chemine
Jésus-Christ, Jésus-Christ, Jésus-Christ, me voici.
Comme ce nuage blanc ces gens ne savent pas où ils vont...

1. Membres d'une société secrète religieuse afro-cubaine. *(N.d.T.)*

Mon gosier sec réclamait de la bière, du rhum, n'importe quoi, mais je savais que, si je rentrais avec la moindre odeur d'alcool, mes parents exerceraient des représailles et me priveraient de toute sortie pendant un mois. Zéro fête, zéro cinéma, zéro Coppelia, zéro plage. J'ai bu de l'eau à une fontaine sur la terrasse, pourtant ma langue devenait râpeuse comme de la toile de jute. En levant ma tête du robinet, je me suis aperçue qu'un adolescent de onze ou douze ans observait mes gestes, assis dans l'embrasure entre l'escalier et le seuil. Je l'ai salué en bégayant, mais il n'a pas répondu, il s'est contenté de baisser les paupières, puis il a cligné des yeux et de nouveau, m'a dévisagée.

— Ah, le petit-fffils d'Ester ! s'écria Monguy. Ester, c'est la dame dddu pppremier étage. Lui, c'est ssson petit-fils. Le plus fortiche des jjjoueurs de cerfs-volants de La Havane. Il pppose des rallonges à la queue… du cerf-volant, n'ayez pas l'esprit mal tttourné, il est champion pour les pilotables à dddeux-lignes et même pour les grands quatre-lignes. Amène-toi, mon gars, iccci personne mmmange personne ! La pppeur mmmange pas la peur !

L'adolescent ne bougea pas de sa place ; cependant son regard, illuminé par les flatteries prodiguées par Le Bègue, se promena sur chacun des invités et finit par se poser sur moi. Au-delà de sa mélancolie, je pouvais deviner des traits qui ne m'étaient nullement étrangers, mais je n'accordai pas trop d'importance à l'affaire. D'après mon analyse, s'il ne parlait pas, c'est que sa voix était en train de muer, les couacs qui lui échappaient devaient le complexer. Je fis demi-tour pour aller récupérer mon troufion. Avant de le tirer par la bretelle de son maillot de corps, je m'assurai que le gamin était parti, je ne tenais pas à offrir un spectacle interdit aux mineurs. Il avait été avalé par le trou noir de l'escalier. Avec insistance, j'apostrophai encore Arsenio en l'appelant par son nom complet, d'une voix coléreuse.

— Ne m'appelle pas Arsenio, mais Cheny, enfin… me reprocha-t-il, furibard.

— Viens avec moi. (Ma hâte à conduire Cheny dans l'escalier stupéfia Igor.) N'oublie pas ton sac à dos.

Cheny l'a posé sur son épaule et m'a emboîté le pas. Un, deux, trois étages. Nous avons dévissé l'ampoule. Je n'arrivais pas à distinguer ses traits. Je savais qu'au troisième les habitants des deux appartements ne rentraient que le lendemain matin car ils travaillaient de nuit, alors les couples avaient pris l'habitude de venir se peloter dans cette zone classée "de tolérance". Cheny a allumé un briquet. J'ai débouché la bouteille de rhum ; je me suis piquée la première, lui après. De nouveau ma langue s'est mouillée, ma salive a coulé et a humecté mes papilles gustatives. Il a rangé son briquet et flanqué son sac par terre. A tâtons, j'ai cherché ses lèvres. J'ai échangé mon baiser initiatique. Pendant qu'il me suçotait la bouche, il a relevé ma robe par en-dessous, il a tiré sur l'élastique de ma culotte, et a placé une ferraille froide entre mes cuisses, le canon de son pistolet. Comment pouvait-il être armé ? Il avait volé une arme de son unité militaire pour frimer. Mes extrémités en sont devenues raides de terreur. Il m'a fait, détends-toi, ce n'est qu'un jeu. Il est chargé ? Il m'a répondu, oui, avec un petit sourire pendant que sa langue humectait sa lèvre supérieure. T'as jamais joué à la roulette russe ? Jamais. T'oserais ? Pourquoi pas ? J'ai entendu tourner la roulette, les jambes en coton. C'est lui qui a visé sa tempe en premier, je n'ai vu qu'un éclat métallique, ensuite il a manœuvré, un doigt sur la gâchette. Tac ! J'ai fermé les yeux en serrant les dents. Je suis vivant, à ton tour. Il a fait tourner à nouveau la roulette. C'était la première fois que je tenais un pistolet, il pesait comme aucun autre objet ne pèsera jamais dans ma main. J'ai visé ma tempe. Je pouvais mourir. Tac ! Je suis toujours en vie, j'ai poussé un soupir de soulagement. Il s'est exclamé, t'as des couilles, toi. D'un peu, je m'évanouissais. Alors son sexe a visé mes cuisses. Il a saisi son membre dans ses mains et l'a agité de telle sorte que le bout masturbait mon clitoris. Il a rangé son revolver dans son sac. Il a refait glisser sa verge, collée à mon sexe, il l'attrapait par-derrière avec sa main accrochée à mes fesses puis, dans un balancement, il nous branlait tous les deux avec sa trique. Il a fourré son doigt dans mon vagin, ne s'est pas risqué au moindre commentaire sur ma virginité, une déférence que j'ai appréciée. Après ça, il m'a fendue. Il m'a mise de dos et plaquée contre le mur, il a introduit son majeur dans mon anus. J'ai murmuré : Aïe ! non, pas ça, ça me fait trop mal ! Alors il a mis le bout de sa queue dans mes replis, l'a enfoncée petit à petit et là, d'une poussée, il est arrivé au centre de ma colonne vertébrale. Il n'a pas joui. Il m'a retournée et m'a empalée par-devant. Il l'a ressortie toute poisseuse, dégueulasse. J'ai entendu des pas qui descendaient l'escalier. Cheny a étiré le bras dans le vide et a tâtonné dans l'obscurité, il a attiré à lui une ombre. Moi aussi je me suis mise à palper à tâtons. D'après la coupe de cheveux, c'était un homme, son oreille était bouillante, sa bouche se fondait avec celle de Cheny. Leurs pénis aussi ont fait joujou dans le vide. Cheny l'a accroupi contre moi, le sexe de l'autre a effleuré mon pubis, puis il a mis dans le mille. Entre-temps, Cheny le possédait et lui, quand il n'a pas pu résister, il s'est retiré pour éjaculer dehors. Nous étions haletants tous les trois. De nouveaux pas dans l'escalier nous ont paralysés. Une qua-trième respiration s'est jointe à nous, les mains de Cheny se sont absentées de mon corps pour s'emparer du nouveau venu. J'ai pressenti que le troisième poussait la tête de la quatrième per-sonne vers la mienne. C'était une tête féminine ; lorsque sa bouche a touché mes lèvres, j'ai su qu'elle appartenait à Minerva. Elle, surprise, a fait le geste de se dérober mais s'est ravisée très vite, alors elle m'a mordu la langue et a dirigé ma main sur son sein. J'ai touché par en-dessous, en cherchant le ceinturon de Cheny pour m'orien-ter un peu. Il s'enfonçait en elle et l'autre gars en lui. J'ai repoussé Minerva en l'écartant doucement. De nouveau, l'autre s'est occupé de moi, mais j'étais trop angoissée, j'avais tellement attendu de mon prélude sexuel que je n'ai pas réussi à avoir un orgasme ; obstiné, il m'a longuement embrassée. Après, c'est Cheny qui a uni sa bouche à mon sexe. Le troisième et Mine se sont éloignés dans un autre recoin de l'escalier tout en conti-nuant à se caresser. Cheny a cessé de me lécher et a plongé son érection à l'intérieur de mon corps ; il a enfin joui, n'a pas eu le temps de se retirer et son lait m'a inondé le vagin. Il m'a conseillé de faire des bonds énergiques, pour ne pas tomber enceinte car ainsi les spermatozoïdes n'auraient pas la possibilité de monter dans l'uté-rus. Soudain, j'ai eu l'intuition d'une cinquième présence, d'une apparition paisible ; quelqu'un observait, recroquevillé sur le palier du dessus, qui sait depuis combien de temps. Brusquement, ma fièvre est retombée, les ombres se sont dessinées si nettes, si évidentes, que j'ai éprouvé de la répulsion. En haut des marches, les orbites blanches des yeux de l'adolescent brillèrent. Cheny l'appela et l'enfant dégringola vers l'étage inférieur. Je ramassai mes fringues à toute vitesse, Cheny a essayé de me retenir. Je ne cédai pas à la banalité de ses suppliques.

Je filai comme une flèche vers le deuxième étage, puis le premier, enfin la rue. Cheny cria mon nom deux ou trois fois, pas plus. Dehors, l'air marin me força à marcher comme un automate dans la rue Luz en direction du port. Mes oreilles bourdonnaient et toutes les musiques se concentrèrent en un seul vacarme, mélange de clameurs et d'opéras célèbres. Je fus prise de battements insupportables aux tympans. Un chœur de sermons, de bondieuseries de quat'sous, remplaça les mélodies tonitruantes. Le rhum me montait dans les trompes auditives. J'étais empoisonnée, voilà ce que je crus et je me fis la leçon : je vais me rendre et expirer, écrasée par ce tintamarre barbare. Aïe, non ! Je voulais mourir en silence. Tout à coup, le grondement cessa, ensuite des sifflements se groupèrent, comme des flèches qui m'effleuraient à quelques millimètres. Le chant d'un castrat éteignit les sifflets. Je cherchais entre les ombres des immeubles ce personnage flou qui modulait sa voix comme un contralto de chœur de cathédrale. A un coin de rue, un type surgit ; ça ne devait pas être celui qui, juste avant, chantait avec une voix d'ange : il tenait un couteau et visait mon estomac. En découvrant qu'il ne pouvait rien me voler, il arracha mes lunettes de soleil, inutilement accrochées à mon cou par un cordon. J'essayai de résister, mais alors il me traîna sur la saleté rugueuse du trottoir.

Je finis par céder car il s'était mis à me labourer l'estomac à coups de pied et à me menacer de m'étriper si je ne les lui donnais pas. Après s'être emparé des lunettes, il me cracha au visage et déguerpit à toutes jambes. Debout, je me suis frotté les yeux, mon œsophage brûlait. Entretemps, je réussis à récupérer la perception, encore lointaine, des sons habituels. Je me hâtai de m'éloigner de cet endroit, le visage de ce type, couturé de cicatrices, faisait des ravages dans mon cerveau. Pourtant, cet acte de violence m'avait paru normal et je me sentais même satisfaite d'avoir été agressée. Toute jouissance mérite châtiment, ai-je songé, résignée.

Sur l'Alameda de Paula, il y avait quelques personnes en train de bavarder, assises sur les bancs, en s'éventant avec des fibres de palme tressées, ou des éventails artisanaux ou sévillans. Quelques gamins s'amusaient à faire la course en trottinette ou, pour les plus grands, à vélo. Les navires trônaient dans leurs poses intransigeantes et inamovibles de monstres sagaces et sacrés. L'envie me prit de faire un tour du côté de Regla, en bac, je dus me dépêcher pour ne pas en rater un sur le point de partir, dont le moteur chauffait déjà. D'un bond, j'ai atterri sur les rebords du bac et j'y suis restée, alors que j'aurais pu entrer, car ce n'étaient pas les sièges qui manquaient. La brise qui s'élevait des flots ne rafraîchissait pas, au contraire, et le sel se déposa davantage sur ma peau, en se mélangeant à ma sueur résignée. A ce moment-là, je ne pensais à rien, même pas à mon initiation sexuelle avec deux hommes et une femme. Avec Minerva, rien que ça, la pureté faite femme ! Mes yeux se perdirent dans le paysage, sur la flamme permanente de la raffinerie de pétrole dans le lointain aux Elevados et, à l'opposé, sur le Christ gigantesque condamné à perpétuité à résister aux assauts des ouragans, juché au sommet de la colline de Casablanca, et aussi sur le canon Luperto qui tonnait tous les soirs à neuf heures précises. Le moteur défaillant du bac menaçait de ne pas nous faire atteindre l'autre rive. Le batelier l'éteignit pour quelques minutes et l'embarcation continua de fendre les flots par la force d'inertie. Ensuite, il le fit redémarrer, forçant le moteur hors d'usage, et grâce à cette dernière impulsion nous avons accosté le quai. D'un bond, je mis pied à terre sur les planches déglinguées. J'eus envie de nager, mais l'eau graisseuse m'en dégoûta. Je décidai de visiter l'église de la Vierge de Regla, je suis une dévote de Yemayá, mais je me doutais bien qu'à cette heure de la nuit l'église devait être fermée ; au moins je tenais un prétexte pour déambuler dans la ville.

Sur le chemin de l'église, une grande maison éclairée par d'innombrables candélabres et cierges attira mon attention, il en émanait une étrange complainte, une douce litanie, empreinte de tristesse. La porte était sous scellés de la Réforme urbaine, mais je pus scruter l'intérieur par les fenêtres, car il n'y avait même pas de rideaux moustiquaires en gaze. En passant devant, j'aperçus un vieil homme noir qui se balançait sur un fauteuil à bascule. Il était déchaussé ; je remarquai ses plantes de pieds calleuses, si tannées qu'elles rappelaient les semelles des bottes que portent les coupeurs de canne. Apparemment, il somnolait, mais il battit des cils à l'instant même où il repéra ma silhouette qui rôdait autour de son logis. Il ouvrit enfin ses yeux à fleur de tête et se dressa sur son siège ; le rocking-chair grinça ; je pris la fuite craintivement, en évitant de faire du bruit avec mes sandales en foulant le gravier.

— Hep, petite, ne t'en va pas, hep ! (Le vieillard, accoudé à sa fenêtre, me fit signe d'approcher, de sa main parcheminée. Je regardai des deux côtés.) Mais oui, c'est à toi que je parle, approche.

Je lui demandai ce qui se passait et s'il avait besoin d'aide, il fit non de la tête, toujours souriant, en un rictus consciencieux et savant. Il avait hâte de m'alerter et de se départir par la même occasion de son assoupissement intrigant, ou plutôt de sa somnolence diaphane. Dans son rêve éveillé, il avait rêvé de moi et voilà que par un bienheureux hasard je venais à passer devant sa maison. Il expliqua que, tout en somnolant, il avait entendu une jeune fille se plaindre d'un plaisir dont elle se repentait. Elle refusait la jouissance, cependant ses larmes étaient si voluptueuses que son propre émoi la satisfaisait. Il s'agissait de moi, affirma-t-il, il n'en doutait pas le moins du monde. Je fis mine de me retirer. Il me retint par la prophétie suivante :

— L'homme brûlé te reviendra avec un masque de carnaval, dans un autre corps.

Il avertit que le défunt irrité réclamait sans délai et sans dérobade la messe spirite et la messe catholique du neuvième jour, car ce mort était très entiché de moi. Bon Dieu, il n'avait pas la moindre idée de la raison pour laquelle ce mort se réincarnait de la sorte, avec tant d'acharnement, puisque je n'étais pas restée dans sa vie très longtemps, mais si ça se trouvait, vu que j'étais la dernière femme à qui il avait eu affaire avant de mourir, eh bien il me poursuivait encore, je devais donc m'en affranchir, illuminer son chemin pour qu'il aille droit où il devait aller, pour qu'il accepte sa mort et cesse d'emmerder le monde ici-bas, chez les vivants. Il répéta que dans son sommeil il avait entendu des gémissements et qu'en fouillant dans la pénombre de sa pérégrination onirique, il avait trouvé mon visage dilaté, sur le point d'éclater comme un ballon gonflé de sang. Et que je n'aurais la conscience en paix que lorsque cet homme reviendrait métamorphosé en un autre corps messager, qu'il me caresserait et me posséderait enfin, car tel était l'un de ses objectifs, terminer ce qu'il avait laissé inachevé. Ce vieillard au crâne ridé et aux yeux gris vitreux était un *babaloche*[1].

— Il ne te fera pas de mal, il t'aime, il a besoin de toi. Mais il t'appartient de soulager cet esprit jusqu'à ce qu'il parvienne à s'incarner en un être vivant et à te l'envoyer. Tu dois lui faire dire des messes. Il te faut lui parler et le convaincre de prendre son envol vers la lumière, afin que son élévation purifie et soulage ses propres plaies. On lui a infligé une mort brutale et il n'arrive pas à s'y accoutumer. Il sera ton salut, ton protecteur. Tu suscites beaucoup de jalousie, il y aura toujours quelqu'un pour t'emmerder. Bien des gens voudront te couper les ailes, sans y parvenir, tu t'envoleras très haut, vers d'autres cieux. Tu subiras d'innombrables désillusions. Mais cet homme te poursuivra et en même temps, avec un grand zèle, il veillera à ce qu'aucun malheur ne s'abatte sur toi. Non pas que tu aies eu de l'importance dans sa vie, non, je l'ai déjà dit, pas du tout. Il se présentera plutôt sous un aspect paternel. Ne le repousse pas. Il viendra sous de multiples masques. En même temps, il t'enverra un être qu'il idolâtrait, afin que tu lui viennes en aide, que tu le fasses sortir du puits. Ce jour-là, tu retrouveras la sérénité, tu seras envahie par une

1. Prêtre de la religion afro-cubaine. *(N.d.T.)*

sensation de paix profonde et apaisée, alors tu pourras t'unir à l'homme que tu aimeras sans provoquer sa colère. Si, au contraire, tu repousses l'être prédestiné, à travers lequel il entreprendra son destin tronqué et l'accomplira, et que tu le laisses partir, eh bien le sang coulera. Prends garde, n'oublie pas cela. Es-tu croyante ?

Je répondis que pour ce qui est de croire, je ne croyais pas de trop, mais que la religion, je la respectais, que la Vierge de Regla me fascinait, car elle me faisait l'impression d'une sainte vachement courageuse. Il éclata de rire en laissant échapper du plus profond de sa poitrine une sorte de sifflement, son rire resta coincé dans sa gorge, puis il le libéra en un râle féminin, identique à un miaulement de camé qui s'étend, telle une cape indigo d'apôtre, sur le pelage de la nuit. Les deux fentes bridées de ses yeux se confondaient avec ses pattes d'oie étirées jusqu'aux tempes. Je n'avais jamais vu auparavant un Noir aussi foncé de peau et aussi chinois, aux yeux bleus, je le lui fis remarquer et il s'enorgueillit. Ses bajoues en forme de bourses rejoignaient son cou. Sa calvitie luisait comme un miroir-sorcière ; quand il se grattait le crâne, des petites mèches raides et des poignées de pellicules lui tombaient sur les épaules ; cela le gênait et il les secouait vivement avec des tapes comme pour éloigner ou écraser des moustiques. Il portait un pyjama usé couleur de jute, aux ourlets cousus de fil rouge brique. Je constatai que le tissu de son pyjama était comme du papier à cigarettes, tout élimé et effiloché sous les aisselles, et qu'une tache jaunâtre auréolait sa braguette, signe d'incontinence urinaire. Pourtant, on avait l'impression qu'il venait de prendre un bain, en raison du talc qui saupoudrait ses clavicules, et d'une légère couche de savon desséché qui imprégnait la géographie aride de ses mains. Tandis que je fabriquais cette architecture de détails, il poursuivait le récit du songe, dans lequel je portais une robe ressemblant beaucoup à celle que j'avais sur moi, sauf que celle-ci était verte et l'autre bleu foncé. Dans une clairière au cœur d'une brousse tumultueuse, je dansais avec deux hommes de circonstance dont il jugea qu'ils ne valaient pas un clou, ni l'un ni l'autre, si abrutis qu'ils n'existaient qu'au titre de simples ornements préliminaires, tels des figurants de cinéma. Les protagonistes, c'étaient l'adolescent aux yeux félins levés au ciel, l'autre fille et moi. Il avait aussi perçu qu'un être très proche de moi irait en prison à cause de mauvaises fréquentations problématiques. Il savait tout, ce fichu vieillard !

— Peut-être que rien de ce que vous racontez n'arrivera jamais, ou que cela n'est plus à l'ordre du jour. Vous ne croyez pas ?

Je le défiai.

— Peut-être... De toute façon, prépare-toi. Il faut être prêt pour le meilleur et pour le pire. Oh, n'aie pas peur de voir des choses bizarres ! Tu es douée pour voir des auréoles lumineuses autour des têtes, n'aie pas peur, ne te sauve pas, c'est bien, tu as le don.

Il s'accroupit pour ramasser derrière la porte un mégot de cigare mâchouillé, l'alluma et scella ainsi son oracle en suçotant le bout de cigare à grand bruit.

Nous avons gardé le silence un bon moment ; devinant qu'il ne tenait pas à me livrer d'autres présages, je lui dis au revoir non sans l'avoir remercié au préalable pour ses divinations. J'étais loin d'être indifférente à l'apparition du vieil homme, à ce qu'il venait de me révéler, à mon irruption inopinée dans sa léthargie. Etait-elle inopinée ? C'est que je craignais d'en savoir davantage. Je n'ai jamais souhaité en savoir plus que les choses naturelles et connues d'avance ; pourtant, tout concourt à démontrer que je peux voir au-delà, que je possède un don de médium doté d'une force spirituelle. Il me convia à lui rendre visite quand je voudrais, ce que je promis sans y croire une seconde.

Comme je le supposais, l'église était fermée à double tour, de même que l'ermitage qui se trouve à côté, où les dévots adorent la Vierge de Regla sur son autel. Assise sur le bord du trottoir d'en face, je contemplais Dieu sait quoi, les murs, la grand-rue centrale déserte d'un bout à l'autre, la pâle lumière de l'éclairage public. De grosses gouttes résonnèrent sur le bitume ; soudain, l'averse éclata, mais je ne bougeai pas de ma place. Venu de loin, l'orage se rapprochait à toute vitesse, annoncé par les éclairs et les coups de tonnerre qui les talonnaient. J'entendis un grand fracas et la ville se trouva plongée dans l'obscurité la plus totale. Sortant de chez le vieux Noir chinois, je distinguai un groupe qui avançait vers l'endroit où je me trouvais ; à chaque bloc la troupe grossissait. Arrivés à ma hauteur, ils étaient déjà des centaines serrés en une foule compacte. Ils portaient sur un brancard le cadavre d'un jeune homme abattu par balle, aux vêtements imprégnés de pluie, de boue et de sang. D'après les taches sanglantes, on devinait qu'il avait reçu plusieurs impacts entre la poitrine et les jambes ; sa tête aussi était écrabouillée. Un bus arriva par l'autre bout de la rue, vide. Le chauffeur s'arrêta et gara mal son engin ; il descendit et se joignit à la foule après avoir demandé quelle était l'origine de cette tragédie. La dame qui de toute évidence était la mère, raconta en sanglotant que les garde-côtes avaient surpris le garçon essayant de s'enfuir sur un radeau.

— Ils ont tiré sur lui pour le tuer ! Oh, mon pauvre enfant !

Je pressentis que l'histoire tournerait mal, le commissariat de police se trouvait à deux blocs. Pourtant, je me joignis à la procession. On voyait des bébés dans les bras de leurs parents, leurs pupilles enfiévrées brillaient. A la hauteur du commissariat, les gens entonnèrent un hymne religieux à Yemayá ; les voix gagnèrent en impétuosité. Aussitôt les flics surgirent pour disperser ce qu'ils qualifièrent de manifestation contre-révolutionnaire. Les membres de la famille protestèrent, ils avaient eu tant de mal à récupérer le corps, ils le ramenaient à la maison afin de le veiller et de lui donner, le lendemain, une sépulture paisible et convenable. Les policiers rétorquèrent qu'ils n'avaient nullement le droit de se promener avec un mort en pleine ville, encore moins de l'exhiber de la sorte sans la moindre pudeur. Dans l'immédiat, ils allaient confisquer le corps du jeune homme : plus tard ils le remettraient aux pompes funèbres du quartier. Le père leur fit front, et d'autres hommes avec lui. Il avertit qu'il ne permettrait à personne de toucher à son fils, surtout pas à ceux-là même qui l'avaient assassiné, qu'il ne laisserait pas ces mains dégoûtantes souiller son garçon une fois de plus. Entre-temps, la mère s'était postée entre le cercueil de fortune et les policiers. Ces derniers dégainèrent leurs pistolets et tirèrent des coups de feu en l'air. Ce fut un sauve-qui-peut général où de nombreuses personnes coururent se réfugier sous les arcades, d'autres derrière des poteaux électriques, d'autres encore s'enfuirent dans tous les sens, ils glissaient dans la boue, tombaient, se relevaient et tentaient de prendre leurs jambes à leur cou. Ceux qui portaient le cadavre restèrent à leur place, impassibles, moi également, auprès d'eux. La tempête s'intensifiait et l'eau transperçait les os. De nouvelles voitures de police apparurent dans plusieurs rues : ils avaient demandé du renfort. Le visage rigide du père révélait l'intransigeance. La mère, de son côté, fit un pas en avant et jura qu'il n'y aurait pas de scandale. Le père cligna des yeux, sur ses joues coulèrent des larmes mêlées de gouttes de pluie couleur de cendre, il s'essuya le nez du dos de la main, pencha la tête et fit demi-tour : il tourna le dos aux agents, en signe de mépris, jusqu'à la décision finale. Leur chef appela le conducteur du bus. L'homme était à côté de moi et, sans mot dire, avança d'un pas et leva la main pour se faire connaître.

— Emmène-les dans ton véhicule ! Et sachez-le, vous serez escortés ! Il y aura une surveillance jusqu'à l'enterrement ! Et faites gaffe, pas de grabuge, ou vous pourrez finir comme lui !

Le chef vociférait en montrant le mort qui commençait à prendre une teinte violacée et à gonfler en raison de toute l'eau qu'il avait absorbée. Les gens obéirent, hissèrent la victime dans l'autobus qui démarra vers la maison, rapide et véloce, comme dans les mauvais poèmes. Les voitures de police suivaient en klaxonnant furieusement.

Je ne suis pas montée dans le bus car j'ai eu doublement peur : l'affaire pouvait s'aggraver, et je dépassais les bornes question horaires, je devais rentrer chez moi. L'un des flics est venu me demander qui j'étais.

— Personne d'extraordinaire, ai-je répondu nerveusement.

La peur me force toujours à débiter des extra-vagances inutiles.

— Comment ça, personne d'extraordinaire ? Fais pas la maligne. Disparais, file, si tu ne veux pas passer des vacances au trou.

Je me suis mise à cavaler en direction du quai. Pas d'éclaircie à l'horizon, au contraire, il pleuvait de plus belle. Au bout de la rue centrale j'ai cru apercevoir une femme vêtue d'un manteau bleu ; un halo de lumière brillait au-dessus de sa tête. Cela dura quelques secondes, et son image sombra dans un précipice. De l'abîme s'éleva un chant qui culmina en une prière ; ils se fondirent en une voix féminine enivrée de tabac et d'eau-de-vie. Voilà que j'avais des visions et que j'entendais des absurdités ; sans doute à cause du choc produit par ces événements. Je n'ai pas réussi à interpréter les paroles qui, à mon avis, provenaient de la sainte apparition. Cela pouvait être du *lucumí*, notre *yorouba*, selon ce que j'ai appris dans les taudis et dont j'ai pu avoir confirmation par les livres censurés obtenus grâce à la soi-disant bibliothèque itinérante, constituée de livres venus de l'étranger et circulant de main en main, d'une province à l'autre, sur l'île entière, en long et en travers. Les réverbères opaques donnaient un reflet doré aux maisons, dont certaines étaient barricadées par des portails de bois ; d'autres, depuis le tertre où je me trouvais, arboraient de petits escaliers en maçonnerie menant aux entrées principales. Je ralentis ma course, haletante d'épuisement et de frayeur. Par chance, je pus embarquer sur le dernier bac de la nuit. La brise fraîche de l'aube accrut mon excitation ; il y avait quelques passagers, l'air résigné de ceux qui vont entreprendre une journée de travail. Arrivée à la maison, ils me sont tombés dessus à bras raccourcis, mon père m'a tabassée à coups de ceinturon en jurant qu'il m'éloignerait de cette bande de voyous et de dépravés – il se référait à mes amis – même s'il devait me rouer de coups à mort. Je courus me réfugier sous le lit ; ma mère me sortit de là à coups de balai. Voilà pourquoi nous avons fait un troc de logements pour déménager à Santa Cruz del Norte.

Un mois après la fête, il me fallut aller voir Ana au Vedado. Elle était loin d'imaginer le pourquoi de ma visite. On accédait à sa chambre par la porte du garage, sur le côté de la maison ; elle avait coupé toute communication avec le reste de sa famille grâce à un mur de briques qui empêchait d'accéder directement à son logement par l'entrée principale. Le rock strident qui s'échappait d'un magnétophone faisait un tintamarre de tous les diables. Elle m'ouvrit, et en me voyant elle poussa un soupir, l'air angoissé, ce qui me confirma que je la dérangeais dans une activité importante, mais je perçus en même temps qu'elle voyait en moi une consolation momentanée. Une corde de bateau enduite de goudron était suspendue à son cou. Assise sur son lit, elle nouait des fragments de corde qui, d'après moi, mis bout à bout, pouvaient bien mesurer quelques mètres. Je demandai sur le ton de la plaisanterie :

— Et ce collier d'émeraudes ?

— Arrête, y a même pas moyen de se pendre dans ce foutu pays ! Quand c'est pas la corde qui casse, c'est le lustre qui te tombe sur la tête.

Je remarquai alors un énorme lustre de cristal écrabouillé par terre à côté d'un amas de décombres ; un trou récent au plafond laissait à nu les poutres métalliques.

J'ai tenté de l'apaiser à ma façon, par le récit de mes propres déboires, des tas d'idioties qu'elle n'avait nul besoin d'entendre. Je lui ai lâché à brûle-pourpoint que je me sentais déprimée, moi aussi, j'ai raconté ce qui s'était passé dans la cage d'escalier lors de la soirée, ensuite ma rencontre à Regla avec le vieux *babaloche*, l'histoire du jeune homme assassiné, la manifestation, l'apparition de la Vierge de Regla, la dérouillée que mes parents m'avaient flanquée, le déménagement. Pour comble, il fallait qu'elle m'accompagne chez un médecin de toute urgence, c'était clair comme de l'eau de roche, chez un gynécologue. La nuit de la fête chez Monguy, j'avais laissé couler de la semence dans mon utérus. J'étais en train de vivre des situations extrêmes ; le matin au réveil, je passais des heures, complètement abrutie, à regarder au fond de la cuvette des W.-C., après avoir chié, comme si je m'examinais dans un miroir. Cette fois, j'étais enceinte pour de bon et elle seule pourrait me tirer d'affaire. Ana avait une grande expérience des curetages.

— Ecoute, si je veux en finir avec la vie, c'est pour les mêmes raisons que toi. J'en ai marre de tout ce qui m'entoure et je ne sais pas pourquoi. Comme je m'ennuie, je baise et naturellement je me retrouve enceinte, avec la pilule je grossis, le stérilet me fait mal et les préservatifs, les mecs n'aiment pas ça. D'ailleurs, les capotes qu'on vend, elles sont pourries. Tout pourrit ici, l'air est trop salin, ou il y a trop d'ordures dans l'environnement. Voilà, je fais une autre grossesse. Je ne sais pas ce qui se passe, je me sens comme une charogne. Notre génération est celle des avortements. D'après toi, pourquoi est-ce que j'éprouve le besoin de coucher avec le premier venu ? J'y comprends rien.

— Pour moi ça sera le premier. En matière d'interruptions de grossesse, je débute. Je n'ai pas envie d'y aller toute seule, j'ai la trouille. Vu que tu en as tellement l'habitude, je me suis dit…

— C'est la treizième fois. (D'une secousse, elle tira sur la corde qui lui pendait au cou, comme s'il s'agissait d'un ruban dans les cheveux.) C'est que je m'ennuie au bahut, je m'ennuie à la maison, je m'ennuie dans les soirées. Les seules fois où je ne m'ennuie pas, c'est quand je rencontre un garçon, mais dès qu'on a couché, eh bien je recommence à m'ennuyer. T'en as pas marre, toi, que dans ce foutu pays, chaque fois que tu vas quelque part, vlan, tu te heurtes à la mer ? Il n'y a pas d'issue, nous sommes entourés d'eau.

— Oh ! merde, Ana, évidemment si t'as vu une carte de près, on est une île. Tu vas pas faire comme Enma… En plus, qu'est-ce que t'as après mon prénom ?

Je sus aussitôt que j'allais dire un mot de trop.

— Eh ben quoi, Enma ? Me dis pas qu'elle veut se tuer, elle aussi.

— Non, elle, son cas est plus difficile, elle veut partir…

Je me suis dit, ça y est, j'ai compromis l'autre fille.

— Ça revient au même. Pour moi, non, plutôt mourir que de partir de ce pays, je laisse ça aux enfoirés. Je ne pige plus rien, Marcela… Pour comble, Mar, je veux être actrice, ou critique d'art, mais pas médecin, ni enseignante ! Tu sais que mon paternel travaille au ministère de l'Education, devine combien il y aura de postes pour les Beaux-Arts ? Dans cette municipalité, aucun. En journalisme, ce n'est pas mieux ; une option qui n'est pas à dédaigner, au moins elle a un rapport avec ma vocation. Il y aura encore une de leurs campagnes en faveur de la pédagogie ou de la médecine, pour ne pas changer.

J'ai suggéré pour lui donner espoir :

— Eh bien, inscris-toi n'importe où et, en deuxième année, tu changes. J'ai une voisine qui a fait comme ça.

— Alors, pourquoi est-ce que j'ai fait six ans dans les écoles aux champs, nom de Dieu ? Est-ce qu'ils ne disaient pas que c'était obligatoire, que tous ceux qui travailleraient aux champs avaient leur inscription à l'Université garantie, pour les études de leur choix ? Si j'avais su, j'aurais fait comme la Carmen Laurencio, à coups de certificats médicaux en veux-tu en voilà ! Elle ne s'est pas tapé un seul sillon de patates, elle n'a même pas porté une boîte de sauce tomate, elle a pas désherbé, elle a pas eu les mains pleines d'ampoules, elle s'est pas déformé la colonne vertébrale à effeuiller du tabac ! Résultat, je me suis échinée par philanthropie ! Mais je ne vais pas partir, vous entendez, PUISQUE VOUS VOULEZ QUE JE PARTE, JE NE VAIS PAS PARTIR ! a-t-elle proclamé en direction du logement de ses parents.

J'ai essayé d'apaiser la colère de la jeune fille :

— Ce n'est pas de leur faute.

— Ah non ? Putain, pourquoi qu'il travaille comme conseiller du ministre, mon débile de père, c'est une potiche ou quoi ? Je lui ai déjà déclaré que je n'étudierai plus, que dorénavant je copierai aux examens comme une super-championne, ras-le-bol de leurs salades, ils arrêtent pas de répéter que le peuple il a besoin de médecins et de profs ! A croire qu'on est une nation de tarés, bordel, onze millions d'analphabètes et de malades ! Le peuple, il a aussi besoin d'artistes, qu'ils aillent se faire foutre, ici le discours ne change pas ! A qui la faute, dis ? Ne me le dis pas, je connais la réponse, à l'impérialisme. Eh bien moi, je veux devenir actrice, une grande actrice, ça ne m'empêche pas d'être contre l'impérialisme ! A moins que vouloir devenir actrice soit un concept pro-impérialiste ? Si ça continue, je vais l'adorer, l'impérialisme ! Ils lui donnent tant d'importance qu'il doit avoir du bon !

— Ne parle pas comme ça, je t'en supplie, pour l'amour de ta maman. Tu sais, je compatis, c'est pareil pour moi, je pige de moins en moins, je deviens de plus en plus apathique. Ma tante dit que c'est l'âge, ça nous passera.

— Mar, pour te parler franchement, je te prenais pour une fille intelligente.

— Je n'admets pas que tu m'insultes. Je suis venue te demander de m'aider, si tu ne peux pas, ce n'est pas grave, mais je ne veux pas me brouiller avec toi.

Ana me tourna le dos et se coucha sur un matelas posé à même le sol, qui lui servait de lit, elle enfonça sa tête dans l'oreiller et resta ainsi quelques minutes, son dos montait et descendait en sanglots sourds. Recroquevillée contre elle, je passai plusieurs fois ma main le long de sa colonne, je lui demandai si elle voulait que j'aille lui chercher un verre d'eau, elle fit signe que non. Je me mis à parler comme une pie, dans le seul but de lui remonter le moral, pour la libérer de sa fureur.

— Tu sais ? A propos de la soirée chez Monguy... Il y a quelque chose que je t'ai pas raconté, quand le troufion me sautait dans l'escalier, bientôt il en est venu un autre, je ne sais pas lequel parce qu'il faisait sombre. Derrière celui-là, une autre est arrivée. C'était Mine d'étrons, je l'ai deviné au son de sa respiration, de ses halètements. Le troisième a attiré sa tête vers la mienne, et elle n'a pas résisté, elle m'a embrassé sur la bouche...

Ana s'assit en tailleur sur son lit, dans une posture bouddhique, les bras autour de l'oreiller, les yeux rougis, ses lèvres encore ourlées par les sanglots. Instantanément, sa grimace se mua en un demi-sourire, son sourire en éclat de rire. Elle rigolait tellement qu'elle n'arrivait plus à articuler un seul mot. Elle basculait en arrière et faisait gigoter ses jambes.

— Je ne peux pas y croire, je ne peux pas y croire ! (Elle resta ainsi un bon moment.) Dis, tu ne vas pas me faire d'avances, hein ? Et toi, tu lui as rendu son baiser ?

— Non, j'étais très nerveuse, je n'ai même pas joui. Je m'attendais à quelque chose de plus romantique. Le mec, je lui ai donné mon cul, ça m'a fait vachement mal.

— Tu t'es fait enculer sans le connaître ? Moi, ma petite, je donne pas mon postérieur, et puis quoi encore ! Celui qui veut me prendre par-derrière, il doit s'amener avec des propositions convenables, quelque chose de plus élaboré. Tu te rends compte, ça fait un mal de chien. En plus, ça donne des hémorroïdes, je te préviens. Et eux, quand ils t'enculent, ils veulent plus jamais te prendre par-devant. Tu parles, le sphincter est plus étroit, ça les fait jouir davantage.

Tout à coup, on a entendu un vacarme de boîtes de conserve ; quelqu'un, qui s'étalait de tout son long sur le carrelage, se mit à geindre. De mauvaise humeur, Ana montra la cloison inachevée : il n'y avait pas eu suffisamment de briques pour diviser l'espace jusqu'au plafond.

— Comme d'habitude, elle se mêle de ce qui la regarde pas, celle-là. Allez, espèce de mauvaise langue, le jour où tu te casseras le col du fémur, tu fileras tout droit à l'asile de vieillards, et du coup tu pourras plus t'envoyer les tonnes de sucre brun que tu t'envoies ici ! C'est ma grand-mère, l'espionne.

De l'autre côté, la grand-mère se mit à vociférer :

— Attends un peu que ton père apprenne toutes les saloperies que tu fais ! Treize avortements à dix-sept ans, Sainte Vierge, moi-même j'en ai pas fait autant, alors que j'ai eu mon heure de gloire à La Havane ! Cette jeunesse, elle n'a pas d'avenir. Aïe, Anita, ma petite-fille, tourne-toi, viens là, je ne peux pas me relever !

— Bien fait, j'irai dès que je me souviendrai de ton existence ! Oh là là, fais gaffe, si tu lâches le morceau à papa, moi je vais planquer le sucrier !

J'ai fait mine de sortir, pour revenir par la porte principale afin de porter secours à la grand-mère. Ana me retint en s'accrochant à mon bras. Elle me chuchota à l'oreille que ça arrivait tous les jours et que sa grand-mère adorait souffrir, allongée un bon moment sur le sol de ciment froid, comme ça, à l'heure du feuilleton, elle s'identifiait davantage à l'intrigue, surtout à la victime de la famille dans ce téléfilm. Elle en profitait alors pour se répandre en calomnies, comme quoi on lui en faisait voir dans cette maudite maison, comme quoi personne ne l'aimait ; ainsi elle soumettait tout le toutim à son chantage et obtenait davantage de nourriture. Mais je n'ai pas pu supporter les hurlements de la vieille femme et j'ai été lui donner un coup de main. J'arrivai à pas de loup, elle ne s'aperçut pas de ma présence ; elle était debout, droite comme une jeunesse de quinze ans, et jouait la scène des lamentations avec tant de maestria, que Bette Davies dans *Qu'est-il arrivé à Baby Jane ?* pouvait toujours s'aligner. Je suis revenue sur mes pas. Ana se désespérait dans le garage, les poings sur les hanches :

— Ma vocation d'actrice, elle me vient d'elle. A prendre ou à laisser. Et avec ça, madame, on vous l'enveloppe sous cellophane ce caca made in Cuba. Sans compter que la ration de sucre de douze personnes ne lui suffit pas, encore moins les cachets de méprobamate. Enfin, comme je dis tout le temps, je ne sais pas pourquoi ils éliminent l'art dramatique des programmes ; ça doit être parce qu'ici chaque citoyen est un acteur hors pair, à commencer par celui qui gouverne.

— Toi alors, t'as la langue bien pendue. Bon, occupons-nous de nos affaires. Comment on fait pour l'interruption de grossesse ?

— Ce qui est indispensable, c'est la consultation. Après ça, analyse de sang pour savoir si t'es anémique, uriner dans un flacon à col large, le remplir à ras bord, te trouver un donneur de sang…

— Et si j'ai de l'anémie ?

— C'est bien simple, on refuse de te la faire.

— Mon Dieu, tu ne peux pas me dire une chose pareille !

— Du calme, j'ai un pote qui ne te demande rien. S'il fallait que je me trouve un donneur à chaque avortement, j'aurais dû embaucher Dracula. Si tu apportes ta pisse, ça suffit largement.

Les résultats du toucher vaginal et des ultrasons ont confirmé que nous étions enceintes. A vrai dire, Ana connaissait si bien son anatomie qu'elle en était certaine d'avance. Par chance, c'est une doctoresse qui nous a reçues et nous a donné rendez-vous pour le mercredi. Ana a fait reporter la date au jeudi sous prétexte que ce jour-là ça serait impossible, car nos parents pourraient très difficilement manquer une assemblée de bilan ; la doctoresse ne s'est pas gênée pour nous regarder de travers afin de nous montrer qu'elle ne croyait pas un traître mot des arguments de mon amie. Elle a demandé alors si nous connaissions un médecin en particulier. Ana, sans sourciller, a répondu pas du tout, car c'était la première fois qu'elle venait se faire faire un truc pareil. L'autre a répliqué que pourtant son visage lui semblait familier. A quoi Ana a rétorqué du tac au tac qu'elle n'en doutait pas, car elle avait une sœur jumelle.

Dans la rue, elle m'a expliqué que son ami gynécologue était de garde le jeudi, qu'il était déjà prévenu et ne ferait pas faux bond. Toute la semaine j'ai très bien dormi, je me décevais moi-même, n'éprouvant pas la moindre tristesse de perdre mon premier enfant, je ne ressentais aucune émotion, ni même aucune crainte. Je me sentais plutôt euphorique parce que je me lançais dans une aventure interdite, parce que j'exerçais ma liberté féminine ; j'étais plus excitée par cet événement que par la nuit de mon initiation sexuelle. C'est que j'admirais beaucoup Ana, et cet acte me mettrait enfin sur un pied d'égalité avec elle et me donnerait un avantage sur les autres filles, mes condisciples. En outre, les garçons étaient fous des nanas qui avaient déjà eu le courage d'avorter.

Ce jeudi-là, ma mère s'étonna que je n'aie pas envie de prendre mon petit déjeuner. Mon amie m'avait prévenue que nous devions nous présenter à jeun. Elle m'avait également donné quelques conseils vestimentaires, j'emporterais dans ma sacoche un peignoir convenable, ceux des hôpitaux étaient affreux, en lambeaux et, pour comble, tellement courts qu'on voyait tout, et comme l'attente était si longue il valait mieux se sentir à l'aise. Elle m'avait dit de prétexter la fraîcheur matinale et des maux de gorge pour porter toute la semaine un corsage à manches longues, ainsi personne n'aurait de soupçons quand, du jour au lendemain, je déciderais de porter des vêtements chauds car, de surcroît, la réaction post-anesthésique se manifestait par des frissons ; cela éviterait ainsi que l'on découvre le bleu au bras, causé par la piqûre.

A l'hôpital, Ana prit une pièce de cinq centavos, un sou, et la lança en l'air avant de me demander ce que je choisissais, pile ou face. C'est tombé sur pile, elle a marmonné entre ses dents qu'elle entrerait la première, pour changer. Nous nous sommes déshabillées et avons passé nos peignoirs, les autres femmes avaient l'air ridicule, leurs poils dépassaient de l'ourlet. Je ne pus dissimuler ma stupéfaction à la vue de quelques dames qui frisaient la cinquantaine. Ana était pâle, les lèvres gercées, mais elle n'arrêtait pas de plaisanter. Un médecin d'une trentaine d'années salua en souriant, avec un clin d'œil coquin à Ana, puis s'engouffra dans l'ascenseur. A son retour, il vint vers nous et gronda mon amie tout bas :

— Vas-y mollo, je ne peux plus t'en faire une seule cette année. C'est ton amie ? demanda-t-il en me désignant.

Ana dit que oui.

Bientôt on la convoqua. Je mesurai le temps à ma montre-bracelet posée sur mes genoux. Exactement quinze minutes après, on cria mon nom. J'entrai dans une vaste salle pleine de brancards. Ana, on la ramenait du bloc opératoire sur l'un d'eux. Elle ressemblait à un cadavre, en plus livide même, ses lèvres étaient aussi pâles que son teint, ses paupières étaient violacées, et elle était attachée avec une espèce de ceinture de judo à la hauteur de la taille, ainsi qu'aux mains et aux chevilles. Quand elle passa près de moi, conduite par une infirmière, je caressai son front brûlant. J'en fus épouvantée, le regard de la femme croisa le mien, mais elle ne me livra pas la moindre information sur l'état de santé d'Ana.

L'intérieur du bloc opératoire était vert bouteille, les tenues des médecins aussi. Sur un plateau je vis une cuiller oblongue, aux bords très acérés, teintée de sang. Le médecin m'ordonna de monter sur le brancard ; avant de m'exécuter, je remarquai une poubelle sous l'endroit où se trouverait sans doute le sexe à l'air des patientes : le récipient contenait des cotons sanguinolents et des caillots. Des caillots d'Ana, ai-je pensé pleine de compassion. La deuxième infirmière me plaça les pieds dans les étriers métalliques, puis elle les attacha avec des cordons, vert bouteille aussi. Le médecin ami d'Ana enleva son masque pour me parler :

— Est-ce que tu as une maladie quelconque, asthme, allergie, tension ? (Je fis signe que non.) Dis donc, il faut convaincre ta camarade de faire attention. Non seulement elle n'en fait qu'à sa tête, mais cette fois elle est venue hors délais. (Tout en maugréant, il avait enfilé ses gants et, comme si de rien n'était, il écarta les lèvres de ma vulve et me fit un toucher vaginal.) Tu es dans les délais, mais elle, par contre… il faudra peut-être l'hospitaliser si elle fait de la fièvre. Tu as les numéros de téléphone de bureau de ses parents ?

Non, je ne les avais pas.

L'infirmière défit un papier d'emballage et en tira le spéculum qu'elle m'appliqua immédiatement ; la brusquerie de ses gestes, la froideur et la dureté de l'instrument me forcèrent à contracter mes cuisses et mon bassin. Le médecin me demanda de me détendre. L'anesthésiste prit la place du chirurgien, près de mon avant-bras droit. Pendant qu'il le serrait très fort avec un garrot, l'autre manipulait des instruments au son métallique.

— Ton âge ? s'enquit l'anesthésiste juste au moment de me piquer avec la seringue qui débordait d'un liquide jaunâtre.

Je murmurai .

— Diss…

Ce fut comme si une serre tirait cruellement mon cerveau en arrière, comme si elle le détachait de ma tête et que mon crâne se muait en une outre humide et vide. Je n'ai rien senti d'autre que l'oubli, et j'ai cessé d'entendre. C'est la seule fois où je n'ai strictement rien entendu, car même dans mon sommeil, mes rêves peuvent être sonores. Je n'ai même pas capté l'ombre du silence, ce vestige parfumé de notes classiques. J'ai éprouvé la sensation d'être déconnectée de la vie pendant une éternité. Pourtant un coup d'aiguillon atrocement douloureux m'y ramena et j'entendis un vague murmure.

— Elle a bougé et je n'ai pas terminé.

La voix s'amplifiait depuis mes entrailles.

Je voulus étirer les jambes à cause de cette souffrance monstrueuse, mais ce fut impossible. Le bistouri me vidait en grattant une espèce de cartilage qui, de l'intérieur de mon vagin, s'étirait au dehors. Une seconde piqûre à la saignée du bras, et de nouveau l'oubli m'a envahie. Au réveil, je me trouvais attachée au brancard ; le plafond blanc m'indiqua que j'étais hors du bloc opératoire. Réfugiée dans le sommeil, j'ai évité la soif.

— Allez, on se réveille, on n'est pas à l'hôtel ici, a plaisanté l'infirmière en me tapotant les joues.

184

En appui sur mes coudes, j'examinai mon corps, le peignoir qui le couvrait était constellé de grosses taches de sang. Mes cuisses étaient barbouillées de mercurochrome ou de quelque autre médicament de même teinte orangée striée de bleu vert. Je me suis souvenue d'Ana et l'ai cherché des yeux entre les brancards, mes paupières ne me répondaient plus ; non sans effort, j'ai fini par l'apercevoir en face de moi vers la gauche. Elle dormait encore, ce que j'ai interprété comme un mauvais symptôme. L'infirmière alla vers elle, un petit plateau métallique dans les mains, elle prit un thermomètre et le lui mit sous le bras.

— M'ame, ai-je appelé d'une voix affaiblie. Elle a un problème ? C'est mon amie.

Elle se contenta de répondre d'un ton sec :

— Sa fièvre monte, il va falloir attendre.

Dire que je ne savais même pas prier. Ana, remets-toi, tu ne peux pas rester hospitalisée ici. Mon Dieu, aide-nous. Ana, mon amie, revis, oh ! qu'est-ce que je dis ? ouvre les yeux, cligne tes paupières, j't'en prie, fais un signe. Vierge de Regla, que sa fièvre descende. Et moi maintenant, qu'est-ce que je vais faire ? Ma tête allait se fendre en deux, comme une pastèque, chlak ! Après avoir regardé le thermomètre et annoté le dossier médical, l'infirmière vint vers moi en l'agitant pour faire descendre le mercure. Elle me le mit à moi aussi. Température normale, je l'ai lu sur son visage ; elle n'avait pas eu la même réaction en marquant les degrés centigrades d'Ana.

— Tu peux aller te changer, ordonna la femme en me détachant. Là-bas on te donnera un jus de pamplemousse.

Je suppliai presque :

— Je ne peux pas partir sans Ana, ce n'est pas juste.

— La malchance, ma poulette, ce n'est pas de mon ressort. Patiente dehors, en attendant l'avis du docteur.

Avant d'aller aux toilettes je suis passée devant le lit de la jeune fille et j'ai embrassé ses joues en feu. Elle a entrouvert ses yeux larmoyants et rougis par la fièvre.

— Mar..., a-t-elle bredouillé dans un filet de voix, et elle s'est rendormie.

Une fois revêtue de ma jupe d'uniforme et d'un chemisier imprimé à manches longues en jersey, je fourrai le peignoir souillé dans un sac plastique que je rangeai dans mon cartable. Sur un meuble, les verres de jus acide se décomposaient, je fis la grimace à la première gorgée. Une dame m'offrit une cuillerée de sucre en poudre que j'acceptai de bon cœur, ensuite elle me proposa un sandwich de pain à l'omelette, que je refusai tout d'abord, par gêne, mais elle insista. Je le pris parce que je mourais d'inanition. Assise sur le banc du couloir, tandis que je pensais que je venais de me faire cureter sans avoir connu un seul orgasme de toute ma vie, j'attendis des nouvelles d'Ana. Jusqu'au moment où il ne resta plus une seule patiente. Au bout d'une heure et demie, le chirurgien sortit avec une blouse qui semblait amidonnée et récemment repassée.

— Elle va mieux. Si ça ne tenait qu'à moi elle devrait rester ici, mais elle s'y refuse. Je la renvoie chez elle avec des médicaments, veille à ce qu'elle les prenne, et si la fièvre persiste, oblige-la à revenir, peut-être reste-t-il quelque chose et ça, c'est hyper-dangereux, il faudra nettoyer de nouveau, je n'ai pas envie d'être impliqué dans une septicémie. Je te la confie. Et qu'elle sache que je ne lui en referai plus un seul. Si ça continue, elle passera plus de temps ici qu'au lycée.

Toi, tu as l'air en pleine forme, mais n'y prends pas goût. De toute façon, je t'ai posé un stérilet en cuivre, s'il arrive quoi que ce soit, viens me voir, OK ?

Il se leva du banc et descendit les escaliers en criant à tue-tête qu'il allait déjeuner, qu'il crevait de faim.

Heureusement, on a échappé au pire et Ana quitta l'hôpital le soir même à sept heures. Mais elle dut y retourner la semaine suivante pour un autre curetage, puis elle guérit et les jours reprirent leur cours ennuyeux. En milieu de journée il faisait une chaleur torride, accablante, qui n'en finissait pas. Chez nous, personne n'a eu le moindre soupçon. Mais je parlais à peine à mes parents, je passais mon temps dans les bus du Renfort spécial qui faisaient l'aller retour entre Santa Cruz del Norte et le lycée, car j'avais refusé de changer d'établissement, sous prétexte que je prendrais du retard dans mes études, ce qui les a convaincus. Notre déménagement n'avait servi à rien, car je continuai à avoir les mêmes fréquentations dangereuses que mon père haïssait, et à me rendre dans les lieux de perdition habituels.

Ayant eu la confirmation que mes possibilités d'obtenir une bourse pour la discipline de mon choix étaient infimes, j'optai pour le premier sport venu : les échecs. Au moins, là, je mangerais bien, car on savait que les sportifs bénéficiaient de régimes alimentaires de faveur. Bien que nous ayons échoué dans des facultés différentes, je n'ai pas rompu mes relations avec ceux de ma bande. On se rencontrait le week-end. Sauf avec Ana, qui avait décidé de s'inscrire en théâtre expérimental dans un atelier d'art dramatique situé à l'Ile des Pins, afin de tenter sa chance par la suite à l'Institut supérieur d'art. Elle venait en permission tous les quinze jours en fin de semaine.

Après, le grand traumatisme survint : mes parents décidèrent de quitter le pays. Sur le moment, je fus égoïste et j'interprétai cela comme un désir de me fuir. En réalité, ils agissaient par désespoir, mais je n'ai pas encore surmonté cette déception, ou désertion familiale. Alors, une fois libre, entre guillemets, lâchée dans la nature et non vaccinée, je revins habiter à La Vieille Havane. En tout cas, le grondement de la mer est tout aussi attirant, qu'elle se fracasse contre les rochers de Santa Cruz del Norte ou le parapet du Front de mer de la capitale, et ce ne serait certainement pas la proximité de la plage ni aucun autre charme de Cojímar qui allaient me manquer. Mais en perdant la voix de ma mère, les multiples mélodies quotidiennes se mélangèrent pour moi. Hors de l'île, les timbres de voix de mes parents changèrent de tonalité ; dépouillés de leurs sempiternels plaintes et soupirs découragés, ils en devinrent pittoresques, ils accentuèrent même la couleur locale, dans le souci de sauvegarder l'irrécupérable à travers la langue. Je m'étais figuré qu'en retournant à La Vieille Havane, je me sentirais enrobée du pressentiment de leur présence, car à chaque coin de rue j'étais assaillie par l'impression que j'apercevrais maman au loin, dans la queue de la teinturerie ou celle du stand de légumes tropicaux, ou bien papa de retour de Cubatabaco, où il avait travaillé jusqu'au dernier jour. Au moins, les traces de leurs ombres se promenant à travers la ville de mon enfance ne me quittèrent pas. Les êtres sont peut-être obligés de s'exiler, mais leurs ombres demeurent. Aucun gouvernement ne peut empêcher cela ; ils ont beau s'acharner à diviser les familles, il y aura toujours quelqu'un de ce côté-ci pour abriter nos traces sous les branches des fromagers. Le départ de mes parents a aigri mes tympans, il les a détruits, depuis, je n'ai jamais pu me délecter de musique avec la même allégresse ou ingénuité qu'autrefois : par exemple, à deux heures de l'après-midi, l'instant où ma mère avait l'habitude d'écouter à la radio l'émission "Activité travailleuse", je me plongeais dans un supplice incommensurable et voulais à toute force devenir sourde, quand j'entendais sur des postes voisins le speaker annonçant cette émission. Alors un seul son a accaparé mon sens de l'acoustique. Quand une femme habite dans une île, il ne lui reste d'autre recours que de vivre prisonnière de la clameur de l'océan.

Il ne serait pas facile de décider entre le goutte à goutte permanent du lavabo, qui ponctue en ce moment les secondes parisiennes, et le ressac de la houle havanaise impétueuse qui s'amplifie à l'intérieur d'une conque. Si seulement je pouvais choisir… J'évoquerais le silence, acharnée à faire taire les regrets.

IV

LE TOUCHER, DOUTE

La nuit est revenue. Une autre nuit. J'ai dû inter-rompre la lecture du volume *A l'ombre des jeunes filles en fleurs* pour assister mon acolyte à la télé-vision. De bon matin, je me suis mise à relire Proust une fois de plus, mais au lieu de com-mencer par le premier tome, je l'ai fait par celui qui me paraît le plus difficile à aborder. Charline a téléphoné pour me rappeler qu'aujourd'hui je devais maquiller un autre politicien important. Pauvre Charline, ma deuxième mère, elle est devenue un agenda vivant. Une occasion à ne pas manquer, elle m'a fait, en ajoutant à toute vitesse, apporte ton appareil pour le photogra-phier, séduis-le, persuade-le que tu fais cela pour enrichir ton expérience professionnelle, explique-lui que tu collectionnes des portraits de person-nalités maquillées par tes soins, flatte sa vanité en lui disant qu'il possède un visage fabuleux (je sais qu'il se paie une gueule affreuse de porc-épic), bref amuse-toi à l'encenser, à lui passer de la pommade. Sais-tu ce que je suis en train de lire, Charline ? ai-je demandé, mais ce n'était pas dif-ficile pour elle de deviner. Oh, non ! Ne me parle pas de Proust, je suis capable de me brûler vive. Comme c'était amusant, Charline avait attrapé la manie cubaine de se brûler à tout bout de champ, pour un oui pour un non. Au moment même où je me formulais cette phrase, un accès de sérieux a fait resurgir en moi l'image de Jorge, mon inévitable cœur d'artichaut cramé. Mon trésor, heureusement que Charline m'a interrompue, ça ne te plairait pas de relire Rimbaud, Baudelaire, Marguerite Duras ? Ecoute, *mon bébé**, Duras, elle est très pratique à lire, elle vous écrivait de ces phrases courtes, une vraie merveille, quelle formidable écrivaine minimaliste. Charline a failli me convaincre.

Me voici maintenant dans la cabine devant le miroir ; je fixe les ampoules qui l'encadrent et bientôt j'ai les pupilles larmoyantes et la vue brouillée. Mon politicien arrive, escorté par une meute de lèche-bottes. Les lèche-bottes sont partout pareils : des minables. Les politiciens aussi, d'ailleurs. Avant de prendre place dans le fauteuil de cuir, il salue en commençant par moi et pousse la démagogie jusqu'à me serrer la main pour faire peuple. Une fois calé dans son siège, il lève son index pour m'arrêter et m'ordonne, d'une voix autoritaire :

Tout, sauf me toucher la tête. Je suis le seul à comprendre mes cheveux et ma coiffure. Merci beaucoup, c'est très aimable.

J'ouvre mon *nécessaire** de produits de beauté et m'apprête à maquiller sa tronche administrative. Je commence par nettoyer sa peau rougeaude et graisseuse avec une lingette spéciale nourrisson, qui lui détache du visage une tripotée de peaux mortes. Ensuite, je lui fais un massage à la crème hydratante. De ses narines émane un relent de cigare Montecristo n° 9, je suis capable de différencier les marques de cigares à leur odeur, ce n'est pas pour rien que je suis la fille d'un rouleur de tabac. Je découpe mes bouts d'éponges blanches, toutes neuves, et j'en enduis une de base transparente.

Le plus naturel possible, s'il vous plaît, décrète à nouveau mon politicien. J'ai demandé à me faire maquiller par vous, parce que vous avez déjà maquillé une fois l'un de mes confrères. Il vous apprécie et considère que vous maîtrisez parfaitement votre art. Quand je lui ai annoncé que j'étais invité sur cette chaîne, il a aussitôt cherché votre nom dans son agenda. Il dit que le lendemain de cette émission, la terre entière est venue le complimenter pour sa bonne mine et son air rajeuni. Du coup, il s'est renseigné auprès de la chaîne pour avoir vos coordonnées afin de ne pas perdre contact. Votre profession paraît compliquée, elle doit être si prenante, mais on sent que vous l'aimez.

C'est un métier, monsieur. Je suis photographe de profession, mais j'ai arrêté. (Ça y est, j'ai gaffé, je n'aurais pas dû livrer cette information, maintenant j'aurai du mal à le prendre en photo, comme Charline me l'a demandé.) N'ayez crainte, c'est une base translucide.

— Transparente ? Mais vous ne me trouvez pas un peu pâlichon ? Peut-être que si vous mettiez une touche de couleur ça ne m'irait pas trop mal. Je vous avais suggéré "naturel", mais bronzé. Bien bronzé, m'impose-t-il.

— Comme il vous plaira, monsieur. J'ai failli dire "votre majesté".

— Non, pas du tout, c'est vous la spécialiste en éclairages et en effets spéciaux, mais pour rien au monde je ne voudrais montrer des signes de fatigue ou donner à penser que je souffre de quelque maladie incurable. Cachez-moi mes cernes, n'oubliez pas que j'ai passé des nuits blanches à concevoir le document. Il mentionne "le document" devant moi comme si j'étais sa secrétaire et que j'avais dû l'apprendre par cœur.

Le pire pour un spécialiste en esthétique, c'est de s'accoutumer au dégoût. En ce qui me concerne, je n'ai jamais pu habituer mes doigts au contact des boulettes de séborrhée qui se forment sur les visages, des petits renflements de graisse blanche dus à une alimentation inadéquate, trop de jambon, de saucisses, de frites, de glaces. Sans parler des effleurements avec les duvets et les verrues. Il y a des visages comme des brosses, d'autres comme des cratères. Sans aucun doute, je préfère maquiller les femmes, bien qu'elles se figurent, naturellement, en savoir plus que vous sur les cosmétiques qui leur conviennent le mieux, et qu'elles soient assez sottes, mais au moins, la plupart d'entre elles sont plus soignées, encore que les filles myopes, comme moi d'ailleurs, ne se rendent jamais compte de la présence de points noirs, et ça c'est l'un des motifs principaux de répulsion, ces points gorgés de pollution. En revanche, les rides m'attirent. Je suis passionnée par les gueules semblables à des villes, couvertes de routes, d'avenues, d'aéroports, de baies. Il m'est arrivé de tomber en extase en massant des joues pareilles à des quartiers d'oranges. Cet homme politique, par exemple, possède un beau front sillonné de six lignes parallèles qui vont s'enchevêtrer à la lisière de la ville et de la brousse. La brousse, je veux dire sa chevelure poivre et sel. J'en suis là de mes réflexions quand j'entends les ronflements intempestifs du politicien, on dirait que j'ai eu la main lourde en lui massant les tempes, et de sa bouche entrouverte pend un mince filet de salive. Je l'essuie avec l'une de ces lingettes que l'on utilise pour les culs de bébés, alors il se réveille et me demande de l'excuser en battant des cils trop vite, ce qui le fait larmoyer et abîme la couche de fond de teint mat de Lancôme. Voilà comment ça se passe avec les mecs : quand une fille les maquille, soit ils s'endorment, soit ça gonfle sous leur braguette. J'ai dû retoucher les mensonges, c'est ainsi que nous nommons les défauts, et poursuivre mon entreprise de restauration du patrimoine national.

N'humidifiez pas vos lèvres, je vous prie ; j'y appliquerai un rouge en accord avec leur couleur naturelle.

J'ai appris auprès d'un maquilleur catalan que pour obtenir des nuances couleur chair, il fallait mélanger des rouges, les dissoudre au micro-onde et les refabriquer, autrement dit les dissoudre ensemble et les laisser refroidir jusqu'à ce qu'ils se solidifient. J'ai obtenu de la sorte des tons de rose plus naturels que la peau elle-même. Après que je lui ai coupé les poils du nez, accentué le blanc des yeux, teint les cils, masqué les aspérités, brossé et fixé à la laque les sourcils, dessiné les lèvres et blanchi les dents, mon politicien ressuscite, emballé sous cellophane. Fin prêt pour se donner en spectacle, il ne se reconnaît plus lui-même. Alors, une fois de plus, il vante mon coup de main, à grand renfort de qualificatifs démesurés. Il déclare même qu'il va me recommander à des chefs d'Etat dont certains sont des amis personnels, des intimes en un mot, et qui justement recherchent des maquilleuses dotées d'une grande sensibilité et d'une excellente réputation, ce qui justement était mon cas, et bla-bla-bla, toute cette bave protocolaire, pire qu'un somnifère gros comme un soleil, capable de nous hypnotiser ou de nous transformer en légumes.

— Puis-je vous photographier ? C'est pour ma collection personnelle, j'acquiers davantage d'expérience en observant l'œuvre achevée.

— Bien volontiers. Il prend un petit peigne d'écaille et se lisse les cheveux. Il cherche un pan de mur blanc, se poste devant, les bras croisés dans une pose désinvolte, il sourit même, donnant toute latitude à ses rides, une totale liberté de se répandre sur ses traits. La photo est prête, demain je ne saurai qu'en faire.

Il a à peine le temps d'entendre mes remerciements, on est venu l'inviter à passer de toute urgence sur le plateau. Le technicien du son agrafe le micro à son revers, l'assistant lui prodigue les dernières instructions. Le conseiller du politicien en fait autant. Le ministre a cessé de m'appartenir. Encore une veine qu'il ait été correct, il y en a de pires ; ceux-là, plutôt que de leur mettre des fards et de la poudre, on a plutôt envie de leur flanquer un seau de boue à la gueule. Ce serait bien le moins pour la dignité de chaque citoyen.

Encore une fois, je reste seule dans la cabine de maquillage, j'allume le téléviseur quatorze pouces afin de prendre connaissance du discours de mon dirigeant politique embelli et rajeuni. Rien de transcendant, je m'en doutais, un foutu soporifique. Ces gens-là sont les meilleurs antidotes contre l'insomnie. Des tas de grandes phrases bon marché, mal ficelées, dont ils n'appliquent pas la moitié, mais on ne perd jamais espoir. Je me demande pourquoi je m'y intéresse à ce point, vu que je n'ai jamais voté, je n'ai jamais eu le droit de vote. Quel lourdaud, ce type ! Je ne crois pas que je vais user mon énergie à développer sa photo. Si ça se trouve, son nom ne fera pas d'entrée triomphale dans les annales de l'histoire ; j'y aurai contribué. Qu'en sais-tu, Marcela ? Il y a plein de choses à en tirer, de nullités dans son genre. Et sa femme, il doit sûrement lui raconter les mêmes bobards. Pauvre *madama*, il doit la rendre chèvre, le chômage par-ci, les finances par-là, et l'immigration, et la misère. Qu'est-ce qu'il peut savoir de la misère, lui ? Du moins il l'imagine, c'est toujours ça, un pas en avant. *Un, deux, trois, quel pas sensationnel, quel pas sensationnel, c'est celui de ma conga.* Je n'arrive pas à me concentrer. Sa voix devient atone, je m'extasie, assoupie, de mes propres ronflements. Je pique du nez, l'uniformité assommante de son intervention télévisée me fait glisser dans la somnolence, mon état préféré, l'évasion entraînée par la mémoire.

Ta réussite sera embarrassante, tu la vivras mal, avait auguré le Noir chinois *babalawo* quand je suis retournée le voir à Regla. Un jour, à midi, Andro et moi nous sommes allés acheter des plantes décoratives sur la place de la Cathédrale ; à notre arrivée, tout était fermé, bien avant l'heure ; personne ne put nous expliquer pourquoi. Quelques artisans se mirent à divaguer, comme quoi les inspecteurs avaient annulé les ventes, l'Institut de météorologie pronostiquait de fortes marées sur la côte nord, et patati et patata. On fait quoi, maintenant ? demanda Andro. Il n'avait pas la moindre envie de rentrer si tôt chez lui. Je suggérai : pourquoi ne pas aller faire un tour du côté de Regla ? persuadée que l'idée ne le séduirait pas. Oh oui, chiche ! j'adore prendre le petit bac pour traverser la baie ! Regla est comme un village du Far West, on aura l'impression de s'échapper dans un film de John Wayne ! s'écria-t-il, si enthousiaste que je crus qu'il se moquait de ma proposition. Mais il avança devant moi d'un pas vif en direction du quai, nous sommes passés devant le château de la Fuerza et avons longé le parc des Amoureux ou des Philosophes. Instantanément, mon esprit s'envola vers l'image de Jorge jouant au base-ball avec son fils. Je parcourus les immeubles du regard et mes yeux se posèrent sur le balcon de Mine, sa mère était là, en train de se balancer dans son rocking-chair d'osier, les pieds plongés dans une cuvette ; elle prenait probablement des bains d'eau glacée avec de la pommade chinoise.

Je rompis le silence :

— Est-ce que tu as eu des nouvelles de Mine de crottes ?

— Très peu. Je crois qu'elle a enfin réussi à se faire sauter par Monguy le Bègue, mais une seule fois, répondit Andro avec l'indifférence la plus absolue.

— Je n'ai pas non plus de nouvelles de lui, ça marche, on peut savoir ?

— Pour ce qui est de marcher, il marche avec ses pieds et il est à moitié fou.

Dans le parc, il ramassa un petit caillou et le lança en l'air. Je dis avec assurance :

— Il faut être fou pour se coller avec la Mine.

— Il ne s'est pas collé, il a juste tiré un coup et s'en est débarrassé. Je rigole pas quand je te dis qu'il est à moitié cinglé, il s'est mis à marcher à reculons et à parler à l'envers. Maintenant, il dit que la grosse affaire c'est de falsifier des dollars, mais comme personne ne le comprend, parce qu'il parle en verlan… Il va renoncer à l'institut technologique, il doit faire son stage obligatoire à la récolte de canne, et il est réticent. Enfin, il décolère pas et proclame à qui veut l'entendre que le jour où on lui mettra une machette dans les mains, il coupera la tête du premier fils de pute qui se mettra sur son chemin.

Je questionnai, sans tout à fait avaler ce bobard :

— Et toi alors, comment tu fais pour le comprendre ?

— Si tu places un miroir devant lui, tu peux l'entendre à l'endroit.

On a flâné autour de la belle fontaine aux Lions, près du couvent de San Francisco ; Andro a jeté un coup d'œil à l'intérieur et a soupiré en se plaignant, encore une fontaine à sec ! avec une flaque d'eau stagnante couverte d'asticots moribonds, comme ça on n'ira nulle part, y a pas une fontaine qui fonctionne dans ce foutu pays, Mar. A la hauteur de l'ancien bar Two Brothers, transformé en brasserie Piloto ouverte la nuit, bourrée d'ivrognes paumés et de mendiants qui se flanquaient des beignes, Andro pressa le pas. Il courait presque. J'ai râlé :

— Je suis tout essoufflée. Quoi, t'as vu le diable ?

Nous attendions le bac assis sur une marche en bois, tout près des eaux putrides de la baie. L'embarcation n'a pas tardé à toucher de la pointe la marée huileuse de la bordure caoutchoutée du quai.

— Je suis déprimé à la seule pensée que nous avons quatre-vingt-dix-neuf chances sur cent de finir comme ces gens-là, ivres du matin au soir, n'aspirant plus qu'à la mort.

Il me donna une tape sur la caboche, se leva d'un bond, prit son élan et atterrit sur la proue. Il se retourna et me tendit la main pour m'attirer vers lui et m'aider à monter.

On s'est déchaussés et assis à bâbords, les jambes pendant à l'extérieur, on a laissé nos pieds voguer dans le courant. Le marin nous a engueulés.

— Attendez un peu qu'un requin vous arrache les guibolles !

Il a caqueté avec une expression aussi rigide que sa voix était stridente. Andro sourit, l'air moqueur, et marmonna une injure tout en me séchant les pieds avec son mouchoir. Il ajouta qu'il ne devait même pas y avoir de requins dans cette baie, tant elle était pestilentielle. Enfin nous avons accosté le quai de Regla, la ville semblait désolée, à part une bande de gosses qui jouaient au palet avec une planche et un bouchon. Andro me conseilla de ne pas les regarder, des fois qu'ils feraient des histoires, il n'était pas d'humeur ce jour-là. Il n'eut pas besoin de me metttre en garde, les gamins se mirent à nous jeter des pierres, à vociférer des gros mots dans le seul but de nous effrayer et de s'amuser. Ils nous ont poursuivis sur quelques mètres, tout à fait disposés à nous casser la gueule ou à nous éborgner avec leurs lance-pierres aux tirs efficaces. En esquivant ces petites terreurs, nous sommes arrivés devant le portail du *babaloche*. Chez lui, on célébrait un rite au son du tambour, le vieux Nègre était pelotonné dans son fauteuil à bascule, tout de blanc vêtu ; dès qu'il nous aperçut, il cessa son balancement et d'un signe nous invita à entrer. Andro hésita en remarquant la présence d'une femme, derrière nous, une *iyaloche*[1] ornée de colliers multico-lores, ceux de la *santería* ; elle portait un cor-sage bleu ciel décolleté à volants et une jupe faite de pièces de jute. Elle verrouillait les portes et posait des barres aux fenêtres.

— Qu'est-ce qu'ils peuvent emmerder le monde, ces salopards ! Pendant ce temps, leur mère s'évente là où je pense. Ils sont une ving-taine de frères et sœurs. Quand leur taudis, dans la Bâtisse des Nombreux, s'est écroulé, ils ont

---

1. *Iyaloche* : prêtresse de la *santería* ou religion afro-cubaine, d'origine yorouba. *(N.d.T.)*

été relogés à Alamar, d'où ils ont déménagé pour venir par chez nous. Il paraît qu'ils ont troqué un appartement immense contre une chambre ici, à Regla. Celui qui est né pour les taudis, les cahutes lui tombent du ciel, conclut la dame afin de justifier le bouclage.

Dans l'arrière-cour plantée de citronniers, de pruniers et de manguiers, il y avait un bûcher. Là, un jeune homme courait après un coq ; quand il parvint à l'attraper, il enduisit l'animal d'huile de palme et de miel et, de sa propre bouche, l'aspergea de jets d'eau-de-vie ; ensuite, il le saisit par la tête et lui brisa la nuque à la manière d'un cow-boy du Far West quand, au grand galop, il poursuit une vache pour l'attraper au lasso. Dans le cas présent, le coq c'était la corde. L'animal se hérissa, fit des contorsions pour essayer de s'échapper, l'homme faisait des moulinets au-dessus de sa tête avec la volaille qu'il brandissait à bout de bras. Enfin, le coq s'immobilisa. Avant de franchir le seuil, l'homme frotta ses sandales sur une natte ; plus tard, penché sur une tasse décorée de coquillages de rivière incrustés comme des yeux, il murmura une étrange litanie, attendit quelques secondes pour commencer l'*egbó*[1] et pouvoir prendre une machette, après en avoir obtenu l'autorisation, dans l'encoignure consacrée à Elegguá[2]. L'autorisation fut bénie. Aussitôt, il trancha le cou du volatile sur son arme, le sang gicla sur le tranchant. Le jeune homme vigoureux avança vers les invités en tenant encore l'oiseau

1. *Egbó* : dans la *santería,* cérémonie d'hommage à un dieu. *(N.d.T.)*
2. Elegguá : saint ou *orisha* de la *santería*. Toutes les cérémonies commencent et terminent par un sacrifice à Elegguá, qui ouvre les chemins et chasse les mauvais esprits. *(N.d.T.)*

rigide par le cou, le liquide rouge coulait sur les tendons gonflés de son bras en y dessinant d'épaisses rigoles. C'est devant le vieillard qu'il fit passer d'abord le coq en croix. Puis il se dirigea vers la *iyaloche*, la femme qui portait une jupe symbole de ses vœux à san Lázaro, en exécutant la même opération, et il éclaboussa de caillots son corsage bleu ciel. Andro et moi, nous fûmes les derniers, je ne nie pas que j'ai eu envie de vomir quand le plumage moribond effleura mes lèvres. Le gars suait à grosses gouttes, ses yeux vitreux étaient voilés par un bourrelet couleur jaune d'œuf et une humidité rose sang. Les musiciens tapaient sans trêve sur leurs tambours qu'ils avaient revêtus de foulards bleu foncé et de colliers de coquillages. Les *iyaloches* dansaient les bras croisés dans un déhanchement rituel et sensuel. A tout instant on frappait à la porte, quelqu'un entrait puis allait tout droit dans la pièce où, d'après nos suppositions, on déposait les offrandes. Andro se mit à danser aussi, prit l'argent contenu dans son portefeuille et le laissa sur l'autel de Yemayá, Notre-Dame de la Vierge de Regla. Je le suivis et l'imitai quand il s'agenouilla et baisa la tunique bleu marine. Nous sommes entrés dans la danse, toujours les bras croisés et soudain, un frisson me parcourut le ventre, car l'une des femmes, en transe, se mit à faire des bonds enragés, mais en même temps elle riait aux éclats avec une jouissance manifeste ; les yeux révulsés, elle se tirait les cheveux et parlait une langue africaine. Elle prit un chaudron avec lequel elle puisa de l'eau dans un réservoir, nous arrosa un par un, puis inonda le salon à grands seaux d'eau. Yemayá, maîtresse de la mer, l'avait possédée. Yemayá Olokun, fondement et puissance, la plus vieille, la profonde. Le *babaloche* observait impavide, en se balançant ; de temps en temps, il me regardait et pointait son index sur moi comme pour m'accuser de quelque mauvais tour. La *iyaloche* qui dirigeait la cérémonie vint vers moi en dansant. A mesure qu'elle approchait, les tambours *batás*[1] retentissaient avec plus d'intensité à mes tympans. Bim, bam, boum, bim, bam, boum !

— Pourquoi est-ce que tu regardes tellement du côté du fauteuil à bascule vide ? Ne regarde plus, tu ne vois pas que ces fauteuils, il faut les laisser tranquilles ? Les morts en profitent et viennent se balancer.

Je ne l'ai pas écoutée et mon regard s'est posé à nouveau sur le rocking-chair, le vieux y était vautré, il a porté le doigt à ses lèvres pour me faire signe de ne pas répliquer. Terrorisée, je me suis tue. Le vieillard existait-il dans la réalité, ou était-il un esprit qui communiquait avec moi ? J'ai décidé de demander à la *santera*, l'air de ne pas y toucher.

— Dites-moi, et le grand-père qui habitait ici, ce Noir très foncé de type chinois, aux yeux turquoise ?

— Grand-père a cassé sa pipe il y a juste un an. Tu l'as connu ? Evidemment, ma stupeur me trahissait.

— Oui, oui, un jour j'ai parlé avec lui.

Je ne voulus pas avouer la vérité, à savoir que je l'avais rencontré seulement trois mois auparavant. Ou plutôt, pas lui mais son esprit, semble-t-il.

L'âme de l'ancien restait à sa place, comme un roi africain. Autour de sa tête irradiait une lueur bleue. Moi, j'étais accoutumée à voir d'étranges lumières, mais jamais auparavant les apparitions

1. *Batá* : nom sacré des tambours liturgiques. *(N.d.T.)*

n'avaient donné de preuves aussi tangibles. Je me mis à réfléchir. N'aie pas peur, certains morts ne font pas de mal. Va le saluer, ils aiment être vénérés. Je suis allée m'agenouiller devant le fauteuil ; une main parcheminée, noir cendré, attira ma tête sur ses genoux. Je posai ma joue sur les cuisses émaciées du grand-père.

— Ma petite, contente ton mort, tu dois le respecter et le servir, il a besoin d'une faveur de ta part, je te l'ai déjà dit. Pas seulement la messe spirituelle, offre-lui des fleurs et des cierges. Invoque son âme, il veut que je sois le messager de sa volonté. Vole à son secours et satisfais-le. Il est bouleversé, élève-le, il se sent encore très attaché à la terre, ce fut une mort violente et il ne s'y est pas accoutumé, aide-le à évoluer vers l'immatériel. J'ai pu savoir qui il t'enverra. Quatre hommes : le vieux ronchon, le gros qui travaille avec l'œil, celui qui travaille avec la nourriture, et enfin l'ange faiseur d'images. Tu rejoindras ta famille, mais ce que tu dois accomplir, tu devras le faire en solitaire. N'expose pas ton ventre inutilement. Ne renonce pas au messager, sinon, oh, c'est si laid les sacrifices humains… ! Pour vous deux (et il désigna Andro) l'endroit est trop petit. Prenez votre envol !

Sa main se retira de mon crâne ; à cet instant, j'eus l'impression que l'homme quittait son siège, mais je humais toujours dans le vide le relent de tabac de sa peau.

Andro me releva en me tenant sous les aisselles. Alors j'ai dansé, d'après Andro j'ai fouetté la pièce en agitant mes bras en l'air comme si je planais, comme un charognard. Je garde le vague souvenir d'une immense douceur dans mon for intérieur, du sang violemment cristallisé en grains de sucre. J'ai réclamé de l'eau, beaucoup d'eau, apportez-moi l'océan, ensuite j'ai cherché désespérément un puits. J'y vais, tout au fond du puits ! Alors la *iyaloche* a débouché le réservoir de cinquante-cinq gallons, j'y ai plongé la tête et les cheveux dégoulinants, j'ai cravaché les assistants. Voilà ce que m'a raconté Andro. Moi, cela m'a produit l'effet d'une profonde perforation dans le cerveau. Comme si des milliers de poissons l'avaient habité et comme si j'avais été un torrent enfermé dans un cube en verre, aux cloisons glissantes de mousse et de moisissure. Andro, sors-moi de là ! La femme prit dans une armoire à linge en acajou un flacon de sept-puissances[1]. C'est bon, ma p'tite, c'est bon. Oui, je savais que j'étais bonne, mais je ne pouvais pas entrer en moi, revenir à moi. Je n'étais nullement en train de feindre. Yemayá Olokun me tiraillait, mettait mes vêtements en lambeaux. Mamita, maman ! Des fleurs blanches tombèrent sur les spectateurs. Alors je suis revenue à moi, ma langue ne me répondait plus, elle était nouée. Je me suis réveillée allongée, paralytique, sur un grabat, le même qui avait servi de couche au vieux *babaloche* pour ses siestes de midi. Son arrière-petite-fille, une jeune mulâtresse aux yeux en amande, me tenait les bras avec une force peu commune pour les écarter de ma poitrine et former avec eux les branches d'une croix. On me frictionna les jambes avec une décoction de *vicaria*[2]. Partons, maintenant, chuchota Andro.

Quand je redescends sur terre, le politicien a déjà terminé son allocution et il enfile les manches de son imperméable, s'apprêtant à partir. Je me

---

1. Sept-puissances : mélange de sept parfums, pour éloigner les mauvais esprits. *(N.d.T.)*
2. *Vicaria (vinca rosea)* : plante à fleurs roses ou blanches, aromatique et médicinale. *(N.d.T.)*

rappelle l'avoir pris en photo, photo qui nous survivra à l'un et à l'autre. Voilà pourquoi je préfère les portraits d'êtres humains : ils sont la preuve irréfutable de la présence permanente de la mort dans la vie qui ne nous est pas destinée. Les paysages pourront changer, les figures jamais. Malgré les gènes, dans le futur, ses descendants trouveront peut-être cette photo prise par moi. Alors nous n'existerons plus, ni lui ni moi. Moi je ne jouerai plus que le rôle insignifiant de leur avoir donné la possibilité d'examiner les traits d'un ancêtre, figés sur du papier jauni. Je range les produits de maquillage, j'éteins la lumière et je me taille. A dix heures, je monte dans l'autobus à l'Arc de Triomphe, j'hésite sur la direction à prendre, et si je débarquais à l'improviste chez Charline ? Il doit bien lui rester quelque chose à dîner, j'ai faim, mais je n'ai pas envie d'aller au restaurant, encore moins de faire la cuisine seule à la maison. J'ai besoin de tendresse. De me faire câliner.

Au 153 rue Saint-Martin, je tombe sur la grille fermée, je compose le code du bout des doigts et j'entre. Ensuite, je dois appuyer sur le bouton triangulaire de l'interphone. Charline répond avec la voix de quelqu'un qui regarde la télévision. C'est la voix rauque, éraillée, d'une personne qui n'a pas émis un son depuis plusieurs heures, qui n'utilise pas ses cordes vocales. Tout de suite, elle retrouve son allégresse et me fait monter. L'ascenseur sent le parfum à la mode, Dolce Vita de Christian Dior. Au sixième étage, la porte de droite est entrouverte, je sonne quand même, ou plutôt je fais tinter la clochette. Entre, ma chérie. Je pénètre dans l'appartement, je gagne le salon et je m'écroule sur le canapé en cuir marron. Je ne sais pas comment elle se débrouille, Charline, mais elle me présente tout de suite sur un plateau une assiette de spaghettis carbonara et un verre de Coca avec glaçons. Elle dit que c'est seulement pour moi qu'elle commet des infractions de cet acabit, servir du poison américain dans un verre à vin français et marier le Kiri avec de la goyave confite. Elle me demande comment ça s'est passé pour moi, et je lui raconte tout dans les moindres détails ; bien entendu, je lui épargne le récit de ma rêverie, de ma chimère en compagnie d'Andro, à Regla.

— J'ai vu l'émission, la tête du type était super. Je savais bien qu'il se laisserait photographier, les politiciens, je les connais comme si je les avais faits, ils sont d'une vanité renversante, déclare-t-elle avec indifférence, comme pour m'aider à déballer mon angoisse.

— Oh, Charline, quelle tristesse ! Tu te rends compte, tous mes amis sont éparpillés de par le monde. Je me sens frustrée. Je n'ai envie de rien. Serons-nous réunis un jour dans ce pays sinistre ? Pourquoi a-t-il fallu que Monguy aille en taule ? Pourquoi il s'est foutu dans la tête de mettre les voiles sur une chambre à air et de fabriquer des faux dollars, bordel ? Et voilà que Samuel, lui aussi, met l'océan entre nous...

— J'éteins la télé ? J'ouvre les fenêtres ?

Charline n'ignore pas que la décoration de son appartement me déprime. Les murs tendus de velours noir, les fenêtres fermées hermétiquement, peintes en bleu foncé, les meubles tapissés de velours couleur de flamant rose, des œufs sculptés dans le marbre de dimensions diverses, des poupées en porcelaine ou en plastique attifées de fringues anciennes, coiffées de chapeaux des années vingt ou trente, des tapis authentiques venant d'Istanbul, même l'odeur de *pots-pourris**, pétales de fleurs séchées, rose, jasmin, acacia, cette atmosphère trop palpable est oppressante.

Elle porte une robe d'intérieur en crêpe de Chine, ses cheveux sont pris dans une barrette très chic car, même pour dormir, elle arbore des objets de marque. Au milieu du salon trône un autel en l'honneur de Bouddha ; une lampe à huile y brûle en permanence. Mes mains sont gelées, ma première bouchée ne passe pas, j'ai beau mâcher, je n'arrive pas à prendre goût à la nourriture. Chaque fois que je porte une cuillerée à la bouche, je pense aux gens de là-bas, à la carte de rationnement, aux files d'attente, au pain à la patate douce, aux malheurs quotidiens. Je manque de renverser mon plateau. Je prends mon verre et le bois d'un trait, les paupières closes, en savourant, les yeux en plein nirvana, le froid liquide effervescent. Mon amie murmure doucement :

— Si tu n'as pas faim, ne te force pas.

— Je mourais de faim, mais ça m'a passé, on dirait que j'ai une paille de fer, là, dans la poitrine… Je peux passer la nuit chez toi ? J'ai des crampes d'estomac et des frissons.

— Sous deux conditions. Ne me demande ni un livre de Proust, ni surtout le journal… (Elle me met en garde, tout en ramenant le plateau intact à la cuisine.) La chambre d'amis est prête, tu n'as qu'à poser sur le fauteuil le ballot de linge à repasser que j'avais laissé sur le lit.

Je la supplie en retenant mes larmes :

— S'il te plaît, Charline, prête-moi le journal. Si je te l'ai remis en te faisant promettre que tu ne me le rendrais jamais, j'ai commis une erreur. J'ai besoin de le lire, ça ne va pas me rendre triste, c'est juré.

Elle se frotte le nez du dos de la main, claque la langue et pousse un profond soupir. Une mère agirait de même dans une situation similaire, c'est-à-dire qu'elle feindrait de ne pas vouloir céder à mes caprices et finirait par me faire plaisir. Charline s'exprime en franco-cubain ; elle sait bien que son accent m'amuse, et sa façon si naïve d'assimiler les régionalismes. Elle demande si j'ai encore envie de ce poison *light* et je lui réponds que la soif m'empêchera de fermer l'œil, bien sûr. Elle est convaincue que le Coca-Cola, plus on en boit plus il donne soif, et qu'il est fabriqué dans ce but. Lorsque Charline Le Brun affirme quelque chose, pas question de la contrarier. De la cuisine, elle passe dans sa chambre. Elle fouille dans le premier tiroir de sa coiffeuse et y prend une boîte en cèdre. Elle approche, en traînant ses *chaussones* dans le couloir, pose le coffret de bois précieux entre mes mains et enlève le couvercle. Bien rangé à l'intérieur se trouve le journal cinématographique de Samuel. Justement celui qu'il avait perdu dans l'escalier le jour de son arrivée, et dont je m'étais emparé.

J'habitais rue Beautreillis depuis un an car, je l'ai déjà dit, j'avais décidé de quitter mon logement du 2 rue Séguier, à l'angle du quai des Grands-Augustins, après avoir vécu une crise pénible du fait de ma célébrité dans les milieux publicitaires ; c'était la troisième fois que je choisissais de me plonger dans l'écriture proustienne. En refermant le septième tome, non seulement je voulus changer de travail, à l'apogée même de ma carrière, mais je pris mes cliques et mes claques en me disant : nouvelle vie, nouvelle maison. Alors je me suis attelée à chercher un appartement dans le Marais, l'un des plus beaux quartiers du monde. Il ne faut pas oublier que je suis très quartier. Moi, il y a deux quartiers qui me sont chers : La Vieille Havane et le Marais. Grâce à Pachy, un peintre cubain, j'ai déniché un modeste trois-pièces bas de plafond dans un hôtel particulier du XVIIe siècle, mal entretenu, il faut l'avouer. Parmi les locataires de l'immeuble, outre Pachy, il y avait un autre peintre cubain, César ; et puis une pianiste russe, que nous appelions *L'Accompagnatrice*, en hommage à Nina Berberova, son mari (collectionneur de guitares), le frère de celui-ci (un publiciste fan de musique techno), une infirmière, une institutrice, une famille de lampistes qui ressemblait aux Woody Woodpecker, *monsieur Lapin** (un brave type qui en avait tout à fait la tête), Sherlock Holmes (un fumeur de pipe invétéré, vêtu d'un imperméable caca d'oie, qui avait un favori plus court que l'autre), deux couples flanqués d'un enfant chacun – Théo I et Théo II –, le chat Romeu et la maîtresse du félin. Pachy et César, je les avais connus sur Cette-Ile-là, dans la seconde étape où je faisais la fête, l'étape de la terrasse d'Andro, tandis que j'attendais mon visa de sortie. C'est ainsi que j'avais rencontré Silvia, avocate de profession, mais très liée au monde artistique. Les avocats finissent par devenir des artistes ou dans certains cas, pour le bonheur ou pour le malheur de beaucoup, des dirigeants politiques, ça dépend de la façon dont le droit romain les saisit. De même que Winna, fan de science-fiction et d'érotisme martien.

Pachy me fit entrer dans les bonnes grâces du propriétaire, si bien que j'emménageai en un tournemain, non sans avoir payé trois mois d'avance, mais la somme était raisonnable. J'étais emballée à l'idée de vivre dans une baraque de luxe du Marais, avec des compatriotes comme voisins. Ainsi, la nuit tombée, été comme hiver, l'odeur de potage aux haricots noirs ou de *congrí* imprègne la cage d'escalier. Les mois de juillet et d'août, des rafales de musique qui cassent des tympans habitués à Chopin ou à Schubert s'échappent par les fenêtres à double vitrage grandes ouvertes :

Ma danseuse de sandunga, tu dépasses les bornes...

Ou alors celle-ci, d'Omar Hernández, chantée par Albita :

Oh, mon quartier, là-bas, où je suis né,
Oh, mon village, mon petit hameau heureux...
Le gosse espiègle qui jouait tant de mauvais tours
pour rigoler
et s'amuser avec ses voisins
qui l'aimaient
tandis que Miguelito dans sa carriole
allait à la gargote,
Manuel Navarro
on l'écoutait jouer du Schubert sur son violon...
Oh, mon quartier, là-bas, où je suis né...

Rien ne pourra étouffer nos élans musicaux, certains d'entre nous ont beau aspirer à devenir européens, le rythme endiablé de la sarabande l'emporte sur les *Saisons* de Vivaldi. Charline ne comprenait pas pourquoi je tenais tellement à transporter mes pénates dans une vieille bâtisse qui était, pour comble, hantée par des âmes en peine – elle faisait allusion aux morts, naturellement, quant aux vivants, n'en parlons pas, ils passent leur temps accablés par la température au-dessous de zéro, par l'obscurité, par des tas de choses. Ce qui les caractérise, c'est leurs jérémiades. Bref, voilà pourquoi Charline est prise de panique chaque fois que je lui annonce que j'ai ouvert un livre du cousin Marcel, elle présage qu'un déménagement suivra ma lecture. Si elle râle, ce n'est pas pour éviter de m'aider à trimballer les meubles, les caisses et tout ce qu'un changement de domicile implique, surtout si le nouveau est plus exigu. Les trucs à offrir ou à jeter, c'est tout un programme. Le fait est que Charline déteste les changements brusques, moi encore plus, peut-être, car j'en avais fait l'expérience forcée et traumatisante, mais quand ma petite voix intérieure me souffle de faire peau neuve, je me dois d'obéir à mon pressentiment. Cela n'est pas sans rapport, il faut croire, avec la recherche incessante de ma place irrécupérable dans le monde, l'univers de mon enfance.

Quelques mois après – j'étais rue Beautreillis depuis un an exactement –, Pachy nous annonça qu'un de ses potes viendrait habiter dans l'immeuble. Qu'il puisse être cubain ne m'effleura pas, je crus qu'il s'agissait de l'un de ses nombreux copains chiliens ou péruviens qui le fréquentaient tellement, étant peintres comme lui. Non, tu te trompes, c'est un Cubain qui vient d'arriver. On a dit pour plaisanter, un peu plus, on pourrait fonder un Cédéère[1]. Il a rigolé, tout juste, et vu que tu es la seule femme, tu feras présidente. J'ai rouspété, morte de rire, va te faire foutre. Bon, alors tu seras responsable du Front de surveillance, et César assumera les fonctions de chef des Milices des troupes territoriales. J'en peux plus, je vais me suicider de nostalgie, avoua Pachy qui pleurait de rire en se tenant les côtes. Arrête, je pisse dans mon froc.

Le nouveau Cubain s'appelait Samuel, il avait été invité en France par des amis musiciens du Midi, mais il avait l'intention de faire l'innocent et d'en profiter pour rester. Qu'est-ce qu'il fait dans la vie ? ai-je demandé, sans avoir vraiment

1. CDR : Comité de défense de la révolution, organisation de masse quadrillant les villes et villages. *(N.d.T.)*

envie de le savoir. Il est dans le cinéma, éditeur il me semble, ou monteur, comme on dit ici. J'ai marmonné, ah bon, encore un putain d'intello. Tu parles, pas du tout, c'est un mec hyper-discret, très simple. Pachy me le présentait sous un aspect très favorable. Tu le connais depuis longtemps ? Deux jours. Elle est bonne, celle-là, les Cubains ne changeront pas, on a toujours le feu aux fesses, je me suis dit tout en faisant du café provenant d'une ration de l'épicerie d'Etat, que la maman de Pachy lui envoyait toujours de Cette-Ile-là, histoire de lui rappeler à quel point le café lui-même était devenu imbuvable. Et Pachy continuait de le boire, non par patrio-tisme, mais parce que son estomac, si habitué aux mauvaises choses, ne supportait pas le café de bonne qualité : il lui flanquait des diarrhées.

J'ai vécu le déménagement de Samuel à tra-vers mon judas, car le hasard a voulu qu'il vienne s'installer juste en face de mon appartement de sorte que, le couloir étant en fer à cheval, sa chambre et la mienne avaient une cloison mitoyenne. Il n'avait guère de bagages, une valise en cuir élimé dont les quatre rebords en tissu étaient effilochés, deux caisses mal ficelées bourrées de livres et de paperasses, qui restèrent un bon moment à la merci de mon regard. Quant à ses amis musiciens, ils venaient en camionnette (je l'ai su parce que je les ai entendus discuter), les bras chargés de cadeaux indispensables ache-tés chez Ikea, un lit en bois verni, le matelas, une petite table métallique ronde avec quatre chaises en plastique noir, un canapé-lit de même cou-leur, des rideaux, sans compter des objets d'oc-casion collectés chez des Français, ou récupérés dans les dépotoirs : un lave-linge, un petit réfri-gérateur, un téléviseur Schneider assez grand, entre autres machins. Samuel était plus jeune que nous, de cinq ou six ans peut-être. Ni beau ni laid, intéressant plutôt. Il allait et venait, les bras chargés de paquets ou de meubles et, à chaque voyage, il jetait un coup d'œil sur ma porte. Moi je n'ai jamais ouvert, c'était plus commode de rester dans ma loge présidentielle (juchée sur un escabeau derrière mon judas). Au bout d'un moment, Samuel sourit droit sur mon œil, c'est-à-dire, sur l'œilleton viseur de ma porte ; il se sentait observé. Je ne pus m'empêcher de tressaillir quand il me lança un clin d'œil coquin, dans l'une de ses dernières navettes, car je me souvins du signe identique de Jorge, qui le mena direct au bûcher. Alors, pour penser à autre chose, j'ai observé ses mains, encore bronzées par le soleil, grandes mais délicates, malgré des ongles irréguliers, comme arrachés d'un trait ou mal taillés avec un coupe-ongles ébréché. Comment se fait-il que j'ai passé des mois, des années, sans la moindre envie de caresses alors que ce jour-là, en découvrant ces mains-là, j'ai aspiré à la surprise du contact ? Pourquoi est-ce que Samuel m'a plu et pas un autre ? Je venais à peine de l'apercevoir par un trou minuscule de ma porte et j'avais déjà les jambes molles en imaginant le régal de son toucher. Sur le moment, j'ai chassé l'idée de commettre une action stupide. Mais moi, ce qui me perd, c'est le contrepoint ou les élucubrations qui m'obnubilent les méninges, entre le possible et l'impossible. Je me conseillais à moi-même : ne te presse pas, Marcela, la main sur le bouton de la porte, disposée à l'ouvrir pour me présenter. Salut, je suis ta voisine cubaine, je ne sais pas si tu as déjà entendu parler de moi, si je peux donner un coup de main, je suis à votre disposition. N'y va

pas, tais-toi, prends ton temps. J'en étais là de
mes hésitations, quand j'ai réalisé qu'il ne restait
plus que deux cartons de livres et de documents.
Samuel les fit entrer l'un après l'autre. Il allait si
vite qu'un cahier orange relié, d'une grosseur
respectable, tomba du dernier carton déchiré sur
le côté. En une seconde, il ferma la porte derrière lui, sans remarquer la chute de l'objet. Une
occasion pareille, il faudrait la fabriquer sur
mesure, sous prétexte de le lui remettre, je pourrais entrer en confiance avec son propriétaire.
Mais est-ce qu'il ne trouverait pas bizarre que,
de l'intérieur de mon appartement, je me sois
rendu compte de la perte ? Si, cela me dénonçait
comme fouineuse, or mon plan consistait à
admettre son existence, mais en imposant certaines limites. Quoi qu'il en soit, je tournai la poignée de ma porte, sortis et fis main basse sur le
cahier en moins de deux. Au lieu de tambouriner
à la sienne, de porte, je réintégrai mon salon et
déposai l'objet dérobé sur le piédestal où un petit
drapeau cubain se fane. Je n'avais personne à qui
téléphoner pour le faire accourir sur-le-champ.
César était en voyage à la Jamaïque, et Pachy
avait été invité à un vernissage qui devait être
suivi d'un dîner – il ne rentrerait qu'aux aurores.
Assise dans mon fauteuil en cuir et en métal, je
décidai de ne pas restituer le journal pour le
moment, je l'étudierais et le lui rendrais plus
tard, si nécessaire. Je me fis un bon café bien
fort. Depuis la colonne dorique, c'est-à-dire le
piédestal, ce cahier étudiait mes gestes, je pres-
sentais qu'il me réclamait, pitoyable. Je revins à
lui avec mon bol fumant et le feuilletai, allongée
sur le tapis aux arabesques vertes. Il appartenait
à Samuel, son nom et une date étaient inscrits en
première page ; sa calligraphie était très soignée,

il avait commencé à écrire en script et continué, par lassitude, en cursive. Pratiquement aucune faute d'orthographe, à quelques accents et virgules près, dus plutôt à la vitesse de sa pensée, c'était tout. Il rédigeait de manière correcte et méticuleuse, mais sans se prendre pour un écrivain. En outre, il avertissait en préambule qu'il s'agissait d'un journal cinématographique. La curiosité rongeait ma cervelle. Lire ce manuscrit, cela signifiait presque davantage que détenir les clés de l'appartement d'en face. Je devinais que commencer sa lecture, c'était aller au-devant d'un autre danger et il ne me serait plus permis de reculer. En tout cas, j'éprouvais le besoin de palper quelque chose sortant de l'ordinaire, de toucher un fragment étranger à ma répulsion quotidienne. Ce cahier, c'était ce que je possédais de plus proche dans le temps en provenance de Cette-Ile-là, il sentait même l'iode et la moisissure des murs d'anciens palais vieil-havanais, je n'allais pas me débarrasser du trésor à travers lequel je me rapprochais des miens, de mon univers, de mon enfance. J'ai entendu une porte claquer, des voix, des pas dévalant l'escalier, ensuite le silence. Le silence qui pourchasse, le silence assassin. Je commençai à lire :

EXTÉRIEUR. JOUR. PLAN GÉNÉRAL.

Sur fond de ciel bleu immense, le drapeau cubain ondoie, cachant le soleil éblouissant. On entend en off les voix de deux jeunes gens. La caméra descendra lentement le long du mât, depuis l'emblème national jusqu'à eux. Samuel (moi) a environ dix-huit ou vingt ans. Andro, six de plus. C'est le dernier jour de cours à la faculté, tout semble indiquer qu'une activité politique s'y est déroulée.

SAMUEL *(le cinéaste [moi], avec une drôle de voix qui fait des couacs, signe du passage de l'adolescence à la jeunesse).* – Dis donc, on devra se procurer pas mal de nourriture, hein, car ce n'est pas facile, comme périple.

ANDRO, LE PEINTRE. – Les voyages, ça coupe l'appétit. N'oublie pas d'apporter la super-huit, il faudra le filmer.

SAMUEL. – Tiens, regarde, voilà Le Bègue qui arrive.

ANDRO *(sifflement énergique).* – Hé ! Monguy, on est là ! Pourvu qu'il ait pas oublié la carte. Faut pas l'appeler Le Bègue, merde, il va se foutre en rogne.

Mes yeux se figèrent sur les noms d'Andro et de Monguy, bègue par-dessus le marché. J'eus un vague pressentiment, mais je poursuivis ma lecture. Dans Cette-Ile-là, des *"Monguy"*, il y en a à revendre, mais des *"Andro"*, pas tant que ça. Je continuai, avide.

SAMUEL. – Je le sais bien que ça le fâche. Je l'ai connu avant toi.

La caméra avance sur eux en même temps que Monguy. L'ombre du drapeau les couvre comme une cape. Monguy est plus âgé qu'eux, dans les trente, trente-cinq ans. D'emblée, son introversion est manifeste, un mélange de cynisme et d'apathie, cependant, grâce à son âge, il jouit d'un certain ascendant. Autrefois, il avait dirigé un groupe de rock et il est très calé en musique. Sa tenue est négligée, c'est un chabin sympathique.

217

Je me suis dit : cinq coïncidences, ça commence à bien faire. Monguy, musique, chabin, Andro, peintre. Les interférences allaient au-delà de ce que je pouvais imaginer.

Andro est un garçon brun, de nature optimiste. Samuel [moi] est... comme moi ! Rêveur, tantôt malin, tantôt couillon, et désireux. "Désireux est celui qui s'évade de sa mère", je cite le poème de José Lezama Lima. Quand Monguy arrive, ils se saluent en se tapant dans les mains. Ils s'assoient à même le sol et Monguy déplie une carte de l'île de Cuba, les deux autres sont attentifs. Le drapeau à mi-mât ondoie en projetant son ombre sur eux.

MONGUY *(bégayant)*. – Nnnous prendrons llle dddépart ddd'ici. *(Il montre un point sur la carte.)... Ready ?*

Coupure.

EXTÉRIEUR. LEVER DU JOUR.

Travelling à toute vitesse sur le Front de mer, avec insistance sur les dénivellations du parapet, certains endroits sont beaucoup plus hauts que d'autres. Parfois, retour sur des plans d'ensemble, puis, de nouveau, plans rapprochés du mur, comme pour donner l'impression qu'il s'agit d'une muraille gigantesque. Par moments, la mer s'étale, pacifique comme la peau liquéfiée d'un monstre aux aguets, ensuite elle ondule comme si, courant plus vite que la caméra, elle était pourchassée par elle. Le générique va défiler sur ces images. On entend un punto guajiro[1] *entre Justo Vega et Adolfo Alfonso.*

Coupure.

1. *Punto guajiro* : joute poétique chantée, chez les *guajiros* ou paysans de Cuba. *(N.d.T.)*

EXTÉRIEUR. LEVER DU JOUR.

*Alameda de Paula. Monguy et Samuel attendent
Andro, assis sur un banc sous les arbres. Le* punto
guajiro *leur parvient de la radio d'une maison
voisine. Samuel est occupé à vérifier la caméra
super-huit. Monguy, maintenant adossé, fredonne au rythme de la chanson. On voit, par
terre, deux énormes sacs à dos remplis à craquer,
trois pneus de semi-remorque et une guitare.*

SAMUEL. – Oh là là, qu'est-ce qu'il se fait attendre,
Andro, c'est toujours pareil avec lui !… Ce chant
m'exaspère. Comment ça se fait que tu le
connais, toi ?

MONGUY *(il prend un jeu de cartes, qu'il manipule habilement).* – Mmmoi, j'étais un fffan de
Palmas y Cañas, ceux des joutes.

SAMUEL. – Je me souviens de toi quand tu étais
rocker, j'étais un môme. Oh, ces fameuses soirées sur ta terrasse ! Ensuite, t'as eu ce groupe, il
s'appelait Les Puceaux, n'est-ce pas ? A l'époque,
tu bégayais pas tant que ça.

Des soirées sur la terrasse. C'était exact, Monguy avait eu une étape de chanteur de rock, précisément à l'époque où nous commencions tous
des études universitaires, il faisait de la provocation en n'allant pas à la récolte de canne et en
fondant un groupe clandestin de hard rock ;
c'est à ce moment qu'il a mal tourné et qu'il
s'est mis à fabriquer de fausses devises.

MONGUY. – J'ai tttoujours été bbbègue, quand jjje
chante, ç:çça me passe. En ccce tttemps-là, jjje
n'étais pas aussi allummmé que mmmaintenant.

SAMUEL *(narquois)*. – Alors, pourquoi tu parles pas en chantant comme dans *Les Parapluies de Cherbourg* ?

Médusé, Monguy observe les cartes à jouer, les laisse tomber sur sa poitrine, ferme les yeux. Off, on entend la voix d'Andro, criant à tue-tête.

ANDRO. – Ohé, les pirates ! voici le Joan Miró de Cuba, prêt pour caboter autour de l'île.

Coupure.

EXTÉRIEUR. JOUR. MATIN. PLAN GÉNÉRAL.

Ils marchent tous les trois dans la zone du port, on aperçoit un cargo et quelques petites embarcations. Port quasi désert. Les jeunes gens portent leurs sacs à dos. Monguy a attaché sa guitare à une lanière de son sac, ils font rouler les pneus de camion à la main, c'est pourquoi ils avancent lentement, parfois, ils en font tomber un, ce qui provoque des rires ou des accès de colère.

Coupure.

EXTÉRIEUR. JOUR. MATIN. PLAN AMÉRICAIN.

Ils avancent en direction de la douane, entre les quais de Regla et de Casablanca.

MONGUY *(à Andro)*. – Qu'essse-que tttu lui as raconté à ta mère ?

ANDRO. – Rien sur notre cabotage, elle l'aurait pas avalé, pour elle je fais du camping. Une qui a mal encaissé, c'est ma copine, tu te rends compte, elle a pas pigé pourquoi je voulais aller seul m'éclater dans un camping. Elle m'a foutu dehors, elle m'a plaqué, mais elle se calmera. Moi, ça m'aurait plu de l'amener, mais les nanas, elles ont leurs règles et tout le tintouin. En plus, mon vieux, il s'agit d'une aventure d'ascètes, de moines, pas vrai ?

SAMUEL. – Une pérégrination de gens qui s'ennuient. *(Il reste en arrière, pose le pneu contre le mur, prend sa caméra et filme.)*

MONGUY. – Sssi jjj'avais trouvé d'autres pneus, vvvous auriez pu amener vos petites amies, mais…

SAMUEL. – Et qui c'est qui les aurait portés, je veux dire, les pneus ? Moi, par chance ou par malheur, j'ai personne. Mine n'a pas voulu venir, évidemment.

Tant de coïncidences, impossible. Il avait écrit le nom de Mine. C'est de mes relations qu'il parlait ! Ses amis étaient les miens !

MONGUY. – Mmmine ou Nnnieves ou nnn'importe laquelle. Si tu ttt'es pas mmmis en ménage, c'est parccce que ttt'as pas eu envie. Mine, pppar exemple, elle est fffolle de toi.

Encore deux noms, ceux de Mine et de Nieves, la Négresse. Mon esprit prenait des dimensions très bizarres, comme s'il avait suffi d'allonger le bras pour toucher ceux de ma bande, pour toucher toute une époque. Et cela à travers la lecture d'un journal cinématographique. A travers un inconnu. Mais l'était-il seulement ? Ses yeux braqués sur le judas, le clin d'œil, ses mains. Qui donc était Samuel ? Serait-il un fragment de mon passé ? Pourquoi pressentons-nous, en rencontrant pour la première fois un être qui nous est destiné, que nous avons déjà vécu avec lui auparavant ? Pourquoi ce genre de doutes m'assaillait-il ?

SAMUEL. – Oh ! déconne pas, va… elle est follement amoureuse de toi, Mine.

Andro s'est écarté de Monguy et parle à la caméra, en imitant la voix de l'Espagnol qui faisait des émissions sur la nature.

ANDRO. – Chers amis, nous entreprenons une nouvelle expédition, à partir d'une île mystérieuse. Cette fois, deux aventuriers m'accompagnent, deux garçons aguerris, Monguy, le poète, et Samuel, le cinéaste. Ce dernier, vous ne le voyez pas, car il est en train de filmer. Celui qui vous parle est un humble serviteur de la ligne et de la couleur, Androcito marcheur, Johnnie Walker Miró. Et voici à votre intention un nouvel épisode de *L'Homme et la Terre*.

SAMUEL. – Je t'en foutrai, moi, des îles mystérieuses ! Merde, y a un truc de coincé !

L'image disparaît. On farfouille dans la caméra. Nouveau plan général sur les trois personnages. Samuel répare une panne de la super-huit. Andro et Monguy font rouler les pneus, non sans mal.

Coupure.

EXTÉRIEUR. JOUR. MATIN.

A la hauteur de La Punta, une Havanauto se gare le long du trottoir, la portière s'ouvre et une longue belle jambe d'ébène apparaît, surmontée d'un popotin phénoménal moulé dans un lycra jaune. La femme est une Négresse ravissante de trente et quelques années, grande, élancée, aux allures de mannequin. Habillée et fardée comme pour le soir, elle est coiffée de fines tresses qui lui arrivent à la taille. Elle descend de voiture, prend congé du conducteur en lui soufflant un baiser dans la paume de la main, et sourit avec une grande distinction. Traits délicats. Elle traverse la rue et disparaît sous les arcades derrière une colonne ; apparemment, elle est entrée dans une maison. Quand l'auto redémarre, elle se montre. Elle traverse l'avenue et gagne le trottoir du Front de mer. Sa figure est déjà métamorphosée, provocante, chaude, un peu pute. Elle arrête un autre véhicule à plaque diplomatique, discute quelques minutes et s'apprête à y monter.

MONGUY *(off)*. – Nieves, Nieeeves !

Elle réagit puis se ravise, honteuse, car elle se voit découverte, alors elle fait comme si elle n'était pas concernée. Monguy s'obstine.

MONGUY. – Ma Négresse, oui, c'est toi que j'appelle, ne fais pas la sourde oreille !

Devant l'indécision de la femme, la voiture repart. Elle approche en faisant semblant de sourire, visiblement embarrassée. Monguy laisse tomber sa roue et va étreindre Nieves, tout aussi affectueuse. Ils s'adossent au parapet ; la Négresse prend dans son sac un paquet de Marlboro et offre une cigarette à Monguy, qui l'accepte. Les autres se trouvent à une distance considérable du couple. Elle leur offre aussi des cigarettes, alors ils les rejoignent. A son tour, Andro a déposé son pneu dans un coin. Samuel trimballe encore le sien.

SAMUEL *(à Nieves)*. – Je ne te connaissais pas sous ce jour internationaliste.

Elle hausse les épaules. Samuel aspire longuement la fumée de sa cigarette et décide de se lover un moment à l'intérieur de la roue. Andro l'imite.

NIEVES *(à Monguy)*. – Primo, quand je bosse, je ne m'appelle pas Nieves, mais Cachita, ou Dominique, et pour quelques proches la Mambisa[1]. Deuzio, par ta faute, je viens de louper un ambassadeur. Tertio, où est-ce que t'étais passé toutes ces semaines, bordel ? J'ai cru que t'avais demandé l'asile dans une chancellerie quelconque ou que, malade du sida, tu avais obtenu une bourse pour Los Cocos[2].

MONGUY. – Primo, jjje n'aimme pppas les nouveaux noms. Deuzio, par ta faute, j'ai perdu mon grand amour, et ma mère a perdu l'espoir de me voir épppouser une blonde aux yeux verts, pour avoir des petits-enfants blonds aux yeux verts. Tertio, qqqui ccc'est qui a disparu d'abord ? Quarto, ttt'as passé l'âge pppour ce que je viens de voir.

NIEVES. – C'est l'apanage des Noirs et des Chinois, on ne vieillit pas. Alors, comme ça, ta maman continue à se faire un sang d'encre pour essayer de te vendre à une Blanche… Explique-lui que je peux te présenter à pas mal de touristes qui donneraient une fortune pour baiser avec toi sous un manguier, après quoi elles t'enlèveraient. Ta mère, elle ne serait plus en manque de culottes et, dans ces conditions, elle pourrait m'accepter, qui sait…

MONGUY *(il sourit, fait signe à ses amis qu'il est temps de repartir. La Négresse s'amuse quand elle les voit avec leurs roues)*. – Je les ai convvvaincus de faire du cabotage autour de l'île.

---

1. *Mambisa* (masc. : *mambí*) : nom donné aux insurgés pendant les guerres d'Indépendance de Cuba. *(N.d.T.)*
2. Los Cocos : nom du *sidatorium*. *(N.d.T.)*

NIEVES *(qui lui glisse un regard en coin).* – A pied, à la nage, ou à la rame ? Mon petit, quelle carte veux-tu mériter au point où tu en es ? Celle du Parti… sans laisser d'adresse ? Allez, je vous invite à prendre le petit déjeuner.

MONGUY. – Et les pneus, qu'est-ce qqqu'on va en faire ?

NIEVES. – Les avaler ou vous les enfiler en suppositoires.

Coupure.

EXTÉRIEUR. JOUR. MILIEU DE LA MATINÉE.

PLAN GÉNÉRAL.

Ils entrent dans le bâtiment des Cariatides, à moitié écroulé et inhabité. Nieves les emmène jusqu'à sa tanière. Elle tripote le cadenas d'une porte, puis se dirige vers celle d'à côté et l'ouvre en grand d'un coup de pied.

NIEVES *(satisfaite).* – Tu vois, Monguy, tout arrive. Je suis enfin propriétaire illégale d'un palais, celui de Nefertiti, ou c'est tout comme. J'ai obtenu une chambre, ensuite deux, une vieille est morte et je me suis introduite chez elle en brisant les scellés de la Réforme urbaine. S'il vous plaît, laissez les pneus dans le couloir. Mon palais, je ne l'ai pas encore meublé comme il le mérite. Ferme les yeux et maintenant regarde. Un ventilateur à pied, une chaîne hi-fi Aiwa, une TV couleur, la vidéo, j'ai branché une antenne parabolique pour capter les chaînes de l'ennemi, mais ils m'ont eue, ils viennent de les brouiller, plus un réfrigérateur. Je pique l'électricité de l'immeuble d'à côté, j'ai tiré un câble de je ne sais pas combien de mètres… On n'est pas en plein délire ?

Monguy, perplexe. Par les fenêtres on voit l'océan. Travelling. Le décor est éclectique, meubles déglingués des années cinquante, royaume du vinyle et du formica. Sur une table de nuit trône un porte-photo en forme de livre ouvert, d'un côté une photo de Monguy enfant, de l'autre Nieves en uniforme de pionnière. Monguy prend les photos tandis qu'elle s'affaire à préparer le petit déjeuner.

NIEVES *(s'aperçoit que Monguy a découvert la légende)*. – L'enfance d'Ivan avec la poupée noire. Cette photo, je l'ai chipée à ta mère.

Coupure.

Fin du petit déjeuner. Dans la chambre contiguë Samuel et Andro se reposent, allongés par terre. Le premier répare la super-huit, le second contemple les taches écaillées du plafond et des murs.

ANDRO. – J'aimerais peindre ainsi, obtenir cette densité exprimée en humidité, en merde, en vide. Mais pour cela il faut posséder un troisième œil.

SAMUEL *(moqueur)*. – Celui du cul.

ANDRO *(peiné)*. – Arrête, enfin, je te parle de l'œil de l'âme… Eh, dis, qu'est-ce qu'on fout ici ? On commence à peine à caboter autour de l'île, et nous voici déjà en train de nous reposer. Cette Négresse, elle a ensorcelé Monguy.

SAMUEL. – Fais gaffe, cette Négresse, c'est une terrible Négresse. Elle peut aussi bien te rendre heureux que te faire du mal quand tu la regardes.

L'œil de la caméra traverse la cloison vers l'autre pièce où se trouve Nieves en compagnie de Monguy qui contemple le lointain, vers l'horizon, à travers la terrasse.

NIEVES *(dans un murmure)*. – Samuel, le Chinois, il sait ce qu'il dit. Tout le monde se rend compte que je suis extraordinaire, sauf toi. Ce n'est pas à cause du racisme de ta mère que je suis partie, mais à cause de ton amertume, de ton cynisme. En plus, je sais bien que tu fréquentes Minerva.

MONGUY. – J'aime pas qqque tu fasses le tapin.

NIEVES. – Et toi alors ? T'en as déjà marre de la machine à fabriquer des dolluches ?

Monguy s'approche d'elle pour l'embrasser. Elle l'esquive.

Coupure.

INTÉRIEUR. JOUR. VUE SUR LA MER.

Samuel filme Monguy, qui flotte au loin sur les vagues, recroquevillé dans la chambre à air du pneu de camion.

NIEVES *(intervient, ironique).* – Hep, Coppola, amène-toi !

Elle l'emmène dans l'autre pièce. Pendant qu'elle se déshabille, Samuel la filme. Elle va à la fenêtre complètement à poil. Au loin Monguy flotte. Nieves revient vers Samuel. Elle lui enlève sa caméra. Il s'allonge sur le canapé, elle lui retire son pantalon. A califourchon sur le jeune homme, elle prend un préservatif dans un porte-monnaie posé sur la table au milieu de la pièce. Il l'observe du coin de l'œil. Ils s'embrassent.

SAMUEL. – Je n'ai jamais fait ça avec… *(Baisers.)*

NIEVES *(tout en lui suçotant les lèvres).* – Un préservatif ? *(Il fait non. Nieves, en le mordillant :)* Avec une Négresse ? *(Il fait non. Nieves, sur le point d'avaler la langue du jeune homme :)* Avec une pute ?

SAMUEL *(il acquiesce.)* – En plus, tu es la copine de Monguy.

227

Gros plan sur leurs corps. Cannelle et blanc laiteux.

Coupure.

EXTÉRIEUR. NUIT. FRONT DE MER. PLAN AMÉRICAIN.

Ils avancent, songeurs. C'est Andro qui rompt le silence.

ANDRO. – Elle est bonne, la mer, Monguy ? *(Il secoue la tête comme pour dire, plus ou moins.)* J'ai une envie folle de piquer une tête. La mer est une chose tellement, tellement, je ne sais pas, moi, ce n'est pas comme la plage. Sur la plage, la rive est là, c'est tout. En mer, le danger donne une sensation de, oh là là ! je ne sais pas non plus…

SAMUEL *(à Monguy)*. – Je t'ai filmé. C'était magnifique, toi en plein océan.

MONGUY. – C'était cccomment ? *(Samuel hésite.)* Eh ben, la Nnnégresse et tttoi ?

SAMUEL *(exalté)*. – D'abord, elle dessus et moi dessous, après, sur le côté. Ensuite, elle a voulu elle dessous et moi dessus. Cette nana, c'est du délire…. Merde, pardonne-moi, mon vieux… *(Monguy fait un geste signifiant que ça lui est égal.)* Elle t'aime, ce qu'il y a eu aujourd'hui, c'est une passade. N'oublie pas qu'elle a insisté pour que nous allions à la fête de la maison des Sarcophages. Elle a dit qu'elle viendrait tard, mais qu'elle viendrait.

ANDRO *(il les rejoint)*. – Une fête à présent ? Les mecs, à ce train-là, en septembre on n'aura même pas atteint l'hôtel Comodoro.

Coupure.

228

EXTÉRIEUR. NUIT.

Immeuble des Sarcophages, en face du Front de mer. On voit sur un balcon une jeune fille qui se penche jusqu'à mi-corps ; euphorique, elle chante aux quatre vents :

Parce que ton amour est mon épine,
on parle de nous par les champs et les collines,
c'est un scandale, dit-on,
et on me maudit pour t'avoir donné mon amour…

Hé, regardez qui vient là, c'est pas Monguy ?
Qu'il monte, qu'il monte, qu'il monte ! P'tain,
c'est super !

Fête. Des rockers chantent, défoncés. Les autres bavardent ou dansent. La jeune soûlarde que nous avons vue tout à l'heure à sa fenêtre s'amuse maintenant à sauter sur les trois chambres à air. Tous s'identifient à Monguy, ils le considèrent comme un leader, les rockers eux-mêmes lui offrent le micro pour l'inciter à les accompagner, ce qu'il refuse. Deux autres filles abordent Samuel et Andro :

L'UNE DES FILLES. – Salut, je suis la Commune, elle c'est la Bastille. Nous travaillons en couple, notre spécialité, c'est les Français. Mais pour cette nuit nous pouvons faire une exception. Amstramgrame, pic et pic et colégrame, amstramgrame pic dame, hé ! c'est tombé sur le Chinois.

La Bastille allume un joint, aspire et le passe à Samuel.

ANDRO *(irrité)*. – Mon pote, t'as déjà baisé avec la Négresse, chacun son tour.

Samuel s'éloigne, Andro disparaît, accompagné par les deux fumeuses de marijuana. Samuel

*prend sa caméra et essaie de filmer. La maîtresse
des lieux l'en empêche.*

LA MAÎTRESSE DES LIEUX. – Défendu, comme dans
les musées, ça peut endommager les œuvres d'art.

*Samuel se promène dans la maison, elle est
immense. Il regarde dans une chambre. Un
groupe de garçons et filles, vautrés sur des cous-
sins, paraissent assoupis, les yeux couverts de
tampons de coton imprégnés d'infusion de fleurs
de vicaria. Près d'eux, on remarque les seaux
contenant l'infusion curative ; quelques-uns
plongent les bouts de coton dans le remède de
bonne femme et décollent leurs paupières.
Quand cela se produit, on découvre leurs globes
oculaires rougis et sérieusement enflés. On lit sur
un panneau une inscription peinte en majus-
cules rouges :*

RÉSERVÉ AUX MALADES ATTEINTS DE CONJONCTIVITE
HÉMORRAGIQUE. HAUTEMENT CONTAGIEUX.

*Samuel se faufile dans une autre pièce ; à l'entrée
on lit une seconde affiche :*

POSTMODERNES. HYPERCONTAGIEUX.

*Samuel pousse la porte discrètement. A l'inté-
rieur, un troisième groupe lit des livres d'Umberto
Eco. Décor de colonnes doriques en carton-pâte.
Adossés à ces colonnes, ils portent des toges à la
grecque, confectionnées dans des lambeaux de
draps et des sacs à sucre. Samuel, qui s'ennuie,
passe dans la pièce suivante. La lumière y est
aveuglante ; Monguy manipule ses cartes de
poker. Samuel s'assoit devant lui en position
de lotus. Il s'extasie devant ces cartes battues de
manière hypnotique. Son ami lui offre un breu-
vage dans une jolie tasse chinoise en porcelaine.*

MONGUY. – C'est une infffusion à base d'un champignon tiré de la bouse de vache. Tu te sentiras comme si tu avalais les rayons poussiéreux de l'anneau de Saturne.

Samuel avale avec une grimace de dégoût. Monguy continue de battre les cartes. Une lumière artificielle, très puissante et blafarde, les enveloppe.

MONGUY. – Dis, avvvons-nous un avenir ? Ecoute, la musique, c'est surtout de la lumière. J'ai peur, serre-moi fort.

Samuel obéit. Monguy, pris de spasmes, transpire ; bientôt il s'écarte de son ami et s'échappe dans la salle principale. Là, il s'adresse au cercle des rockers, prend une guitare et se met à chanter un air lent, amer, douloureux :

Tout est sombre, il fait bien nuit ici.
"Je me suis vu me voyant moi-même."
Il y a là-bas une lueur, la mienne, pour mourir,
elle me dit que je suis humain, foutu et humain,
je devrai l'être toute ma vie,
et vivre humainement.
Je ne sais quelle lumière tu vois en moi,
je suis en vérité,
avec mon visage, mes nerfs, une chair pour blesser.
Je suis humain et j'ai mal à la vie,
l'essentiel est que je sois allumé
comme un pantin électrique,
je recule d'un pas sur toute frontière.
Je crains les distances et déteste le soleil,
je déteste le soleil car il m'efface la lumière.
Je suis en vérité, regarde,
en proie à la fièvre, à la peur, au désir de tuer.
Je ne sais quelle lumière je vois en toi,
vivre ma vie c'est en finir avec elle.
Et moi je veux vivre,

j'aime ma victime, je hais le soleil.
J'aime mourir, je déteste mourir.

Peu à peu, ils se sont tous mis à danser comme des automates. Samuel, affalé dans un fauteuil damassé tout élimé, observe Monguy, aux yeux injectés de sang. Par la fenêtre, l'aurore s'engouffre, triomphale.

Coupure.

EXTÉRIEUR. JOUR.

Soleil éclatant. En pleine mer, les trois hommes dérivent sur leurs chambres à air. Andro somnole, sa tête penchée tombe sur son épaule. Monguy s'amuse avec son jeu de cartes. Non sans mal, Samuel parvient à filmer la ville vue de la mer. Leurs bagages sont attachés sur des radeaux de fortune bricolés avec de la mousse synthétique. Samuel, en plaisantant, désigne Andro.

SAMUEL. – Celui-là, c'est la Révolution française qui l'a liquidé.

Andro remue à peine pour chasser un insecte de sa figure.

SAMUEL *(persifleur)*. – Réveille-toi, mec, allez, raconte, allez, qu'est-ce qu'elles t'ont fait, la Robespierra et la Dantona ? Elles ont attaqué ensemble, ou l'une après l'autre, c'était comment, hein ?

ANDRO *(somnolent)*. – Ben quoi, d'abord elles ont parlé du musée Napoléon, elles ont embrayé sur le Louvre. *(Bâillement sonore.)* Elles connaissent le Louvre sur le bout des doigts, depuis les Egyptiens jusqu'aux esclaves de Michel-Ange, pourtant elles n'ont pas voyagé, rien qu'à travers des reproductions, sans compter des tas de séances de plumard avec des Français. Pendant ce temps, elles me pressaient la queue et me faisaient une pipe mémorable. Seulement moi, les putes cultivées, elles me font affreusement pitié ! Du coup, ma bite s'est ramollie. Mais après, j'ai fait abstraction de tout ça et je me suis remis à bander.

SAMUEL *(amusé, tout en filmant)*. – La ville tombe en poussière.

MONGUY. – J'aimmmerais être un dddauphin. Nnnager c'est plus fffacile que mmmarcher.

SAMUEL *(il interrompt le tournage)*. – Moi, la mer m'attire, je pressens que je mourrai noyé. Une fois, j'ai vécu une expérience inouïe. Pionnier, j'étais venu avec mon école pour lancer des fleurs à Camilo[1] ; soudain, les fleurs flottantes se sont rassemblées et ont composé le visage de Camilo, aucun autre enfant ne l'a vu.

MONGUY *(sceptique)*. – On appelle ça tttraumatisme pppolitique pppionniéreux.

SAMUEL. – Tu peux penser ce que tu voudras, n'empêche que ça m'est arrivé et quand j'y pense, j'en ai la chair de poule.

ANDRO. – Grande sensibilité. Quoique, aux dires de certains, Camilo Cienfuegos, excédé de toutes ces saloperies, a atterri à Miami, s'est rasé la barbe, et aujourd'hui il est patron d'une chaîne américaine de télévision.

MONGUY *(d'un air conspirateur, à Samuel)*. – Tu vois ? Il fffait jour, mais la lumière est moins vive qu'hier soir. Tttu t'es laissé guider pppar ce que j'ai vu hier ?

1. Camilo Cienfuegos : héros de la révolution cubaine, mort en novembre 1959 dans un mystérieux accident d'avion. L'appareil n'a jamais été retrouvé. *(N.d.T.)*

SAMUEL *(évasif)*. – Hier, tout ce que j'ai vu, c'est un mec pathétique qui faisait du grabuge avec une soi-disant chanson. Très mauvaise, au demeurant.

ANDRO *(intrigué)*. – Je suis plus dans le coup. Vous parlez de quoi ?

SAMUEL. – De rien. *(Long silence.)* De rien, un ange est passé.

On distingue au loin un radeau qui se rapproche lentement et dessus une jeune fille en haillons déchirés. On entend sa voix qui imite Radio Horloge, sauf qu'elle diffuse des nouvelles irréelles et donne l'heure à l'envers. Malgré sa peau très bronzée par le soleil, on voit qu'elle n'est pas en bonne santé, elle a le dos couvert d'ampoules, les yeux cernés, elle est d'une grande maigreur, sale, ses cheveux sont gras.

ANXIÉTÉ. – Le ministre de la Culture a déclaré dans son discours d'inauguration du Jour de la Culture que la culture est bonne, que la vie est bonne et que la mort est mauvaise, c'est pourquoi nous mourons. Ding, Radio Horloge nationale, onze heures précises du matin. Au pays des aveugles le borgne est roi, a déclaré Polyphème Castro, originaire de Malaise, îlot spectaculaire qui n'est pas sur la carte, un beau centre touristique réservé au peuple. Ding, Radio Horloge nationale, onze heures moins une minute du matin, écoutez les nouvelles des pays Ex, qui bientôt ne le seront plus. "Depuis que nous sommes Ex nous vivons comme des animaux, ce qui nous comble d'honneur car l'homme aurait dû depuis longtemps retourner dans les cavernes", a déclaré n'importe qui, celui que vous imaginez le moins, l'arriviste de service. Ding, Radio Horloge nationale, onze heures moins deux minutes du matin…

Eh ! ça va vous ? Je m'appelle Anxiété. Vous arrivez ou vous partez ?

Aucun des trois ne répond.

ANXIÉTÉ *(inquiète).* – Répondez vite, car il est déjà onze heures moins trois minutes, à dix heures et demi je dois me suicider, me noyer pour être plus précise.

SAMUEL *(hystérique).* – Dis donc, joue pas les allumées. Pour commencer, il est onze heures cinq et, que je sache, toutes les montres marchent en avant, alors le coup du suicide, laisse tomber. Tu vas accoucher, oui ? Qu'est-ce que t'as, à la fin ?

ANXIÉTÉ. – Moi ? Rien, c'est vous qui vous mêlez de mes affaires. Moi, je m'occupe de ce qui me regarde et je m'entraîne à la mort. L'aspiration suprême de tout être humain doit être de mourir. *(Troublés, ils se regardent.)* Voulez-vous boire du lait, beaucoup de lait ? *(Ils acceptent, mais leur visage exprime le doute.)* Voulez-vous que je me métamorphose en vache ou en chèvre ? Je crois à la transmigration des âmes, au pouvoir de la foi en tout ce qui peut être sauvé du règne animal, sidéral, végétal, etc. Pour ce qui est de lire, je lis énormément ! Je lis, mais je ne comprends pas une miette de ce que je lis. Mon Dieu, je m'en vais, je suis en train de bavasser ici alors que dans quinze minutes moins, je dois me noyer !

Elle s'éloigne en ramant à toute allure avec deux misérables bouts de bois.

MONGUY. – Encore une fffolle en liberté.

SAMUEL *(amer).* – Je ne supporte pas la provocation pour la provocation, si elle n'est pas justifiée.

Ils sont arrivés du côté de l'hôtel Riviera. Andro remarque trois enfants qui s'élancent du parapet et jouent à faire des plongeons dans les trous d'eau.

ANDRO *(il se frotte les yeux).* – Je ne sais pas si j'ai fait un rêve éveillé, si ces enfants existent pour de bon ou si nous sommes dans mon rêve.

Plan d'ensemble sur les enfants.

ENFANT UN. – Je m'embête. On fait quoi ?

ENFANT DEUX. – On joue que la lumière est revenue.

ENFANT TROIS *(un petit gros, très gourmand).* – On joue plutôt que le gaz est revenu, des fois que par enchantement on trouve quelque chose à manger. Un jour, je suis allé chez un étranger, tout marchait avec des piles, même la climatisation. Allez quoi, on va jouer que le gaz est revenu et qu'on mange.

ENFANT UN *(très maigre).* – Non, non, et non, moi j'aime pas manger !

SAMUEL *(il accoste, d'abord il dépose son radeau sur les récifs, ensuite il saute sur les rochers).* – Eh ! le môme ! surtout qu'on t'entende pas lancer une énormité pareille, ils sont fichus de supprimer le peu de bouffe qu'ils donnent.

ENFANT UN. – Prête-moi ta caméra.

Il touche l'appareil. Samuel lui donne une tape.

ENFANT DEUX *(il désigne Monguy).* – Regardez, une guitare, prête-la-moi, dis.

MONGUY *(secoue Andro par les épaules).* – Réveille-toi, si c'est ça, ton rêve, tu ferais mieux de te réveiller, ces mioches, c'est un trio de bombes !

236

ENFANT UN. – Est-ce que vous êtes étrangers ?

Ils répondent que non.

ENFANT TROIS. – Eh, dis donc ! ils sont pas étrangers, qu'ils aillent au diable, filons !

Les amis restent seuls.

MONGUY. – Vvva-t-il pleuvoir ?

SAMUEL. – Sûrement.

ANDRO. – Pas aujourd'hui. Demain. Vous aimez la pluie ? Ce pays, ce qu'il a de mieux, c'est l'arôme que laisse une bonne grosse averse, nulle part au monde il ne pleut comme ici.

SAMUEL *(cynique).* – Et qu'est-ce que t'en sais ? T'es jamais allé nulle part, même pas à Bâton d'Merde.

ANDRO. – Je le sais. Ce n'est pas pareil. Pas vrai, Monguy, qu'il n'y a rien de tel que notre pays ?

MONGUY *(glacial).* – Nnnihil novum sub sssole. Ce qui nous démolit, c'est notre manie obsessionnelle de nous prendre pour le nombril du mmmonde.

ANDRO. – Je supporte plus votre apathie.

SAMUEL. – Et moi ton optimisme.

MONGUY. – Vvvous disputez pas, nous dddevons gggarder notre calme, sssinon, je vais bbbégayer encccore plus.

SAMUEL. – Lui alors, il croit tout savoir, il est sans arrêt à vous contredire, tout le monde il est beau, on vit dans un conte de fées.

ANDRO. – Moi, j'ai dit qu'on vivait dans un conte de fées, j'ai dit ça, moi ?

SAMUEL. – Non, on vit de contes à dormir debout, c'est pire.

ANDRO *(exalté).* – Tu réalises, Monguy ? Il m'a pris en grippe.

MONGUY. – Tttaisez-vous. Le sssoleil est assez brûlant comme ça, vvvous trouvez ppas ? Il ne pleuvra pppas.

Coupure.

J'ai arrêté net ma lecture. Je tremblais, je me suis fait un thé. Tout en humant la vapeur qui montait de la tasse, je fixais le plafond en voulant être une autre, posséder une autre histoire.

EXTÉRIEUR. SOIR.

Front de mer. La pluie a cessé, mais le pavé est encore luisant. Samuel, Andro et Monguy, trempés jusqu'aux os, marchent le long du parapet, en traînant leurs pneus. Soudain, tout près d'eux, des roues grincent, en un coup de frein de cinéma. (Eh bien oui ! naturellement, puisqu'il s'agit d'un scénario de film.) Les jeunes gens, effrayés, regardent à l'intérieur du véhicule. Deux types menaçants braquent leurs revolvers sur un gros monsieur rougeaud, touriste de toute évidence, et sur le cinéaste Pedro Almodóvar. Un troisième homme conduit.

RAVISSEUR UN *(apparemment le chef de bande, en désignant le cinéaste).* – Hep ! vous là ! est-ce qu'il y en a un qui connaît l'individu ici présent ?

Samuel, Andro et Monguy se regardent, dubitatifs. Andro et Monguy jurent leurs grands dieux qu'ils ne l'ont jamais vu de leur vie. Samuel hésite.

RAVISSEUR UN *(éclatant de rire).* – Aaaah, hi hi hi ! personne te connaît dans ce foutu pays ! Ta propre grand-mère te reconnaîtra pas quand on te relâchera, défiguré comme le salopard que tu es.

PEDRO ALMODÓVAR. – Je suis Pedro Almodóvar, réalisateur, peut-être que la presse a publié quelque chose sur mes films, ou une photo de moi.

RAVISSEUR UN (*plus provocant et moqueur*). – Aaaah, hi hi hi ! la presse ! C'est quoi, ça ? Cherchez dans le dictionnaire, qu'est-ce que ça veut dire ce mot-là ? Moi, tout ce que je connais, c'est la chanson : "Je vais publier ta photo dans la presse, eh !" Réalisateur, mon œil ! Soit ta grand-mère paie pour toi, soit tu fous plus jamais les pieds dans un cinoche ! Et cette grand-mère s'appelle, s'appelle, comment qu'elle s'appelle, la grand-mère ?!

RAVISSEURS (*en chœur*). – Banque financière internationale !

Le deuxième homme enlevé reste silencieux, suant à grosses gouttes, car le canon du revolver est toujours braqué sur sa tempe. Le chef de bande le dévisage avec mépris.

RAVISSEUR UN. – Celui-là, vaut mieux le virer. Il dérange, et on voit bien qu'il est fauché. Tenez les gars, je vous offre un cachalot.

Séance tenante, d'un coup de pied, il éjecte le gros monsieur du véhicule ; l'homme tombe de tout le poids de son humanité en pleine chaussée, il s'en est fallu de peu qu'un semi-remorque de l'armée en fasse du ketchup yankee.
L'auto des ravisseurs démarre en trombe. Monguy aide le gros à se relever. L'homme est au bord du collapsus.

SAMUEL (*bouche bée, indécis*). – Mon vieux, je crois qu'il s'agit vraiment d'Almodóvar.

LE GROS TOURISTE. – Oui, c'est bien lui. Je suis américain, je dirige une agence de photographie à New York. Il faut avertir la police de toute urgence. Voici ma carte de visite.

SAMUEL *(lit à haute voix)*. – Robert Sullivan. Merci beaucoup.

Coupure.

Jusque-là, j'avais lu d'une traite. A mon avis, le hasard faisait trop bien les choses. Il fallait que je téléphone immédiatement à Charline, car je ne savais pas que Mr Sullivan, mon Sully, avait fait un voyage dans Cette-Ile-là. Chez Charline, ça sonnait occupé, mais je persévérai et finis par la joindre.

— Dis donc toi, vieille sorcière ! tu ne m'avais pas dit que Sully était allé à Cuba !

— Comment voulais-tu que je te le dise, puisque c'est toi qui me l'apprends ? a-t-elle rétorqué, contrariée. Il t'a téléphoné, il t'a écrit ?

Je lâchai d'une traite :

— Ni l'un ni l'autre, je suis en train de lire un journal… C'est très compliqué, je t'expliquerai. Il se trouve que c'est le journal de quelqu'un qui débarque tout juste de Cette-Ile-là, il est venu habiter à côté, c'est Pachy qui l'a amené. Disons que par maladresse il a laissé tomber un cahier, je l'ai ramassé, tu sais que j'ai la manie de lire tous les papelards qui me tombent sous la main. Eh bien, vas-tu me croire ? Non seulement ce type connaît tous mes amis, mais en outre, d'après ce qu'il écrit, il a connu Mr Sullivan et pas dans des circonstances très favorables.

— Tout cela est vraiment très bizarre. Ne serait-il pas agent secret, par hasard ?

— C'est pas le genre. Mais on ne sait jamais.

— Je vais prendre contact avec Mr Sullivan, on verra bien. Pourquoi est-ce que tu ne te reposes pas ? Je t'avais prédit que ce quartier n'était pas du tout recommandable, résuma-t-elle en reliant les deux sujets.

On a raccroché sur sa promesse de me prévenir dès qu'elle obtiendrait des renseignements sur le séjour de Mr Sullivan à La Havane. Je repris ma lecture, avec davantage de curiosité, je ne le nie pas, mais une frayeur accrue. Combien d'autres mystères devrais-je encore affronter ? Lesquels de mes amis m'attendaient dans ses pages ?

EXTÉRIEUR. CRÉPUSCULE.

Le parapet du Front de mer s'est peuplé d'une kyrielle impressionnante de personnages qui prennent le frais. Des couples enlacés s'embrassent à qui mieux mieux, sans la moindre pudeur. Des bandes de jeunes chahuteurs dansent au rythme de magnétophones posés sur le parapet. Sur les balcons d'en face, des haut-parleurs que les autorités ont fait installer diffusent aussi des musiques diverses et variées. Un vacarme strident, vulgaire, des slogans ambigus émanent tantôt des haut-parleurs, tantôt de la radio, et ils nous somment tous de vivre heureux. Sur le parapet, les gens font des trafics de rhum, de cigarettes, de marijuana, de cocaïne. Les putes et les pineurs déambulent à la chasse aux étrangers, qui sont dépourvus de tout, sauf de dollars.

POLICIER SPÉCIAL UN. – Voilà les types aux pneus ; d'après la description de la baleine yankee, c'est sûrement eux.

POLICIER SPÉCIAL DEUX. – C'est peut-être des vrais pêcheurs.

POLICIER SPÉCIAL UN. – Si eux c'est des pêcheurs, moi je suis le requin des *Dents de la mer*. *(Pour le moment, il parle dans un talkie-walkie.)* Ici, opération "Au bord de la crise de nerfs", nous avons localisé les individus. A vous. *(Lesdits individus sont interceptés par les policiers.)* Minute, carte d'identité.

Ils commencent à reculer, prêts à se tailler. Le type agrippe Samuel par la chemise mais, d'un geste, le jeune homme se dégage.

SAMUEL. – Dis donc, qu'est-ce qui se passe ? Lâche-moi !

POLICIER SPÉCIAL UN *(il montre sa carte).* – Du calme, et adosse-toi contre le mur bien sagement.

MONGUY. – Un problèmmme, cccamarade ?

POLICIER SPÉCIAL UN. – Comment ça se fait que vous avez laissé le gros yankee au poste et que vous, vous avez disparu ? Il l'a échappé belle, le gros, car son récit était véridique. Demain, vous devez passer pour identifier les ravisseurs. A la première heure, sans excuses ni prétextes, vu ?

Ils acceptent, guère convaincus qu'il faille y assister. Anxiété revient.

ANDRO. – La v'là encore, celle-là, quel oiseau de malheur ! Je suis certain que si on a des problèmes, c'est à cause d'elle.

La jeune fille s'arrête, raide comme la Justice, sans même cligner des yeux. Monguy va à sa rencontre.

MONGUY. – Sssalut, ça va ? *(Elle ne répond pas.)* Anxy, t'es là ?

ANXIÉTÉ. – Je ne m'appelle plus Anxiété. Maintenant je suis Parcmètre, n'oublie pas que je me suis noyée le mois prochain… Je me suis réincarnée en parcmètre.

MONGUY. – Et ça sssert à quoi, ce machin-là ?

ANXIÉTÉ. – Un parcmètre peut sauver l'économie mondiale, sans nuire à l'humanité, ni à la flore, ni à la faune. Mon ventre va éclater, il est plein de sous.

Certes, c'est inconfortable, mais un parcmètre se doit d'accepter les circonstances actuelles.

Les autres sortent du champ. Monguy la prend par la main.

MONGUY. – Viens, Parcmètre, viens.

Monguy et Anxiété assis sur les rochers, devant la mer. La nuit est suffocante, pas un souffle d'air. On aperçoit au loin les lanternes des pêcheurs nocturnes.

MONGUY *(insinuant)*. – Je me demande si c'est bien utile de sssauter un ppparcmètre. Au moins, ça dddoit t'empêcher de subir des émotions, il doit pas être indispensable de faire tant de baratin.

ANXIÉTÉ *(l'interrompt)*. – Fuir les émotions, ça affecte le pancréas, des idées graisseuses s'accumulent dans le centre de gravité. Ça, c'est grave... Ne perdons pas de temps, qu'est-ce que tu vas me mettre d'abord, ta verge ou ton doigt ? Si tu commences par la queue, après ton doigt va danser dans mon vagin : il a tendance à s'élargir.

MONGUY *(les yeux au ciel, se caresse le sexe)*. – Ne t'en fffais pas, ta folie est belle, elle est utile. Mmmoi aussi, par mmmoments, j'ai des envvvies de mmmarcher et de parler à l'envers.

Il l'embrasse délicatement. Anxiété écarte les jambes, lui prend la main et l'introduit entre ses jambes.

Coupure.

EXTÉRIEUR. NUIT.

Océan. Près des barques de pêcheurs, Samuel et Andro flottent sur leurs pneus respectifs. Monguy s'approche en ramant avec deux bouts de bois.

ANDRO. – Monguy, je t'ai dit que cette fille porte la poisse.

SAMUEL. – Elle est à moitié morte. Alors, mon gars, on verse dans la nécrophilie ?

Monguy se compose un visage en regardant le ciel, sans répondre.

LE PÊCHEUR DANS SA BARQUE. – Eh ! vous autres ! vous taquinez la dorade ?

SAMUEL. – On flotte, mon vieux, on flotte. Tout comme les onze millions de citoyens de cette île.

LE PÊCHEUR. – Et vous pouvez pas aller flotter chez les Grecs, des fois ?

SAMUEL. – Pas d'insultes, et même, un peu de respect, sachez que nous sommes de la Croix-Rouge internationale ; on est venus de très loin pour une aide humanitaire…

LE PÊCHEUR. – Sans blague. Vous m'avez bousillé le travail ! Pourquoi vous n'allez pas au diable, pour l'aider humanitairement ?

MONGUY. – Vvvvous mettez pppas en colère, mon vieux, vous vvvoulez boire un coup de tord-boyaux ? J'échange une bbbouteille contre un poisson.

LE PÊCHEUR. – Merci, je suis sensible à votre offre, mais je n'ai pas envie de mourir empoisonné… Anxiété, Anxiété, viens ici ! Rends-moi ma trousse à pharmacie, joue pas les folles, c'est toi qui me l'as volée !

ANXIÉTÉ *(navigue sur son radeau, elle a hissé un drapeau blanc)*. – Monguy, tu m'as engrossée, ça fait dix minutes que tu m'as engrossée ! Quand t'as éjaculé, j'ai senti que le spermatozoïde prédestiné tapait dans le mille sur l'ovule descendant !

LE PÊCHEUR *(écroulé de rire).* — Hi hi hi ! c'est lequel, ce crétin de Monguy ? Mon ami, tu l'as dans l'os. Faut dire que les gens, quand il s'agit de baiser, même avec un parcmètre...

Coupure.

INTÉRIEUR. MATIN.

Commissariat de police à l'angle de l'avenue L et du Front de mer. Le Policier Spécial Un fait les cent pas dans l'enceinte de l'établissement. Les trois chambres à air de camion sont par terre. Andro, Monguy et Samuel viennent d'identifier les ravisseurs, en compagnie du gros monsieur. Le Policier Spécial Un interroge les agents qui accompagnent les garçons.

POLICIER SPÉCIAL UN. — Est-ce qu'ils les ont identifiés ?

L'autre fait oui. Le gros est en nage.

ROBERT SULLIVAN *(touriste américain rondouillard).* — Encore heureux qu'il ne lui soit rien arrivé, à Almodóvar. Ni à moi ! Je loge au Riviera : si vous avez besoin de quelque chose ces jours-ci, vous savez où me trouver. De toute façon, vous avez mes coordonnées à New York, au cas où...

Une fois dehors, Samuel se met à rire, ironique.

SAMUEL. — Comme si nous pouvions aller tous les jours à New York... Mais nous vous remercions... Vous avez dit que vous vous appelez comment ? Sullivan, n'est-ce pas ?

ROBERT SULLIVAN. — C'est ça. On ne sait jamais dans la vie, en tout cas, merci beaucoup.

SAMUEL. – Vous êtes venu direct de là-bas, des States ?

ROBERT SULLIVAN. – Non, avant j'ai dû faire une escale d'une semaine à Mexico. Bon, je suis pressé, je veux profiter de La Havane et je dispose de peu de temps. Au revoir et merci encore.

SAMUEL. – Il n'y a pas de quoi.

L'homme tourne au coin d'une rue. Monguy, Andro et Samuel traversent l'avenue. Maintenant, ils avancent en rasant le mur, on voit qu'ils sont assoiffés, mais exaltés. Monguy les précède en sifflant la mélodie de Led Zeppelin, Stairway to heaven *(Escaliers pour le ciel).*

MONGUY. – J'ai besoin d'une douche, d'un bain moussant avec une crème parfumée, quelque chose de franc qui m'extirpe de ce monde et me ramène à celui de maintenant.

SAMUEL *(à Andro)*. – Baiser, il n'y a rien de mieux, qu'est-ce que ça remonte le moral ! Tu n'as qu'à voir Monguy, depuis qu'il s'est envoyé cette morte, c'est un autre homme. Tu n'as pas remarqué que notre moral dépend de la hauteur du parapet ? Quand il est haut, on se dispute, t'as vu qu'il y a des fois où le parapet nous arrive aux épaules, d'autres fois à la taille ? Quand je l'ai au ras de la hanche je respire profondément, mes poumons s'élargissent, je me sens euphorique, je peux même encaisser tes bêtises, mais quand il est haut, j'ai un poids sur la poitrine.

ANDRO. – Pour moi, c'est différent. Quand il est haut, je me sens protégé, autrement je suis terrorisé à l'idée que la mer monte, déborde et m'aspire d'un coup de lame. Eh ! Dis voir, Monguy !

Est-ce que tu n'es pas entré dans une étroite relation mystique avec le parapet ?

MONGUY *(les précède et répond avec détachement)*. – Mmmoi, j'ignore le ppparapet. Le ppparapet dddépend de moi, pas mmmoi de lui.

ANDRO. – Oh, lui, Parcmètre l'a contaminé ! Il parle comme s'il était…

SAMUEL *(l'interrompt)*. – Un parapet.

MONGUY. – Vous n'êtes pas en train de vous dddégonfler, pour le cabbbotage ? Je vous trouve pppas aussi optimistes qu'avant. Alors, on ccccontinue, ou on renonce ?

ANDRO *(orgueilleux)*. – Jusqu'à l'infini.

MONGUY. – Comment ça pppeut bien être, au-delà de l'horizon ?

ANDRO *(indifférent)*. – Il y a d'autres gens plus ou moins semblables à nous.

SAMUEL *(tout en filmant)*. – Semblables ? Que c'est ennuyeux ! Je préfère imaginer que là-bas il n'y a rien, là où le parapet rejoint le ciel tout est fini, ce n'est plus que l'abîme… Il vaut mieux l'imaginer ainsi, avoir cette consolation.

MONGUY. – Merde alors, sssi c'est une ccconsolation, ça, je me demande ce qu'est une désespérance.

SAMUEL *(distrait, citant Monguy)*. – Que veux-tu que je te dise ? "Nihil novum sub sole."

Samuel cadre ses deux amis. Plan général de l'avenue, blanchie par la réverbération solaire ; la mer est d'un bleu électrique, pas un seul nuage n'apparaît à l'horizon.

Coupure.

Juste à ce passage, j'ai laissé le cahier pour me faire un autre thé et appeler Charline afin de savoir ce qu'elle avait appris sur le voyage de Mr Sullivan dans Cette-Ile-là. Le téléphone a sonné pendant que j'allais à la cuisine. C'était Charline, elle n'avait pas pu obtenir de renseignements de première main. Mais effectivement, Mr Sullivan avait fait un périple de Mexico à La Havane, plus de deux ans et demi auparavant. D'après sa secrétaire, il n'avait pas voulu m'en informer afin de ne pas blesser ma sensibilité ; elle précisa que Sully avait déclaré aller à La Havane pour connaître la ville de sa Marcela bien-aimée, en ajoutant que si tout allait bien pour lui, il lui écrirait pour lui donner du courage et peut-être de bonnes nouvelles, mais que, si ça tournait mal, il préférerait garder le silence. Quel personnage extraordinaire, ce Sully ! Le malheureux, comme il avait dû avoir peur !

— Bien, ma jolie, comme je suis intriguée par ce journal !

— Non, ma belle, je ne peux pas. A demain.

INTÉRIEUR.

Vieille bâtisse oxydée en face du Front de mer. Décorée de meubles tout aussi vieux et rongés par le sel ; au sol un carrelage abîmé par les inondations successives de la mer. La trace de la crue maritime obscurcit les murs. Dans un fauteuil à bascule, une vieille femme dodeline de la tête. Monguy, Samuel et Andro pénètrent dans le jardin abandonné, en enjambant la clôture.

SAMUEL *(à tue-tête)*. – Grand-mère, ouvre-moi ! Grand-mère ! Elle est sourde comme un pot.

Samuel, penché à la fenêtre, introduit sa main entre les barreaux, prend une canne à pêche placée près de l'encadrement, il s'en sert pour réveiller la dame, qui sursaute, se frotte la chassie des yeux avec les ongles, et chausse ses lunettes.

GRAND-MÈRE. – Je savais que c'était toi, j'étais en train de rêver de toi. *(La vieille dame se dirige vers la porte.)*

SAMUEL *(à ses amis).* – Elle n'arrête pas de rêver de moi, elle dit que dans ses cauchemars je deviens mon père, c'est une obsession. *(A elle, en parlant très fort.)* Il faudrait que tu nous gardes ces pneus, on ne nous laissera pas entrer au Riviera avec ce barda.

GRAND-MÈRE *(elle étreint Monguy d'une manière mielleuse).* – Mon petit, il y a si longtemps que je ne t'ai pas vu, je ne te voyais plus depuis notre déménagement, comment va ta famille ?

MONGUY. – Comme toujours, cccouci-cccouça.

GRAND-MÈRE *(sur un ton énigmatique).* – Tu connais mes dons de voyante. Ecoute, j'ai quelque chose de très sûr à te dire. Ne risque pas ta vie, ça n'en vaut pas la peine, laisse tomber le bizness, plaque cette petite, c'est une délinquante.

SAMUEL *(contrarié).* – Grand-mère, arrête ton char. Allons, ne perdons pas de temps. On revient tout de suite récupérer nos chambres à air.

Ils sortent. Samuel claque la porte.

Coupure.

INTÉRIEUR. JOUR.

Hall de l'hôtel Riviera ; par les verrières on voit l'océan d'un bleu irrésistible, fantasmagorique.

Monguy, Andro et Samuel, accoudés au comptoir, attendent un renseignement.

RÉCEPTIONNISTE. – Monsieur Sullivan vient de partir en province, il ne reviendra pas avant trois jours.

SAMUEL *(découragé)*. – J'ai raté l'occasion de ma vie, je voulais lui demander un catalogue de photos.

ANDRO. – L'occasion fait le larron. L'occasion de ta vie ne consiste pas à demander un catalogue de photos à ce Yankee rondouillard. Si on a raté quelque chose, c'est plutôt l'occasion de connaître Almodóvar.

SAMUEL. – Au moins on l'aura vu passer

ANDRO *(remarque une scène qui se déroule plus loin)*. – Arrête de te faire du mouron et tiens-toi à carreau. Regardez qui est là.

Nieves, la Négresse, repasse du rouge sur sa lippe, appuyée contre une baie vitrée ; elle regarde plusieurs fois sa montre-bracelet. Sur ce, elle découvre des individus qui viennent d'entrer dans l'hôtel en furetant dans tous les coins. La Négresse court s'engouffrer dans un ascenseur. Ses amis décident de la suivre et arrivent à se faufiler dans l'ascenseur, à la dernière seconde. Les types les découvrent, les poursuivent, mais arrivent trop tard pour l'ascenseur ; alors ils poussent une porte de secours. Dans l'ascenseur, les trois garçons et Nieves sont haletants. La liftière les toise avec mépris. Ils sont tout essoufflés. La Négresse, abattue, a les yeux révulsés.

NIEVES. – C'est vous, il me manquait plus que ça !

L'ascenseur arrive au septième étage ; elle file dans le couloir, ses amis s'élancent à ses trousses sans trop savoir pourquoi. La Négresse fonce à toute vitesse, eux de même ; elle stoppe net.

NIEVES. – Enfin, merde, qu'est-ce que vous me voulez ?

MONGUY *(haletant)*. – Je sais pas, on a vvvu qqque ttt'avais des pppproblèmes, j'crois, ces tttypes d'en bas ttte suivent.

NIEVES *(résolue)*. – Allez, entrez avec moi.

Elle prend une clé dans son sac. Ils entrent dans une chambre.

SAMUEL *(stupéfait)*. – P'tain ! Tu loges ici, ça alors, c'est géant !

NIEVES *(nerveuse, à Monguy)*. – Ecoute, mon chéri, il faut que tu m'aides, comme au bon vieux temps, je file un mauvais coton, une crapule de touriste ne m'a pas payée, disons qu'il me doit un fric fou, à tomber sur le cul. Pas seulement à moi, d'ailleurs, mais c'est moi qui l'ai branché sur ce trafic. Il s'est barré ce matin par la marina Hemingway avec une cargaison d'œuvres d'art, il a plumé la moitié de l'île. Vous devez retenir ces types pour que je me taille.

Les trois jeunes gens, abasourdis, en restent pétrifiés. Monguy lui donne une tape sur les fesses, pour prouver qu'il accepte d'affronter le danger.

Coupure.

INTÉRIEUR. JOUR.

Poursuite dans les couloirs et les étages de l'hôtel Riviera. Les flics aux trousses de Monguy, d'Andro et de Samuel. Ils arrivent enfin dans le hall, sortent en plein air et débouchent sur la piscine. Au passage, ils tamponnent des employés et des clients, renversent des tables et des plateaux, et font même tomber une Canadienne à l'eau. Ils arrivent à un mur, y découvrent une issue, de l'autre côté ils pourront se cacher. Leurs poursuivants surgissent, haletants et fous furieux. Les jeunes sont tapis près de la clôture qui sépare l'hôtel de l'avenue. Samuel compte jusqu'à trois ; d'un bond spectaculaire, ils gagnent la rue. Ils prennent leurs jambes à leur cou.

Coupure.

EXTÉRIEUR. JOUR.

Océan. Leurs trois corps nus flottent sur les vagues. Maintenant, ils plongent et nagent sous l'eau, émergent en aspirant de grandes bouffées d'air. Ils nagent comme des champions. Loin du lieu de l'incident, ils se laissent aller sur le matelas liquide de l'océan.

ANDRO. – Aaaah ! j'avais besoin de libérer mon énergie, quelle frayeur ! Heureusement que ta grand-mère était chez elle et qu'on a pu se planquer. Ils ont bien failli nous cueillir comme des fleurs.

SAMUEL *(à Monguy).* – Je comprends toujours pas, c'est quoi, cette histoire ? Qu'est-ce qu'il y a eu avec ta nana ? Pourquoi cette cavale ? Ouille, je me noie. *(Il plonge, resurgit, toussant et écumant.)* Je suis à moitié mort et si encore j'étais coupable d'un délit, mais j'ai rien fait. C'était qui, ces mecs ?

MONGUY. – J'en sssais rien, bbbordel. Dddepuis quelque tttemps, la Négresse va se fffourrer dans des affaires pas pppossibles.

*Ils abordent le rivage couvert de rochers pointus,
se dirigent vers le promontoire où ils avaient
laissé leurs sacs à dos et leurs chambres à air. Ils
ramassent leurs affaires éparpillées.*

SAMUEL. – On devrait chercher Anxiété Parcmètre, le voyage serait différent avec elle.

ANDRO *(compatissant).* – Elle porte malheur,
cette fille, c'est moi qui vous le dis. A mon avis,
t'en pinces pour le Parcmètre. Monguy, ce gars-
là il tombe toutes tes nanas, d'abord Nieves,
maintenant la morte.

MONGUY *(montre l'avenue).* – Quand on ppparle
du lllloup…

*Anxiété approche, en skate sur la piste cyclable,
elle glisse à contre-courant de la circulation,
pousse le pavé en prenant appui sur ses mains,
protégées par des gants de base-ball. En les aper-
cevant, elle freine avec le talon de ses godillots.*

ANXIÉTÉ. – Ohé ! je vous cherchais, je ne suis
plus enceinte ! C'était un mensonge. Maintenant
je suis la colombe de la paix, et les colombes de
la paix n'ont pas de contact sexuel : elles sont
l'équivalent du Saint-Esprit ! Je vous cherchais
pour vous raconter que le mois dernier je vais
voler, je voulais aussi vous inviter à la nuit du
Willy. Vous verrez comment les gens, par jalousie et par haine, tuent une colombe de la paix.

*Ils laissent tomber leur matériel et, recroquevillés
sur leurs chambres à air, déconcertés, ils obser-
vent la fille. Samuel prend sa caméra et la filme.*

ANXIÉTÉ *(se cachant le visage).* – Ne me vise pas
avec cette gomme à effacer, il veut m'effacer, lui.
Ton plan, je le connais par cœur, tu essaies de
me séduire, tu me diras que je vais passer à la

télé, que je deviendrai célèbre, que les fans me demanderont des autographes. Tu parles, je ne suis pas bête, ce n'est qu'une gomme, ça.

SAMUEL. – Tu es une déesse folle ! Courage, viens caboter avec nous autour de l'île, à pied, à la nage, en ramant, n'importe comment…

ANXIÉTÉ. – J'ai la gale ; quand on est une colombe sans colombier on est forcée de dormir avec les chiens des rues, je suis contagieuse, tu sais.

Andro se déchausse et soupire d'aise en se grattant entre les orteils ; il souffre d'une démangeaison très violente.

ANDRO. – Dis, t'as le cerveau un peu dérangé, hein ?

MONGUY. – Elle nnn'a pas de cccerveau, elle l'a bien dit, c'est une colombe sauvage.

ANDRO *(étonné)*. – Maintenant que j'y pense, vous commencez à vous ressembler énormément. *(Il désigne la jeune fille et Monguy.)*

ANXIÉTÉ. – Les savants, c'est-à-dire ceux qui savent, ils disent que quand une femme tombe amoureuse de quelqu'un elle se met à l'imiter, d'où la ressemblance. *(Coquette, elle lorgne Monguy du coin de l'œil, lui il fait comme si de rien n'était.)* Bon, alors, vous viendrez à la nuit du Willy ?

MONGUY. – Si tu étais une cccolombe, tttu n'aurais pas besoin de te servir du skate, ni de te déplacer si cccollée au sssol, tu pourrais vvvoler.

ANXIÉTÉ *(ironique)*. – Mon petit, moi je vole avec mon cœur, je suis un pigeon de square parisien, de ces pigeons de carte postale… Et maintenant, qu'est-ce qu'on fait, si on jouait : on serait des naufragés et soudain des bateaux surgiraient à l'horizon, plein de bateaux, rien que des pétroliers, et on hurlerait, et ils nous entendraient ? Pourquoi diable est-ce que personne au monde ne nous entend ? Cette île est merdique, personne ne nous entend ! Vas-y, Monguy, y a rien de mieux que de crier contre la mer, contre les sourds de ce monde, contre les bateaux imaginaires : hééé ! on est là, sur cette île moribonde, hééé, aidez-nous ! hééé, petits bateaux ! regardez par ici, les gars, soyez pas méchants, on est ici à défier la mort minute par minute et vous, bande de pédés, vous le savez même pas, d'ailleurs vous voulez pas le savoir, allez vous faire foutre, direz-vous ; venez jouer, n'ayez pas peur. On n'est pas contagieux, enfin, si, mais pas tant que ça !

Les jeunes gens, euphoriques, la rejoignent, se perchent sur le parapet, gambadent dans tous les sens, bondissent en faisant des signes à la ligne désolée où se réunissent le ciel et la terre.

Coupure.

EXTÉRIEUR. SOIR.

Jardin japonais à l'arrière du restaurant 1830. Dans l'une des cages vides, Anxiété et Samuel bavardent.

ANXIÉTÉ. – Dis donc, pourquoi il ne me laisse pas venir, Monguy ? Je peux rendre mille services, par exemple trouver de quoi manger. Quand je m'y mets, je me rends très utile. Les gens me font confiance parce que je cause bien. Je lis beaucoup. Je lis des tas de cochonneries, par conséquent j'y pige rien de rien, mais au moins je visualise des mots. Pourquoi est-ce qu'il me permet pas de vous accompagner, ce garçon ?

SAMUEL *(farfouille dans la terre avec un bâton)*. – Sa nouvelle lubie, c'est de prophétiser que ce voyage est sans fin. Ici, on a tous besoin d'un psychiatre.

ANXIÉTÉ. – Et qui lui a parlé de fin, à lui ? Ils sont sûrement divorcés, les parents de Monguy ; il doit être traumatisé. D'où son bégaiement, moi aussi, je suis "trop-matisée". C'est pas mal, j'adore ça, être traumatisée. Quand ma mémoire revient, j'ai besoin de mon papa. C'est si dur la sensation de manque, pas vrai ? En même temps, elle est merveilleuse la sensation de désirer voir quelqu'un et de ne pas pouvoir ; il m'a telle- ment manqué, aussi, quand je le retrouve, j'ou- blie très vite qu'il m'a manqué, et à quel point j'ai souffert en son absence… Enfin, c'est sans importance. Et toi, as-tu quelque chose qui te manque ?

SAMUEL *(tête basse)*. – Mes parents ; c'est ma grand-mère qui m'a élevé.

ANXIÉTÉ *(se rongeant les ongles, absolument tra- gique)*. – Ils ont claqué dans un accident de la route ?

SAMUEL *(évasif)*. – Si on veut. Il est mort, elle est en vie. Je n'ai jamais voulu la revoir, n'empêche qu'elle me manque. Mais je préfère ne pas abor- der le sujet.

ANXIÉTÉ. – Je comprends par inertie : ici per- sonne ne veut "aborder le sujet". Le sujet de ceux qui meurent, de ceux qui disparaissent, de ceux qui s'en vont. *(Samuel approuve, confus.)* J'ai tellement sommeil, pourtant c'est l'heure où j'aime faire l'amour, mais c'est inter- dit aux divinités… Oh ! j'ai une de ces envies

de me dissoudre, de ne pas être aussi solide…
J'ai le dos qui me picote, gratte-moi, va.

Samuel égratigne le dos de la jeune fille avec une brindille ; elle semble soulagée, soudain, elle se retourne et l'embrasse.

ANXIÉTÉ. – Une seule petite morsure. Ecoute-moi bien, je suis la Sibylle de Cuba, parente de celle de Cumes, attention, je vais prophétiser : en l'an 2000 nous serons très heureux et nous aurons beaucoup d'enfants. Nous serons plus vieux, mais nous jouirons de la vie. Enfin nous sourirons sans entraves. Le Bègue et moi, nous aurons des enfants bègues et tournés sens dessus dessous. Je les ferai avec Le Bègue, cependant, si tu étais disponible, eh bien…

Coupure.

Le doute ne m'était plus permis. Etait-ce vraiment le doute, ou bien la répulsion devant une évidence aussi criante ? Non, jusqu'ici j'avais les sens encore obnubilés et dispersés comme des capsules bourrées de coton ou de fange. Je ne parvenais pas à coordonner mes pressentiments. La lecture, douloureuse, du journal de mon nouveau voisin suscitait en moi un mélange de répulsion et d'attirance.

EXTÉRIEUR. SOIR. FRONT DE MER

Front de mer. Une tour dans le jardin japonais du restaurant 1830. Samuel et Andro, arc-boutés sur les rochers, contemplent la ville, dos à la mer. Plus loin, Anxiété et Monguy se bécotent.

ANDRO. – Je te trouve l'air cafardeux, ma beauté. Putain de soirée ! Je pressens que nous ne ferons jamais le tour de l'île ; il s'est passé trop de choses en si peu de temps. Nous avons épuisé notre énergie aventurière.

SAMUEL *(regarde, méfiant, le couple Anxiété-Monguy)*. – Dans les îles l'aventure est obligatoire. C'est ce qu'on dit, c'est ce que j'ai lu dans un texte de géographie politique.

PLAN GÉNÉRAL SUR L'HORIZON.

Coupure.

EXTÉRIEUR. NUIT.

Parapet du Front de mer près du restaurant 1830. On voit un grand groupe de jeunes allongés sur le parapet, ou adossés au mur. D'autres, assis, jouent de la guitare, chantent, boivent du rhum au goulot, fument des joints. Leurs vélos sont entassés sur le large trottoir. Les touristes garent leurs Havanautos et se joignent à eux pour partager ces plaisirs angoissants. Certains sont des vieillards ridicules enlacés à de sublimes Négresses, presque des fillettes ; d'autres sont de jeunes touristes sans le sou, sac au dos. On vend de tout, aussi bien un cochon aux cordes vocales coupées que des poignées de cocaïne trafiquée emballée dans des chaussettes. On aperçoit dans cette foule Monguy, Andro et Samuel, qui se prélassent sur leurs chambres à air. Anxiété, juchée sur le parapet, esquisse des pas de danse classique, fouettés, piqués, etc. Un public médusé la regarde, bouche bée, enthousiasmé, tandis qu'elle fait la révérence.

LE PUBLIC. – Merveilleuse, super-excitante, sidérante, vas-y, Charín !

Nieves descend d'une Havanauto, flanquée de ses poursuivants de l'hôtel et d'un étranger ; elle fait comprendre qu'elle s'est rabibochée avec les types. Andro, le premier, remarque la présence de la femme, et donne un coup de coude au Bègue. Celui-ci affiche une indifférence totale et continue à s'amuser des clowneries d'Anxiété. Samuel se lève et va à la rencontre de Nieves. Manifestement, elle est archiconnue, car tous meurent d'envie de la saluer avec effusion. Ses poursuivants restent en arrière exprès, afin de surveiller l'étranger, qui s'entretient avec deux hommes d'affaires. Elle avance, embrasse au passage deux amies adulatrices, puis fait face à Samuel.

NIEVES. – Alors comme ça, Le Bègue s'est mis avec L'Imprimerie, je veux dire Anxiété. De Parcmètre, elle s'est donc muée en Imprimerie. Elle dit qu'elle publiera des poèmes d'extraterrestres et des traités économiques sur les animaux, en premier lieu les chiens… Enfin, comme je dis toujours… : qui se ressemble s'assemble.

SAMUEL *(mal à l'aise)*. – En tout cas, ma petite, son aliénation, à elle, ne met personne sur le gril. Tu magouilles avec tes ennemis, à ce que je vois.

NIEVES. – Est-ce que j'avais le choix ? Ou je négociais, ou je devais payer. Alors… j'ai entubé un autre imbécile. *(Elle désigne le touriste.)* Tu veux que je te confie un secret ? Toi, tu colles pas ici, c'est pas ton genre, quoi. Toi, tu as de la classe.

SAMUEL *(les yeux baissés)*. – Je veux reprendre avec toi, mais d'une autre manière…

NIEVES *(sèchement)*. – De quelle "silencieuse" manière ? "De quelle silencieuse manière pénétrez-vous en moi en souriant, comme si c'était le printemps, aïe, tandis que je meurs." *(Ironiquement, elle fredonne la chanson.)* D'une autre manière, ça n'existe pas.

SAMUEL. – Mais si, ça existe, en nous parlant davantage, en nous connaissant mieux.

NIEVES. – Pour faire du romantisme, j'ai pas de temps à perdre, mon chou, encore moins avec des Cubains. Je ne suis pas une femme, je suis de la matière première, du produit national brut ; il me faut des dolluches, et toi t'en as pas, d'ailleurs si t'en avais, j'irais pas te les piquer, je supporte pas l'exploitation… Pourquoi tu fréquentes Le Bègue ? Vous n'avez rien en commun. Toi, on t'a mis au monde, lui on l'a déféqué, pareil que moi.

SAMUEL *(dressé sur ses ergots)*. – Si, on a des choses en commun, et plus que tu ne crois.

NIEVES. – Qu'est-ce que tu veux à la fin ? Tu lui lèves sa nana ou tu lui tresses des couronnes ? Ne viens pas me dire que tu veux faire crac-crac avec lui et avec moi. Les partouzes, je les fais payer cher.

SAMUEL *(cynique)*. – On peut être poli et avoir le sang chaud.

A une certaine distance, Andro apparaît dans le champ, complètement soûl ; il bondit sur le parapet et entame un discours.

ANDRO. – Je ne prononcerai pas un traître mot de plus ou de moins, mais je dois avouer que j'aime le monde, et… il est si difficile d'aimer en beauté, affamé, obsédé par la paix ! Une paix, mes chers compatriotes, qui vacille comme la flamme d'une bougie. Il y a quelques semaines, par une nuit glorieuse comme celle qui nous occupe aujourd'hui, j'ai mangé un œuf frit, allumé une bougie, et j'ai été heureux… Pourquoi donc ? Eh bien, parce que j'aimais tout le monde, bon ou méchant, correct ou incorrect, dégoûtant ou propre, et cet amour comblait mon cœur d'une félicité emblématique. Cette nuit-là, j'ai ri comme un bossu, et je ne saurai jamais au grand jamais pourquoi je me suis marré comme une baleine. On se marre et y en a marre de se faire tellement chier. Savoir éclater de rire, c'est ce qui peut arriver de plus extraordinaire à l'être humain par les temps qui courent !…

La caméra se perd en cherchant tantôt Anxiété, tantôt Monguy, pour revenir à Andro, qui trébuche et finit par s'écrouler sur les spectateurs. La caméra cadre Samuel, qui filme à son tour. Climat irréel, comme un vaste asile de fous en plein air.

Coupure.

INTÉRIEUR. AUBE.

Tunnel de la rue Línea. Monguy, Andro et Samuel avancent sur le trottoir latéral le long du tunnel, toujours avec leur barda sur le dos, en faisant rouler leurs pneus de camion. Andro titube encore, il est imprégné de rhum et de boue, il trimballe son pneu attaché à la taille par une corde. Bien loin, on aperçoit Anxiété, qui les poursuit sur la pointe des pieds ; excessive, mimant un voleur qui craint d'être découvert. Andro et Samuel marchent en silence. Monguy siffle toujours le même air, Escaliers pour le ciel. *Soudain, Andro s'arrête, prend une bombe de peinture et tague les carreaux blancs sur les parois du tunnel. Samuel essaie de l'en empêcher.*

ANDRO. – Dis donc toi, ne me censure pas !

Samuel secoue son ami.

MONGUY. – Nous ferons une halte à la Pppuntilla.

Coupure.

EXTÉRIEUR. AUBE.

La Puntilla. Menace de pluie, éclairs, coups de tonnerre, mais l'averse ne se décide pas à déchirer les gros nuages. L'océan, d'un calme apparent, est redoutable. Andro et Samuel sont à l'abri dans leurs pneus. Monguy, debout, scrute l'horizon.

MONGUY *(plus bègue que jamais)*. – Jjj'ai à vvvous ppparler. Je vvvous ai trompés, il n'y a pppas de cccabotage, jjje mmme bbbarre à Mmmiami.

ANDRO *(incrédule, sans y attacher d'importance)*. – Non mais sans blague, tu vas pas nous faire le coup de *L'expédition du Kon-Tiki…* ! Oh là là ! je me paie une de ces crises de foie.

Premier plan sur Samuel qui, très gravement, analyse le comportement de Monguy.

SAMUEL. – Pourquoi tu ne l'as pas annoncé depuis le début, pourquoi nous avoir trompés ?

ANDRO *(soucieux)*. – Ecoute, Samy, tu vas pas entrer dans son jeu, quand même ? C'est encore une de ses fantaisies érotiques… Il se prend pour Walt Disney, ma parole…

MONGUY *(se tournant vers eux)*. – Jjje m'en vvvais, je plaisante pas, c'était pppas un si gros mmmensonge… C'était beau de vvvenir avec vous jusqu'iccci, si quelqu'un vvveut m'accompagner, il pppeut. En fait, je vous ai ammmenés dans l'espoir qqque vous vvviendriez avvvec moi, jjj'ai la trouille, j'ai une pppeur affreuse, mmmais ce pppays me fait plus pppeur qqque la mer.

SAMUEL *(irrité)*. – T'es défoncé, bordel, qu'est-ce qui te prend ? Comment ça se fait que t'as pas eu confiance en nous ? On n'est pas comme des frères, nous tous ? Tu crois que je peux te laisser partir comme ça, enfin merde, tu te rends pas compte du danger ? Tu vois pas combien il y en a qui sont morts, à ce jeu-là ? Je ne pars pas et je ne te laisse pas partir, je ne veux pas avoir toute ma vie un mort sur la conscience… Merde à la fin ! Pourquoi toutes ces histoires et toutes ces inventions sur ce maudit cabotage, tu nous as roulés dans la farine pour rien, pour le plaisir ?

ANDRO. – Vous parlez pour de bon, là, ou vous me charriez ?

MONGUY. – C'est dddu sssérieux, c'est dddécidé, je sssupporte pas de rester ici une minute de plus.

ANDRO. – Et tu as pris ta décision comme ça, sans crier gare ? Mais non, tu avais pris ton temps pour préparer ton coup, écoute, tu sais que c'est pas l'envie qui me manque de me tailler, mais pas comme ça, non et NON !… Mieux, pourquoi est-ce que je dois partir, pourquoi est-ce que je dois leur faire ce plaisir, à cette bande d'enculés ? Non, j'pars pas, voilà !

Il pleut à verse.
Cachée derrière un promontoire, Anxiété écoute la dispute entre ses amis ; la pluie redouble. Monguy ramasse ses affaires pour organiser sa fuite, il tend sa guitare à Samuel.

MONGUY. – Jjje te l'offre, en sssouvenir.

SAMUEL *(se jetant sur lui)*. – Je ne vais pas te laisser partir, mon vieux Bègue, tu vois pas que c'est de la folie ?

Ils se battent à coups de poing. Samuel frappe Monguy, Andro tente de les séparer, bagarre générale entre eux trois. Samuel pleure, hystérique. Ils finissent fourbus, très mal en point.
Monguy parvient à s'échapper de l'enchevêtrement humain et s'éloigne de quelques pas ; les autres restent par terre, abattus.

MONGUY. – Ne vvvous inquiétttez pas, il pleuvra beaucoup, mmmais la mer est cccalme, il n'y a pas de vent. Qqquelle chiasse, vous m'avez fracttturé le nez !

Agrippé à son pneu, sac au dos, il court vers les rochers de la côte. Andro et Samuel lui courent après, ils courent, courent. Soudain, une illumination féerique s'élève de la mer, la Vierge de la Charité du Cuivre apparaît sur les flots. Premier plan sur le visage de Samuel, saisi.

SAMUEL. – La Charité, la Charité, la Vierge !

Les autres aperçoivent bien quelque chose, mais sans oser l'accepter.

ANDRO. – D'après moi, c'est un sous-marin !

MONGUY *(consterné)*. – C'est le phare, c'est seulement le phare du Mmmorro, je dddois jouer serré avec le phare, ils pppourraient me découvrir !

SAMUEL *(halluciné)*. – Penses-tu, c'est la Vierge de la Charité, c'est bien elle, je vois même les trois Juanes qui rament à ses pieds !

En incrustation, on verra la Vierge dressée au-dessus des vagues, la barque de Juan Créole, Juan Indien et Juan Noir glisse, lui faisant escorte.

ANDRO. – Mon ami, c'est la Vierge ! Ou alors un sous-marin ? Ça peut quand même pas être la Sainte !

MONGUY *(il profite de la confusion pour prendre la mer. Il prie en direction de l'apparition miraculeuse de la Vierge)*. – Sssalope, si c'est vraiment tttoi, ppprotège-moi.

Sur la plage, Andro et Samuel gesticulent dans tous les sens, indécis. Enfin, Samuel se jette dans l'océan, qui commence à s'agiter ; il nage avec l'énergie du désespoir. La statue de la sainte, fulgurante, indique le chemin. Samuel nage tant et plus, luttant contre la pluie battante ; il atteint, presque noyé, la chambre à air de Monguy, s'y appuie. Il se dresse hors de l'eau jusqu'à la taille, étreint son ami.

SAMUEL *(en larmes)*. – Mon pote, mon vieux Bègue, me fais pas ce coup-là, va pas te noyer, bon Dieu !

Samuel, de nouveau submergé, retourne au rivage. Là, il rejoint Andro ; ils voient Monguy disparaître dans l'immensité répugnante de la mer, car la fantasmagorie de la Vierge s'est diluée dans le rideau de pluie. Samuel et Andro s'apprêtent à ramasser leurs affaires, quand Anxiété vient se planter devant eux, dans une pose hautaine de défi.

ANXIÉTÉ *(pleurant de rage)*. – Donne-moi ton pneu.

Elle l'arrache des mains de Samuel. Non sans mal, elle se met à courir comme une dératée sur les brisants. Les garçons en sont stupéfaits. Samuel essaie d'aller la sauver. Andro le retient par la manche de sa chemise. Anxiété disparaît dans la pénombre.

Coupure.

EXTÉRIEUR. LEVER DU JOUR.

Front de mer. Andro et Samuel reviennent sur leurs pas, ils se sont débarrassés de leurs pneus, ils ne portent plus que leurs sacs à dos. Samuel tient la guitare de Monguy serrée contre lui. Plan d'ensemble ; au loin on distingue une foule agitée de curieux agglutinés près du parapet. On voit des patrouilles de police et une ambulance, outre une voiture de pompiers. Andro et Samuel se précipitent sur les lieux, l'angoisse se lit sur leurs visages, ils fendent la foule. Dans un panier à salade se trouve Monguy, menottes aux poignets. Samuel avance vers lui, mais Monguy s'y oppose par un geste négatif de la tête, très éloquent. Samuel comprend et recule ; c'est Andro qui lui montre le sol. Sur un brancard gît un corps bleuâtre, enflé, inerte : c'est Anxiété. Le cadavre de la jeune fille brille, auréolé d'un halo de lumière ; malgré sa teinte violacée, son visage est paisible. Samuel essaie de l'approcher, Andro lui serre la main pour le retenir. Les deux garçons s'évadent de la scène.

POLICIER UN. – Est-ce que l'un d'entre vous pourrait identifier la noyée ? Si ce n'est pas le cas, circulez sans demander votre reste.

C'est au tour d'Andro, mâchoires serrées, d'avoir une seconde d'hésitation. Samuel le guette. La caméra ouvrira sa lentille sur un grand plan général. Vue du Front de mer. Les silhouettes des deux jeunes gens se réduisent à deux points minuscules. Réverbération de l'image. Ecran blanc. Fin.
Ou peut-être pas.

Charline m'arrache le cahier des mains. J'ai rêvé une fois de plus de l'arrivée de Samuel à Paris.

C'est la énième fois que je lis ce journal cinématographique, après avoir demandé à Charline de ne jamais me le restituer, même si je l'en suppliais à deux genoux et si je la menaçais de me suicider par le feu. Tendrement, elle me conduit dans la chambre d'amis et m'apporte une tasse fumante de tilleul. Elle murmure d'une voix chaleureuse :

— Allez, ma chérie, ne t'endors pas sur le canapé, c'est très inconfortable.

Je m'aperçois alors que j'ai réintégré le présent, que depuis la nuit où Samuel est entré dans mon salon jusqu'à cette minute, une vaste énigme s'est écoulée. Ou plutôt, un arc-en-ciel enveloppant qui traverse une histoire, commencé à l'horizon qui a dessiné mon adolescence et dont le tracé s'achève de ce côté-ci du monde. Une histoire similaire à une arbalète très tendue, la flèche, c'est la prophétie, l'archer c'est le destin. La cible : moi.

V

LA VUE, HARMONIE

Cette fois, Samuel rentra aux aurores. Etant une prisonnière de l'image, à chaque fois ma pupille doit vérifier, ou plutôt photographier, des sensations pour ne pas commettre d'erreur quant à mes états d'âme. Non seulement je n'avais pas fermé l'œil, mais je ne l'avais pas éloigné un seul instant du judas, pourtant il ne serait pas difficile d'entendre le craquement de ses pas sur le vieil escalier de bois sans tapis, ou le cliquetis de sa clé dans la serrure ; surtout que Charline m'avait téléphoné plus de cinquante fois pour me recommander de ne pas ouvrir ma porte, de ne lui accorder aucune confiance avant d'en savoir davantage sur son compte. Il s'est contenté de poser le pied sur le palier et a jeté un coup d'œil pervers du côté de la fente, perforation qui évoqua pour moi le toconème[1] par où je laissais s'insinuer l'âme d'une personne transmigrée en Samuel. Alors il osa me faire un nouveau clin d'œil, esquissa même un petit sourire audacieux et sonore, puis il toussa, moins convaincu, peut-être, que j'étais en train de l'épier. Il prit son trousseau de clés et l'agita, en faisant de plus en plus de bruit. Je regardai ma montre, il était

1. Mot d'origine japonaise employé par José Lezama Lima. Il évoque le vide, consolant et plein d'énergie. (N.d.T.)

six heures du matin. Il se racla la gorge, toussa encore, puis il s'affala sur la dernière marche, les yeux rivés sur ma porte, sur moi, cachée derrière. Je retenais mon souffle, comme si le moindre bruit pouvait trahir ma présence. Alors, avec détermination, il se posta à quelques centimètres de mon corps, certes le bois nous séparait, et il pressa du doigt la sonnette. Je faillis ouvrir avec toute la précipitation d'une personne qui attend depuis une éternité, mais je me ravisai et reculai en catimini. J'allai dans ma chambre et bouclai son journal à double tour dans mon armoire. Je me couchai dans mon lit, certaine qu'il renouvellerait son coup de sonnette. Je fermai les yeux essayant de me convaincre que j'étais engourdie par une bonne nuit de sommeil. Deux autres coups de sonnette retentirent ; je sortis de sous ma couette et avançai vers l'entrée en traînant mes *chaussones* le plus bruyamment possible. Avant d'ouvrir, je demandai d'une voix ensommeillée en feignant un bâillement qui, à force d'étirer les commissures de mes lèvres, devint réel.

— *C'est qui**?

Si je ne répondais pas en français, ma mise en scène échouerait.

— Salut, c'est votre nouveau voisin. Je crois que Pachy vous a parlé de moi. Je suis le Cubain d'en face. Je m'appelle Samuel.

Il devait avoir une bonne cuite, ou alors il avait un sacré culot.

— Ah cui, enchantée, très heureuse, mais ce n'est pas des heures pour faire connaissance, tu ne trouves pas ?

Je le tutoyai, mon cœur cognait dans ma poitrine et je ne savais pas très bien pourquoi ses battements diagnostiquaient une tachycardie.

— C'est que… enfin, bon, excuse-moi. C'est la première fois que je vis seul, j'ai frappé chez Pachy, il n'est pas là, César non plus…

Samuel profitait de mon tutoiement pour me rendre la pareille.

— Ou alors ils sont épuisés. Ce n'est pas une heure pour des visites, dis-je, tranchante.

Je pris assez de confiance pour adopter un comportement cassant et strict.

— Oh là là, pardon ! je suis absolument désolé. Eh bien, à demain, je veux dire, à tout à l'heure.

Mais il ne partait pas, il avait seulement fait demi-tour et à présent il était de dos. Je craignis de le perdre s'il entrait dans son appartement. Je manipulai la poignée de ma porte. Cependant, il fit un pas vers son propre verrou, mais tourna la tête et m'épia du coin de l'œil, attentif à la moindre intonation positive de ma voix.

— Puisque tu m'as réveillée, entre, je t'invite à prendre le petit déjeuner. Tu t'appelles comment, déjà ?

Parfois, je peux être d'une imbécillité magistrale.

— Samuel, répondit-il en s'installant sur le canapé, pour aussitôt se relever d'un bond. Oh, je n'ai pas demandé si je pouvais m'asseoir.

— Tu ne vas quand même pas déjeuner debout comme un piquet.

A la cuisine, je me suis mise à presser des oranges et des pamplemousses, à sucrer les jus, à préparer du café, à faire griller du pain, j'ai sorti le beurre et la confiture de fraise, réchauffé le lait que j'ai agrémenté de deux cuillerées de chocolat dans chaque verre. Pendant tout ce temps, nous n'avons pas prononcé un seul mot, ni lui ni moi.

Il avala son petit déjeuner, tout en me questionnant sur tel ou tel détail absurde ; j'eus l'impression qu'il était renseigné sur moi ; du moins, on l'avait branché sur mon compte. Une photographe repentie, une femme seule et frustrée.

— Ne le prends pas mal, je ne suis pas un sans-gêne et ne veux rien te proposer de déplacé. Le fait est que je suis parti de là-bas prêt à dévorer le monde et puis… quoi, voilà que…

Il me demanda d'excuser sa témérité.

— Que c'est le monde qui te dévore tout cru

Je terminai sa phrase sans réaliser à quel point elle pouvait être dure ; je le faisais souffrir.

— Non, ce n'est pas ça… Si, à vrai dire, pourquoi te raconter des blagues ? Je ne pouvais pas imaginer que le monde pouvait être aussi…

— Eh oui… "vaste est le monde[1]". (Encore une fois, j'enfonçais le couteau dans la plaie, de surcroît je tirais parti de mon exil et pour comble, je prenais plaisir à faire étalage de ma culture.) Prends cela calmement, tu viens d'atterrir, comme qui dirait.

— Je dois régulariser ma situation, dit-il à propos de ses papiers en France.

— Alors là, il faut avoir une patience chinoise, mais on s'en sort ; il y a un remède à tout, sauf à la mort.

Cette dernière phrase m'échappa et je tressaillis.

— J'ai des copains qui peuvent me trouver une Française, une vieille, quoi, pour me marier, mais j'aimerais mieux une autre solution…

— Oui, je ne te le conseille pas ; moi, j'ai déjà vécu cette expérience, sans compter qu'en ce moment les contrôles sur les mariages blancs sont plus sévères.

Je soupirai, m'imaginant déjà en train de me débattre à la préfecture ; j'allumai une cigarette.

---

1. *Vaste est le monde* (*El mundo es ancho y ajeno*), roman du Péruvien Ciro Alegría, publié en 1941. (*N.d.T.*)

— Tu ne devrais pas fumer, tes ovaires absorbent la fumée, remarqua-t-il sans savoir que dire, après s'être essuyé la bouche avec sa serviette.

— Je sais bien, c'est la seule façon dont je les fais fonctionner. (C'était vrai, car il y avait des années que je ne baisais pas et des mois que je ne voyais pas venir mes règles.) Qu'est-ce que tu fais, maintenant ? Moi je tombe de sommeil, veux-tu dormir ici, sur le canapé ?

J'ajoutai cette dernière proposition grammaticale afin de lever toute équivoque.

— Non, merci, je dois m'habituer à rester seul

Il ne bougea pas un muscle et je me dis que je devrais peut-être insister.

— Oh, tu auras du temps de reste pour t'accoutumer à la solitude, mais je ne crois pas qu'elle durera longtemps pour toi ; reste aujourd'hui, ne sois pas gêné, tu ne me déranges pas du tout.

Je me trouvais si bonne, si gentille, si maternelle. Mais il n'est pas de ceux qui restent dès la première nuit. Il se gratta ostensiblement la racine des cheveux, vint vers moi, me donna un baiser à la cubaine, c'est-à-dire sur une seule joue, et me dit "au revoir, dors bien, n'ouvre ta porte à personne". Il aurait dû préciser "à personne d'autre", car je la lui avais déjà ouverte, à lui.

L'après-midi, je suis allée acheter des haricots noirs chez Israël, l'épicerie exotique de la rue François-Miron. Je me suis dit qu'avant, je ferais peut-être un saut au Thanksgiving de la rue Charles-V, ils en vendent là aussi, mais en boîte, produits Goya, importés des Etats-Unis. Je suis tombée sur Samuel en train de fouiller dans les poubelles. En me voyant, il a essayé de donner le change, mais finalement, il s'est décidé à m'expliquer pourquoi il se livrait à ce genre d'occupations. Moi, je m'en doutais bien. Il avait perdu quelque chose d'extrêmement important pour lui, expliqua-t-il, tu réalises, un journal qui est en même temps un scénario de film, tu te rends compte ? Je n'arrive pas à mettre la main dessus, je ne sais pas, tu l'as peut-être vu, toi, pendant mon déménagement, il a pu s'égarer dans l'escalier ou dans le couloir. J'avais envisagé de ne pas le lui remettre, non par rancœur personnelle, mais parce que je mourais de honte à l'idée de lui avouer que je l'avais lu et il aurait du mal à croire que je n'y avais pas jeté au moins un coup d'œil, mais j'étais embarrassée, je savais que ce journal était la chose la plus importante qu'il ait pu faire sortir de Cuba, son unique trésor. Samuel était en sueur, les cheveux en bataille, les yeux rougis, vitreux et, quelle horreur, même chassieux, pourtant je le trouvai séduisant, je découvris en lui quelque chose, un je ne sais quoi de troublant, comme dans le boléro. Il était habillé à la façon d'un habitant des taudis vieil-havanais, avec un tricot de peau bien trop grand pour lui, dégueulasse et troué, un bermuda bleu foncé coupé aux genoux dans un vieux pantalon, il exposait ainsi ses belles jambes, mieux galbées que les miennes, mais légèrement arquées et velues. Il gardait encore sur sa peau des traces du soleil de là-bas, et les veines de ses bras et de ses mains battaient, gonflées, au rythme de la nervosité qui s'emparait de lui à cet instant. Il fit une chose qui me déçut, il mit le doigt dans son nez et en extirpa une énorme crotte, qu'il colla à la semelle de sa savate en caoutchouc, mais son geste fut si naturel qu'une telle incorrection parut amusante. Sa barbe naissante le faisait paraître plus maigre, et ses yeux s'enfonçaient dans l'intensité de leur couleur noire. Je n'aime pas les yeux noirs, ai-je pensé, pour rectifier aussitôt, et pourquoi donc devrais-je les aimer ?

— Ton journal, je l'ai, il est tombé hier de l'un de tes cartons, je l'ai lu hier soir, je n'ai pas pu m'en empêcher, je ne t'ai rien dit ce matin parce que j'avais honte de t'avouer que je l'avais lu ; c'est que j'ai la sale manie de lire tous les papiers qui me tombent sous la main. Evidemment, j'allais te le restituer, mais je voulais inventer quelque chose de plus sophistiqué, genre je l'ai trouvé dans la poubelle, par exemple.

Je lâchai cela comme une mitrailleuse :

— Ouf ! quel soulagement ! Ne t'en fais pas, il ne contient aucun secret d'Etat, comme tu as pu le constater, rien qu'une histoire sans queue ni tête. Est-ce que tu vas sortir ? (J'acquiesçai.) Je peux passer plus tard pour le récupérer ?

Je lui proposai, histoire de me faire pardonner :

— Je t'invite chez moi à un dîner cubain.

Mes haricots noirs étaient à peu près cuits quand César s'est pointé, arrivé tout droit de la Jamaïque, tantôt secoué d'un rire communicatif, tantôt geignant comme un sacré brigand, le tout lui allait à merveille. Il venait m'inviter à une soirée chez Anisia, la cousine de Vera, cette journaliste bouddhiste. Je lui expliquai que j'avais promis de dîner avec notre nouveau voisin, le Cubain qui était leur ami, justement le gars que lui et Pachy m'avaient pour ainsi dire mis dans les pattes. Qu'à cela ne tienne, Samuel aussi serait bienvenu à la fête, il irait le lui dire en sortant de chez moi. Je cherchai un prétexte car je déteste les soirées, le problème c'était que j'avais mes haricots sur le feu, il y en avait pour dix minutes à peine, mais ensuite je devrais me doucher et me faire une beauté.

— Tu fais ça le temps que ton frichti finisse de cuire, et ta cocotte-minute, on l'emporte avec nous, un plat de plus ça ne fera pas de mal, affirma César.

— Quoi, se promener avec une cocotte-minute en période de sabotages et d'attentats dans le métro de Paris ? On nous balancera tout droit dans le bureau huit de la préfecture. T'es pas fou, César ?

Je voulus réitérer mon refus mais, sur ce, Samuel sortit de son appartement, ou plutôt de son studio, car il s'agit en réalité de vingt-cinq mètres carrés avec cuisine, salle de bains, mais le plafond vous colle à la tête, genre chapeau, quoi. Il demanda ce qu'on mijotait, et César lui parla de la soirée. Moi je défendis mon point de vue, alors il se rangea de mon côté, en assurant qu'il préférait rester dîner avec moi. Du coup, je me trouvai injuste, ce pauvre garçon doit brûler de connaître d'autres choses, de vivre de nouvelles expériences. J'analysai la situation : de quel droit puis-je l'obliger à se calfeutrer ici, dans cet ennui ? En une seconde, je changeai d'avis et l'interrrompis.

— Je crois que César a raison, tu vas te distraire, parler de choses différentes avec d'autres gens, tu as besoin de te faire des relations.

Il posa ses conditions.

— Je n'y vais que si tu y vas.

J'acceptai car je le savais, c'était la seule manière de gagner son amitié plus facilement, il serait plus aisé de percer à jour et de m'informer davantage sur ses amis qui, apparemment, étaient les miens, et de dissiper mes doutes quant à sa véritable identité. César nous avisa qu'il nous attendrait pour nous conduire là-bas en voiture, que rien ne pressait, qu'il devait lui aussi se préparer, il débita tout cela d'une traite, en dévalant les marches quatre à quatre. Samuel ferma sa porte après que j'eus fermé la mienne.

Les fêtes chez Anisia, la cousine de Vera, étaient plutôt agréables, j'ajouterais même familiales, car nous avions pris l'habitude de ne pas en manquer une. Le brassage entre Français et Cubains formait une délicieuse extravagance. Les premiers étaient presque toujours des personnes qui étaient allées dans Cette-Ile-là ; ils en revenaient tout miel, passionnément enthousiastes et une fois en France, ils se mouraient de désarroi. D'autres – et ils pullulaient – ne venaient qu'en qualité d'anthropologues, afin d'étudier les réactions d'un groupe d'exilés luttant corps et âme afin de ne pas perdre leurs racines sur le vaste territoire gaulois. Les troisièmes formaient un fatras où l'on trouvait de tout, les "p'tits traînards", qui partaient de là-bas avec une autorisation de plusieurs mois et restaient à la traîne, mine de rien ; ceux-là ne demandaient pas l'asile politique, ils se procuraient des contrats de travail et s'en tiraient ainsi ; le jargon populaire les avait aussi affublés du sobriquet de *verminades*, car ils n'étaient ni des vermines[1], ni des camarades. Enfin, il y avait nous, les personnes mariées : mariages de convenance, dont certains dûment déclarés comme tels, c'était mon cas, très particulier ; d'autres mentaient, feignant un amour passionné et éternel, alors qu'en réalité leur partenaire leur inspirait une répulsion terrible ; mais beaucoup aussi étaient mariés pour de vrai, par amour. Il y avait quelques réfugiés politiques, pas très nombreux, en raison de la difficulté pour Ces-Insulaires-là d'obtenir ce statut. Les derniers enfin, comme je l'ai signalé plus haut, se ruaient sur la fête dès leur descente d'avion, au titre d'amis

1. Les "vermines" *(gusanos)* désignent les "contre-révolutionnaires" dans le jargon castriste. *(N.d.T.)*

intimes de Français, sans prendre le temps de dire ouf. Ces nouveaux venus ne situaient pas encore bien clairement la montagne à laquelle ils se heurteraient, et d'où ils devaient faire débouler leurs destinées.

Samuel et moi, on s'est aimés immédiatement, pas seulement parce que je pus avoir la confirmation, en bavardant avec lui au cours de notre première fête, que Monguy le Bègue, Andro, Nieves, étaient bien ceux que je connaissais, mais aussi parce que je sentis très vite que je devais le protéger, qu'il le réclamait à cor et à cri, et que sa demande était sincère, qu'elle ne relevait pas d'un numéro théâtral monté pour impressionner. Je me suis bien gardé de nommer Mr Sullivan, afin que Samuel n'aille pas se figurer que j'exagérais pour m'attirer sa sympathie ou, au contraire, pour qu'il s'attache davantage à moi, plus par intérêt professionnel que par simple amitié ; de surcroît, il me semblait que je n'avais pas intérêt à lui rappeler l'existence de Mr Sullivan, car l'envie de s'installer aux Etats-Unis pouvait le démanger. Il me plaisait, mais j'avais décidé de me tenir à carreau et de le tenir, lui, à distance, car les six ans que j'avais de plus que lui m'interdisaient de m'emballer et de dépasser la frontière de la tendresse. Encore dans la trentaine, une femme garde l'espoir de rencontrer un type mûr qui lui offrira une relation amoureuse paradisiaque, mais même cette idée ne me séduisait pas. Au début, Charline s'était méfiée de tant d'innocence accumulée en un seul homme mais par la suite, au lieu d'entrer en compétition avec lui, elle allait jusqu'à le défendre contre mes accusations, car elle le tenait en haute estime.

— C'est un chic type, il paraît qu'il a beaucoup souffert. Tu es trop exigeante avec lui. Certes, comme il ne dit rien, on ne peut pas savoir ce qui lui trotte dans la tête.

C'est ainsi que Charline prenait sa défense quand on se querellait pour ce que j'appelais des enfantillages, son inexpérience, sa frivolité, etc. Par exemple, l'achat d'un téléphone portable, juste parce qu'il adorait jouer avec, parce que ça lui donnait des airs importants, alors qu'en réalité il ne pouvait pas s'offrir ce luxe car ses ressources étaient modiques, bien qu'il ait réussi à trouver du travail comme cameraman dans une agence de presse, mais on ne faisait pas très souvent appel à lui car il n'était pas autorisé à toucher un salaire, on le payait donc de manière fantaisiste, entre Pâques et la Trinité. Bref, s'il ne crevait pas de faim, sa situation n'était guère brillante. Quant à savoir si je l'avais connu autrefois, dans les soirées chez Monguy ou chez Andro, mes doutes s'étaient dissipés dès le début.

— J'étais môme, j'habitais chez ma grand-mère, nous étions voisins du Bègue et je jouais au cerf-volant sur sa terrasse. (Il me servait les renseignements nécessaires sur un plateau d'argent.) Quand je suis devenu adulte, on est restés amis, mais tu sais la suite par mon journal.

— Ça alors, je t'ai connu quand tu étais petit ! (Aussitôt, j'ai regretté ma phrase.) Dans une de ces soirées, bien sûr, mais tu n'as pas dû me remarquer. Ça n'a pas d'importance.

— A vrai dire, depuis que je t'ai vu, ton visage me turlupine, pas de doute, ça doit venir de là… Mais je ne me souviens pas de toi avec exactitude, le moment précis, je veux dire. C'est qu'il en est passé de l'eau sous les ponts, depuis cette époque.

Pendant ces soirées, c'est à peine si on parlait politique, bien que ce soit le sujet prédominant parmi Ces-Insulaires-là, mais par bonheur la plupart des personnages qui passaient là des nuits blanches étaient avides d'oublier toute la politicaillerie de quat'sous qu'ils avaient subie là-bas dans l'île, et ils n'aspiraient qu'à se soûler, à danser, à manger, à s'amuser et à baiser. N'empêche, de temps à autre, des esclandres et des grosses engueulades éclataient, soit à propos de divergences sur l'actualité stagnante (laquelle dure depuis près de quarante ans) de Cette-Ile-là, soit sur des épisodes des élections françaises, ou sur le monde en général. Le Cubain est particulièrement enclin à démontrer qu'il domine n'importe quel sujet mieux que tout autre terrien, voire tout autre extraterrestre. Les affrontements pendant la fête étaient indescriptibles et plus d'une fois ils s'achevaient à coups de bouteilles.

— Moi, la politique ne m'intéresse pas, lançait Samuel par défi. J'en ai marre, c'est partout pareil, la même saloperie : l'argent et le pouvoir.

— Ne dis pas ça, mon bonhomme, ici ce n'est pas comme là-bas, ici il existe de vrais partis, des élections authentiques, des bonnes intentions...

Celui qui parlait était un jeune homme qui galérait depuis sept ans et travaillait comme videur dans une discothèque privée dont le propriétaire était colombien.

— ... et des mauvaises intentions aussi. Le monde est dégueulasse, mec. Ça veut dire quoi, droite ou gauche ? Pour moi, ça n'a aucun sens, ils arrêtent pas de promettre qu'ils vont éliminer le chômage, mais mazette, fillette ! La politique c'est une chose, la vie réelle des gens, une autre, bien différente.

Celui qui s'exprimait en ces termes se trouvait en situation irrégulière, il avait commis l'erreur d'entreprendre des démarches pour obtenir l'asile politique, au bout d'un an on le lui refusa, il avait fait appel et flippait à mort dans l'attente du verdict final – lequel pourrait bien ressembler à l'expulsion vers un pays tiers, purement et simplement.

— Je crois qu'il y a des bons et des méchants partout ; ils sont nombreux dans tous les camps : les honnêtes et les malhonnêtes, décréta sentencieusement Vera, la journaliste bouddhiste.

— Déconne pas, c'est trop puéril, ce que tu viens de dire. Et le fascisme, alors ? Ne viens pas me raconter qu'il y a des braves gens chez les fascistes ! Enfin merde, Vera, c'est le parti de la haine ! riposta un homme qui avait fait un mariage d'amour avec une Arlésienne enceinte, bouleversée par ce qu'elle entendait (elle n'avait peut-être jamais assisté à des débats politiques qui s'avéraient aussi passionnés, sinon plus, que des discussions à propos d'un match de foot).

— Tu as raison, remarqua Vera, mais ils ont convaincu une grande masse d'innocents, précisément parce que les autres se sont endormis sur leurs lauriers.

— Je ne dis pas le contraire, mais ils attendent quoi, les autres ? S'ils se magnent pas le cul, il sera trop tard, fit le garçon qui avait eu le tort de demander l'asile. Dans Cette-Ile-là, j'aurais donné ma vie pour être étranger ; je ne peux pas compter le nombre de fois où on m'a arrêté parce que je m'étais fait passer pour un Suédois, un Italien, ou un Mexicain. Ici, enfin je suis étranger, et je suis toujours dans la merde.

Je lançai tout à coup :

— Moi j'ai de l'espoir, je crois que les hommes de bonne volonté réussiront à s'amender.

Tous les regards, éberlués, ont convergé sur moi.

— Que Dieu t'entende ! Car je ne veux pas penser qu'en l'an 2000 je devrai faire mes bagages et repartir à zéro ailleurs, avec quarante ans sur le dos, répliqua Anisia.

— Il n'arrivera rien, ai-je garanti comme si je m'étais penchée sur l'avenir du monde dans une boule de cristal, pour préciser aussitôt que de toute façon la politique ne m'intéressait pas et que mon opinion n'était basée que sur l'intuition.

— Bénies soient tes paroles ! Car avec mes cheveux crêpus, on ne voudra pas de moi, ni ici ni ailleurs en Europe, avança une mulâtresse en se passant les doigts dans les cheveux pour les lisser.

— Et si ça commence à sentir le roussi, on repart dans Cette-Ile-là. En espérant qu'à ce moment-là, la liberté y régnera, voulut conclure Pachy.

— Retourner là-bas, mon cul ! déclara César. Si je le fais, ça devra se passer dans des conditions ultra-sûres ! Je n'accepterai pas l'ombre d'une humiliation, ni des contraintes, ni des pédaleries au Liban…

Cette dernière expression signifiait, en l'occurrence, qu'il ne permettrait aucune sorte d'avilissement.

Je me suis mise à trembler, prête à leur raconter que j'étais retournée là-bas, mais je m'en abstins de crainte de briser bien des illusions, à moins qu'ils ne s'acharnent sur moi, au contraire, en me qualifiant de traîtresse ou de vendue au dictateur.

— Nous en tout cas, on sera toujours dans l'opposition, affirma Samuel. (Les autres l'interrogèrent du regard et un silence poli s'instaura.) Forcément, car nous sommes pour la plupart des intellectuels et des artistes.

— Moi je ne serai pas dans l'opposition si une nouvelle gauche gouverne, lui reprocha Pachy.

— Je demande à voir ; je suis d'accord avec toi, mais seulement si elle est vraiment nouvelle, démocratique, juste, honnête… Et tout cela, une fois qu'on a le bâton de commandement entre les mains, c'est plutôt difficile à assurer.

— Le bâton ou le sceptre ? riposta Vera. Et la femme, quel rôle joue-t-elle dans les plans futurs ?

— Le futur est femme, décréta Samuel.

— Une phrase toute faite, j'exige des faits concrets, s'obstina la journaliste.

— Alors, tu es candidate au poste de Première ministresse ? plaisanta Anisia.

— Moi non, mais je suis sûre que bien des femmes en seraient capables. Enfin, changeons de sujet. Moi je n'aime pas les Américains.

— Tu aimes qui ? Les Français qui pillent des monuments et se livrent au trafic des œuvres d'art ? Les Espagnols qui exterminent des mulâtresses dans des hôtels cinq étoiles ? Les Canadiens qui envahissent les plages de ton enfance ? Les Italiens qui fument les champs de tabac et boivent le meilleur rhum ? Les Américains sont plus près : l'investissement de haine coûterait moins cher.

C'était Anisia qui parlait.

— Les Américains, qu'ils aillent se faire enculer. La solution serait un gouvernement constitué par ceux de l'intérieur et ceux de l'exil.

César résolvait la situation comme un de ses tableaux, à grands coups de pinceaux.

— Encore une utopie. La seule chose que la dictature obtiendra, c'est que les gens se rapprochent de plus en plus des Américains, ai-je dit.

— Qu'est-ce que tu as contre l'utopie ? lança le jeune homme sur un ton de défi.

— Moi, rien. Changeons plutôt de sujet. En tout cas, ce ne serait pas sain de s'emballer et de repartir là-bas deux minutes après que tout aura changé, si jamais ça change ; à mon avis, le plus recommandable ce serait d'attendre. D'observer d'abord, de décider après.

Là-dessus, ç'a été le foutoir : les uns proclamaient à grands gestes que pour rien au monde ils ne retourneraient là-bas, jamais de la vie ; d'autres jugeaient la situation sans issue, même après l'élimination du dictateur ; d'autres encore, vraiment nostalgiques, rêvaient de se réinstaller dans leur pays, d'y travailler, d'y fonder une famille, et de se faire enterrer dans leur terre, ils étaient dans leur droit ; certains observaient la scène, résignés. Je faisais partie de ce groupe : j'accueillerais volontiers n'importe quelle option, mais avec une extrême prudence, il faudrait réfléchir et analyser la situation individuelle de chacun. Pour ma part, le moment venu, j'essaierais de prendre les choses calmement, ensuite à moi les belles vacances au bord de la mer ; jouer enfin les touristes dans mon propre pays ! Ça ne serait pas si mal, et pour la suite des événements, on verrait. Ce genre de conversation avait le don d'exaspérer Samuel, mais au lieu de s'exciter et de proférer des insultes comme les autres, il préférait décrocher, se taire, renoncer, se volatiliser dans la nature.

En été, en pleine nuit, après nous être disputés pour les idioties habituelles, on allait presque tous se rafraîchir les idées au bord de la Seine, qui remplaçait pour nous le parapet du Front de mer. On emportait des packs de bière, qu'on liquidait en quelques minutes. Alors on jouait, un peu comme cette bande d'amis exilés à Paris du roman de Mario Benedetti, à évoquer des lieux de La Havane, des repas obligés, des livres officiels. A nous remémorer tout un passé. C'était drôle, mais angoissant aussi. Nouveaux amis, nouvelles nostalgies.

— Voyons, comment s'appellent les rues qui font l'angle avec la Moderna Poesía ?

— Facile, les rues Obispo et Bernaza.

— Qu'est-ce qu'il y avait à l'intersection des rues Muralla et Teniente Rey ?

— Une cafétéria.

— Exact. Mais comment s'appelait-elle ?

— La Cocinita.

— Donnez-moi le nom de l'émission de télé où il fallait deviner des faits historiques.

— "Ecrivez et lisez."

— Une doctoresse y participait, elle s'appelait comment ?

— La doctoresse Ortiz, il y avait aussi le docteur Dubuché, le troisième, j'ai oublié.

— Comment s'appelait le collège de la plaza de Armas, là où se trouvait autrefois l'ambassade américaine ?

— Putain, c'est là que j'étais élève ! Bâtisseurs du futur. Nous, on le surnommait Mangeurs de pain dur.

— Quel était le plat unique de l'année soixante-dix ?

— Pois cassés mon amour.

— Comment s'appela l'année soixante-huit ?

— Année du Guérillero Héroïque.

— Quelle glace est devenue à la mode dans les années soixante-dix ?

— Le frozen.

— Et La Havane s'est remplie de…

— Pizzerias.

— Citez-moi le livre le plus lu à Cuba.

— *Le Diable et la Religion*. De Frey Veto[1].

Rires.

— Qu'est-ce qu'il y avait, à l'angle du Paseo del Prado et de la rue Neptuno ?

— Le restaurant Caracas, et au-dessus l'Ecole de karaté du Minint[2].

1. Il s'agit de *Fidel et la Religion. Entretiens avec Frei Betto* (1985). *(N.d.T.)*
2. Ministère de l'Intérieur. *(N.d.T.)*

— Et à côté ?

— Le cinéma d'art et d'essai Rialto. Et au coin des rues Consulado et Neptuno, le bar Los Parados. Parfois, je rêve que je marche dans une avenue de Paris, je tourne au coin d'une rue et je tombe sur le boulevard de San Rafael. Quelle déception au réveil !

Le fleuve miroitait, illuminé par les bateaux-mouches. Nous devenions la cible des flashes des Japonais, l'écho de nos divagations se propageait sur les vaguelettes, nos éclats de rire prenaient la teinte de cette eau couleur de jus de canne, nous restions là à méditer jusqu'à l'aube. Nous accomplissions des rites extravagants en l'honneur d'une jeunesse maltraitée ou moribonde. Par exemple, un 28 octobre, nous avons lancé des fleurs blanches dans la Seine en l'honneur de Camilo Cienfuegos, mais cette fois nous avons pleuré de notre propre ingénuité, de cette nostalgie qui nous avait poussés à accomplir un acte aussi ridicule. Samuel et moi, nous sommes devenus inséparables. C'était curieux qu'il n'ait pas éprouvé le besoin d'une liaison avec une jeune fille, française de préférence. La régularisation de ses papiers se présentait de plus en plus mal. Nous nous plaisions, je le savais depuis un bon moment, mais il n'osait pas me l'avouer, et de mon côté, je ne le souhaitais pas. Pourtant, j'ai failli bien des fois me jeter dans ses bras, me pendre à son cou, l'embrasser, mais alors j'étais terrorisée à l'idée que notre amitié parte aussitôt en fumée. Et naturellement, je réprimais mes impulsions ; je suppose qu'il en faisait autant.

Il dépensait une fortune en coups de fil internationaux, tantôt à sa grand-mère, tantôt à la famille de Monguy à La Havane, tantôt à Andro, à Miami. Nous avons appris ainsi que Mine avait décidé d'épouser Le Bègue, qui était toujours en prison. Samuel apprécia ce geste comme une marque d'héroïsme et de belle fidélité, comme une preuve d'amour incomparable ; moi, je me méfiai.

Il me raconta cela au Cluny, le café situé à l'angle des boulevards Saint-Germain et Saint-Michel ; on s'y était donné rendez-vous pour déjeuner, las de manger des haricots noirs et du porc rôti ; nous avions l'intention, après le repas, de visiter les sites parisiens de *Marelle*, le roman grandiose de Julio Cortázar. J'éprouve une attirance particulière pour la rue Gît-le-Cœur. Ci-gît le cœur où Horacio Oliveira va rencontrer la Sibylle et où il se met à dialoguer avec un *clochard**. Je commandai de la morue à la provençale, qui n'est autre qu'un poisson haché avec de la purée de pommes de terre et passé au four, qu'on présente dans un plat en terre ; lui prit du colin grillé garni de carottes et de haricots verts. J'avais l'appétit coupé : chaque fois que je goûte à un mets délicieux, je ne peux m'empêcher de penser aux privations que subissent les miens dans l'île. Nous en étions à la mousse au chocolat quand il m'annonça la nouvelle de leur mariage ; j'en restai pétrifiée, mais je ne fis aucun commentaire.

— Tu ne dis rien ? Tu devrais te réjouir, ce sont tes amis.

Il insistait, voulant me soutirer une réaction.

Je constatai, l'air de ne pas y toucher :

— C'est vrai, tu connais aussi Minerva, je l'avais oublié.

— Qui ? Mine ? Je pense bien. Elle était devenue très copine avec ma grand-mère. Tu sais, après la mort de mon père, elle s'est métamorphosée en bonne fée, ou en grande sœur, si tu préfères ; enfin, n'exagérons rien, mais elle nous rendait visite régulièrement et m'apportait des cadeaux. Je crois qu'elle venait plutôt pour Le Bègue, comme elle savait qu'il habitait au dernier étage, eh bien…

Je fis remarquer, les yeux baissés fixés sur la *mousse**, trop amère à mon goût :

— Tu ne m'en as jamais parlé, de la mort de ton père.

— C'est ma mère qui l'a assassiné. Il est mort carbonisé. Elle a découvert des lettres de sa maîtresse. Ça l'a rendue jalouse. Elle a dilué une poignée de comprimés dans son rhum et quand il s'est écroulé, elle a vidé deux bidons d'alcool à brûler sur son corps et a craqué une allumette. En un clin d'œil mon père s'est transformé en torche.

Il fit ce récit les yeux secs ; manifestement, il n'avait pas l'habitude de raconter cette histoire tous les jours, mais il n'en paraissait pas affecté ; il pouvait cacher ses émotions avec dignité.

J'en eus les doigts paralysés ; je dois admettre qu'à la lecture de son journal j'avais été prise de nombreux soupçons ; une crampe intérieure avait tiré la sonnette d'alarme dans mon esprit. Je me répétais sans cesse, pourquoi fallait-il que ce garçon connaisse les mêmes personnes que moi ? Pourquoi vivait-il seul avec sa grand-mère ? En outre, je ne pouvais effacer de mon esprit la scène où lui et Anxiété évoquaient leurs traumatismes personnels et où il décrivait sobrement à la jeune fille la mort de son père et sa décision de renoncer à sa mère. Tout cela, je ne pouvais l'éliminer de mon disque dur. Mais par la suite, la conquête de son amitié l'emporta sur mes doutes, et pouvoir le regarder, là devant moi, le caresser du regard, cela me comblait de plénitude. Depuis que Samuel était entré dans ma vie, je vivais inondée d'harmonie, je prenais plaisir à

288

sa gaîté communicative, je me sentais respectée, admirée, aimée, par un être dont la qualité dominante était la bonté de cœur. (Ce qui prime chez Samuel, c'est sa bonté plutôt que sa gentillesse.) Ce qui, je le savais par expérience, était une denrée plutôt rare. Donc, je venais de l'apprendre, de découvrir le pot aux roses, comme on dit : Samuel n'était autre que le fils de Jorge, l'idylle brûlée, cet enfant qui allait tous les après-midi, donnant la main à son père, au parc des Amoureux ou des Philosophes, cela revient au même, pour y jouer au base-ball. Samuel n'était autre que cet adolescent épiant dans l'escalier, au cours de la soirée sur la terrasse de Monguy, lors de mon initiation sexuelle. Mais qu'est-ce qu'elle avait à voir, Mine, dans cet embrouillamini, en jouant la fille charitable, "la bonne âme de Setchouan" ?

Je murmurai :

— Doux Jésus, quelle horreur !

— C'est du passé. Tu as la chair de poule, tu grelottes, est-ce que tu te sens mal ? Ecoute, pardonne-moi si je t'ai fait souffrir avec cette histoire macabre...

Il prit ma main dans la sienne, ce n'était pas la première fois qu'il le faisait, combien de fois on avait avalé des films d'horreur enlacés devant l'écran de télévision, ou alors quand on était pintés, bourrés à mort, on se serrait l'un contre l'autre pour stimuler notre tendresse.

— Oh, Samy ! c'est toi qui dois me pardonner.

Je n'en ai pas dit plus.

— Connais-tu le musée d'en face ? demanda-t-il pour détourner la conversation. (Je fis une moue signifiant que je ne voyais pas de quel musée il s'agissait.) Celui de Cluny, le médiéval...

— Ah, oui ! Ils ont fait des excavations, il est assez fatigant, mais j'aime bien parcourir ses salles.

— Je n'irai jamais. Quand j'étais encore là-bas, sur l'île, des amis m'avaient envoyé des cartes postales des six tapisseries de *La Dame à la licorne* ; je passais des heures à les contempler comme un couillon, amoureux de la madone, alors je ne veux pas être déçu, c'est pourquoi je n'irai pas voir les originaux. Ça m'est déjà arrivé avec *La Joconde*, j'avais trop idéalisé ce tableau.

— Arrête, c'est une merveille.

— Sans doute, mais quand je me suis trouvé devant, l'enchantement s'est évanoui, ou alors j'étais resté si longtemps ensorcelé par les reproductions des livres d'art qu'après avoir vu l'original, l'une de mes grandes aspirations s'est dissipée.

— Je te comprends : moi aussi j'ai renoncé à la photographie pour des raisons à peu près similaires. Renoncé à en faire, je veux dire. Même si, de temps à autre, je me fais plaisir, alors je me paie une expo, ou je presse le bouton de mon obturateur, histoire de vérifier que je ne suis pas encore fichue, que je peux encore m'impressionner.

C'est lui qui a réglé l'addition et nous nous sommes promenés, enlacés, le long du boulevard Saint-Michel sur le trottoir ombragé, celui du *Bazar de la musique*, où l'on vend des disques et des livres à dix francs et où se trouve une grande salle consacrée à la loterie. Nous sommes descendus en silence vers la Seine. J'interrogeai ma conscience, je le lui dis ou pas ? Je m'autoconseillai : ne t'y risque pas, tu le perdras pour toujours. Ne fais pas cela, tu assassineras un autre ami. J'ai besoin de lui, ai-je songé, égoïste. Non, il ne le saura jamais, au grand jamais. En tout cas, ce n'est pas moi qui le lui apprendrai. Et Minerva ? Elle va moucharder le tout par lettre, par téléphone, par fax ou par Internet.

— Oui, ça me revient maintenant, je crois t'avoir vue...

Mon épouvante fut telle que je ne pus lui demander où, dans ma terreur qu'il ait deviné, mais, à en juger par son intonation désinvolte ça n'en avait pas l'air.

— Mais si ! Tiens, tu vas t'en souvenir tout de suite. C'était chez Andro dans une de ces soirées qu'il avait commencé à organiser quand Le Bègue s'était mis dans la tête de marcher et de parler à l'envers. Vous étiez à la veille des examens à l'université... ou vous étiez déjà diplômés.

— Pas moi, je n'ai jamais décroché de diplôme. Parmi nous, il y en a eu très peu qui ont achevé leurs études. Moi, j'attendais plutôt mon visa de sortie du pays, j'avais déjà renoncé aux échecs et j'avais épousé le vieux. J'allais à la dérive, majeure et non vaccinée. Bon, continue, car s'il y a quelque chose que je n'ai pas raté dans ma vie, c'est une seule nouba chez Andro.

Il disait vrai. J'étais en blanc, avec une mini-jupe cloche et un corsage en stretch ; il pleuvait à torrent, et je suis arrivée dans un état épouvantable. Andro avait débarrassé le salon de son mobilier en osier ; au milieu, trônait une magnifique chaîne Aiwa posée en haut d'un meuble verni couleur champagne ; en bas, on pouvait apprécier sa richissime collection de musique de tous les temps, y compris les plus actuelles. Un plafonnier *art nouveau** décorait la pièce. A la cuisine, Andro préparait un riz safrané garni de crevettes achetées au marché noir à un scaphandrier, lequel, au bout de quelques semaines, s'en irait à Miami à la rame, sur une chambre à air de tracteur. Ana était déjà une actrice de télévision et de théâtre consacrée, qui animait une émission-vedette de musique rock, une vraie idole des jeunes. Elle y était parvenue en luttant de toutes ses forces, au prix d'un séjour de cinq ans dans l'Ile de la Jeunesse, à cultiver et à récolter des pamplemousses. Andro produisait des enregistrements de *troubadours* novices ; après s'être farci trois ans d'études de chimie en Hongrie, il avait dû revenir dare-dare, vu le danger qu'il y avait à poursuivre des études dans un pays trouble aux prétentions capitalistes, selon le point de vue de quelque défaiseur de destins. Luly était sur le point d'achever ses études d'anglais, elle conjuguait plutôt mal et n'était même pas capable de traduire des films en version originale. Igor, ingénieur mécanicien, avait été placé dans une usine à produire des boulons, comme celle de Chaplin dans *Les Temps modernes*. Oscar était devenu critique d'art, de manière autodidacte, grâce à la lecture ; il accompagnait comme orateur les peintres Pachy et César pour leurs vernissages, dans tous les coins de la capitale. Evidemment Andro avait invité par ailleurs d'autres artistes de notre génération, car c'était l'époque où naissait un mouvement pictural spontané, qui ne tarderait pas à devenir célèbre et à donner des cheveux blancs aux autorités officielles. Nieves faisait semblant de faire la vendeuse dans une diplo-boutique en dollars, mais tout le monde était au courant de ses activités. Saúl nous ravissait par ses récitals de piano de Bach, Chopin, Lecuona, et par ses compositions strictement personnelles ; il écrivait aussi de la musique de film. Il vivait chez l'habitant à Alamar. José Ignacio, malgré des études d'arabe, s'était vu forcé de passer à l'anglais et il dut magouiller pour faire le guide de tourisme. Roxana travaillait comme bouchère, pourtant elle était bel et bien diplômée de l'Ecole vétérinaire. Enma décida de passer une licence de géographie mais n'exerça jamais ; à l'époque, l'essentiel consistait à mettre la carte de l'île à l'envers et à la transformer en victoire grâce à la nouvelle division politico-administrative ; bientôt, elle put partir comme la plupart des autres. Cela ne se produisit pas d'un seul coup. Randy, muni d'un certificat de dessinateur de l'Ecole d'arts graphiques, illustrait des revues et des journaux pour enfants. Winna publiait des poèmes ainsi que des romans de science-fiction à succès, édités sur papier de bagasse ; en outre elle écrivait des scénarios de films, dont certains furent même mis en scène par l'opération du Saint-Esprit. Enfin, Kiqui, Dania, Lachy... il ne manquait pas un chat. Nous étions les piliers de ces soirées genre nostalgie anticipée, de celles que l'on célèbre en vue de séparations futures. Ce soir-là, Samuel et Silvia étaient aussi de la fête. Je fis donc la connaissance de Silvia, une jeune fille très cultivée qui exerçait comme avocate spécialisée dans les affaires du COMECON, mais prétendait avoir des dons de cantatrice d'opéra ; nous avons sympathisé d'emblée, elle possédait un flair incroyable pour détecter au premier coup d'œil les bonnes ou mauvaises ambiances. C'est pourquoi elle se mit à préparer un doctorat sur l'économie capitaliste, avant que le COMECON ne boive la tasse. Elle avait un défaut, elle jacassait comme une pie, mais quant à son esprit de solidarité, il ne s'est jamais démenti ; je le répète, nous sommes devenues tout de suite très copines, et notre amitié dure jusqu'à présent, je doute qu'elle puisse jamais se briser.

Je n'ai pas le souvenir de Samuel adulte autant qu'il l'a de moi. C'était, je suppose, ce jeune aux cheveux en bataille, qui avait porté une caisse de bouteilles de bière sans étiquettes, le même qui était resté toute la nuit assis sur le muret de la terrasse sous les lianes, mais très attentif, veillant à ce que Monguy le Bègue ne dépasse pas la mesure côté alcool. Mine était venue sur le tard, elle apportait des friands au fromage franchement dégueulasses, tout racornis. Samuel se souvient qu'Igor m'a invitée à danser et que nous avons créé une chorégraphie où il me lançait et me rattrapait au vol, j'étais ultramince, il a même eu peur que je me désarticule. Sur le coup de minuit, Andro a passé ses disques interdits de musiciens de Miami, on a chanté à tue-tête, on a dansé comme des fous, on avait inventé une danse, baptisée le Cochonnet : elle consistait à rester debout immobiles puis, quand Andro s'écriait "on va faire le Cochonnet", on se jetait par terre sur le carrelage d'un vert pompéien, entassés les uns sur les autres, et on en profitait pour se tripoter, jusqu'au moment où le Délégué est venu nous ordonner de nous taire et nous menacer de faire appel à la flicaille si on n'arrêtait pas de faire chier le monde avec nos chansons provocatrices. Finalement, après avoir éclusé les fonds de bouteille, vérifié qu'il ne restait plus la moindre goutte d'alcool, le moindre petit brin d'herbe, on regardait une cassette vidéo du film de León Ichaso *El Súper*, un autre interdit, et on pleurait à chaudes larmes sur tous ceux qui avaient dû quitter l'île, car ça parle justement de ça, une famille cubaine en exil, et on était terrorisés rien qu'à l'idée d'être à leur place, ne serait-ce qu'une seule journée.

Samuel raconte qu'à la fin, la plupart des filles sont reparties en couples et qu'il a été bien content de nous voir filer seules, Silvia et moi, descendre la côte de la rue Onze jusqu'à l'arrêt du bus 27, rue Línea. Il nous a poursuivies plein d'espoir, car il s'était amouraché de Silvia, c'est pourquoi il nous a couru après à fond de train. Il m'a dit qu'il a même pu suivre notre conversation, qu'elle portait sur les monuments historiques universels que nous rêvions de visiter un jour avant de mourir, et que cette fatalité l'amusa. Il a vu Silvia prendre le bus 82, moi j'ai disparu dans le flot humain qui a pris d'assaut le 27, un Girón qui lâchait plus de pollution que Tchernobyl. Quant à lui, il est rentré à pied, amoureux, ou quasiment, d'une femme différente. Je ne comprends pas où il a trouvé la différence.

— Je me demande pourquoi je ne t'avais pas remarquée davantage, je crois que tu m'as fait peur par ta façon de te trémousser, a dit Samuel en refrénant mes propres souvenirs.

J'ai répliqué :

— D'ailleurs, j'étais plus âgée que toi. A cet âge, la différence paraît plus prononcée.

— Et après ? Silvia l'était davantage encore, et elle m'a plu. Les filles de mon âge ou plus jeunes que moi ne m'attirent pas. Ne crains rien, je ne suis pas en train de te draguer, j'ai eu du temps de reste pour le faire.

Il m'a serrée encore plus fort contre lui.

— Du temps, oui, mais pas l'occasion.

Perturbé par ma froideur, il s'écarta de moi.

Cependant, je m'entendis exprimer exactement le contraire de ce qui me bouleversait à cet instant. Depuis que j'avais eu confirmation de l'identité de Samuel, un désir plus fort excitait mes sens et m'incitait à m'embarquer dans une relation sexuelle avec lui, et ce, malgré moi. Ce fut comme un élan subit et affolant, une impulsion sauvage d'achever avec le fils ce que j'avais commencé des années auparavant avec le père. Enfin, avec son père, cela avait culminé dans l'horreur : il me fallait donc réparer le mal. Mais comment ? Puisque c'était justement en raison de cet événement traumatisant que mes liaisons amoureuses tournaient mal les unes après les autres, sans jamais accéder à un minimum de stabilité. Cette énigme paralysait tout autant ma raison que ma passion de sorte que, asphyxiée et réfractaire à toute sensation, je préférais la fuite. Je pouvais aimer quelqu'un tant que cette personne ne me convoitait pas à outrance. J'obéis sur-le-champ et sans efforts à mon instinct asexué et je résolus d'écarter l'idée de séduire mon ami. Et s'il se lassait d'aspirer à un rapprochement différent, de guetter un signal de ma libido ? Que faire s'il renonçait ? Que deviendrais-je sans la présence de Samuel ? Qu'en serait-il de moi si mon désir était une nouvelle fois frustré ? Il n'existait pas de plus grand bonheur que d'ouvrir la fenêtre de ma chambre par les matins enneigés, et de le réveiller en tambourinant à la sienne. Il arrivait en bâillant ; il me soufflait un baiser, tendait le bras, me prenait la main et ainsi, les doigts entrelacés, nous commencions l'hiver.

— Tu exagères. Tu me prives de toi encore une nuit, plaisantait-il.

Car j'étais certaine qu'il plaisantait.

— Eh bien, trouve-toi une franchouillarde puante qui t'entretiendra.

— Ma queue va s'esquinter, à force ; je vais la casser à coups de branlettes somnambuliques.

Il proclamait qu'il allait uriner pour faire descendre sa trique ; après quoi, nous prenions notre petit déjeuner ensemble.

Rue Saint-André-des-Arts, d'innombrables touristes se mêlaient aux galeristes, étudiants, éditeurs, employés de bureau, motards, libraires et vendeurs de bijoux de pacotille aussi bien que de modèles haute couture, tous libérés de leurs activités par la pause du déjeuner. A deux pas de la rue Gît-le-Cœur, nous sommes tombés sur Adrián, un Cubain assidu aux soirées d'Anisia et de Vera ; il travaillait à la FNAC au rayon musique tout en rédigeant une thèse sur le boléro, à l'université de Paris-VIII. C'est un beau garçon sympathique, studieux et jouisseur à tous crins, qui danse comme personne. C'était un hasard de le rencontrer là car il habite sur l'autre rive de la Seine et n'a guère le temps de mettre le nez dehors, sauf pour fréquenter la bibliothèque et les soirées. La nuit, en revanche, c'est un pilier des bars du Marais. Mais il passe très rarement sur la *rive gauche**.

— Eh, qu'est-ce que vous fabriquez ? nous demanda-t-il, les yeux plus brillants et plus verts que jamais.

— Oh, rien de spécial, on fait un parcours littéraire, le Paris de *Marelle*, répondit Samuel, content de le revoir.

— Vous faites bien de vous cultiver. Moi, je sors de chez un copain qui vient de débarquer de Cette-Ile-là, il m'a apporté du courrier et des cadeaux. Ne ratez pas ça… (Il prit, dans un sac plastique du Bazar de l'Hôtel-de-Ville, rien de moins que la mammée la plus maousse que des yeux humains aient jamais contemplée. Au total, quatre mammées, cinq mangues et une poignée de cailloux du sanctuaire de la Charité du Cuivre.) Tenez, je vous en offre un à chacun. Pourquoi est-ce que vous ne faites pas un saut à la maison ? Je vous invite à boire un milk-shake à la mammée.

Je refusai, émerveillée devant un tel trésor.

— Nous venons de déjeuner. Merci. Les mammées, c'est la vie même. Tu sais combien il est difficile de trouver un fruit là-bas, et voilà qu'on t'en apporte jusqu'à Paris.

— Des combines. Faut pas croire, mon ami a dû se transbahuter à Santiago pour s'en procurer. En dolluches, comme de juste. Même les cailloux du Sanctuaire du Cuivre coûtent un dollar. Pour comble, il a failli se faire confisquer le tout à la douane. Comme quoi, les cailloux ont servi à quelque chose.

Il racontait cela avec une joie semblable à celle qu'éprouve un gagnant de la super-cagnotte de la loterie de Noël.

Il nous a tenu compagnie jusqu'à mi-hauteur de la rue, nous lui avons demandé s'il avait envie de s'asseoir un moment sur le bord du trottoir, juste pour observer les passants. Il était pressé, il prit une mammée et nous l'offrit avant de partir en direction de la Seine. Emus, nous ne savions comment le remercier d'un tel geste, ce n'est pas faute de trouver de tels produits exotiques à Paris, mais le fait est que, venant de là-bas, ils ont l'odeur de là-bas, et ce n'est pas tout le monde qui serait disposé à se défaire d'un fruit aussi convoité. Ce qu'il venait de nous donner, Adrián, c'était une marque d'amitié extraordinaire. Nous n'allions pas l'oublier, lui avons-nous assuré, et nous avons ri tous les trois en nous embrassant, les poings crispés, les yeux pleins de larmes de nostalgie.

— Oh là là ! n'exagérons rien, à croire que je vous ai offert *La Jungle* de Lam !

Il se hâta de prendre congé, pour éviter d'autres manifestations de sensiblerie.

Samuel et moi, nous sommes restés assis deux heures sur le bord du trottoir, à nous remémorer des poèmes, des passages de romans dont l'intrigue se déroulait à Paris ou à La Havane. Nous rêvions, mais pas si loin de la réalité, car c'étaient les promeneurs qui inspiraient notre jeu : Ce monsieur au parapluie noir, qui ça pourrait être ? Swann. Mais non, on n'est pas sur les Champs-Elysées, réfléchis un peu, Samuel. Je ne devine pas, je ne vois pas. Henry Miller. Penses-tu, trop élégant ! James Joyce. Et ce type maigre et timide, qui dissimule son maniérisme ? *Alexis, ou le Traité du vain combat*. Pas du tout, Alexis n'est pas aussi actuel, d'ailleurs je ne crois pas qu'il ait été maniéré. Regarde, regarde, ne la manque pas, c'est le double d'Elsa Triolet. Oui, ou plutôt Martine, l'héroïne de *Roses à crédit*. Ce garçon très jeune aux grands yeux égarés, n'est-ce pas Rimbaud ? Tu délires, c'est Villon. Rien à voir. Le grand barbu, là, c'est le double de Julio Cortázar. Celui au front haut et à la grosse moustache. Merde, mais c'est Martí. Regarde le type à la tête bandée. Nous nous sommes exclamés en chœur : Apollinaire ! Le temps s'écoula ainsi. Jusqu'au moment où le soleil se coucha et où une pluie bien convenable avec une rafale de vent toute cartésienne nous précipita dans une course joyeuse et effrénée vers la station du métro Saint-Michel. Nous avons changé à Châtelet et de là, direct à Saint-Paul. Quand nous avons émergé, il ne pleuvait plus sur la ville ; le soleil nous reçut, ainsi qu'une vague de froid. Pourtant, le printemps s'annonçait mais cette année plus que jamais, il jouait les paresseux.

On n'avait qu'une idée en tête : arriver à la maison et faire le milk-shake à la mammée. En chemin, on a acheté à Monoprix une boîte de lait concentré, selon le conseil d'Adrián : "Surtout ne faites pas l'erreur de mixer vos fruits avec du lait de vache ou du condensé, la boisson authentique doit être à base de lait concentré, sinon ça n'ira jamais, parce qu'elle n'épaissira pas comme il faut selon les normes du bon goût." Après avoir préparé les ingrédients, nous avons téléphoné à Pachy et à César pour qu'ils viennent savourer le dernier cri en matière de super-sensations de l'au-delà. Pachy se fit excuser, car il était en train de monter une exposition, sans compter qu'il avait rendez-vous à la préfecture, en vue de sa naturalisation. César n'a pas décroché son téléphone, il devait être en train de dormir, car il peignait jusqu'à l'aube et allait se coucher au chant matinal de ses colibris imaginaires. Samuel s'éclipsa quelques instants, histoire d'aller écouter ses messages sur le répondeur. Je fis le bilan de ce qui s'était déroulé l'après-midi, je passai en revue notre conversation au Cluny. Je ne pouvais pas écarter la possibilité qu'il contacte Mine à l'avenir et qu'elle lui fasse le récit des événements ; alors se déchaîneraient la tragédie, la rupture, l'absence. Je devais faire preuve de sincérité envers lui, lui exprimer mon chagrin, mon repentir le plus profond. Mais me repentir de quoi ? D'avoir écrit une vingtaine de lettres à son père ? Quand bien même je ne lui avais jamais adressé la parole. Mais enfin, Marcela, à cause de cette maudite correspondance, son père n'avait même pas eu le loisir de raconter l'histoire, on l'a transformé en torche vivante.

J'en étais à ce stade de mes réflexions quand Samuel revint, décomposé, blanc comme un linge ; moi qui le connais comme si je l'avais fait, je savais que la seule chose qui pouvait le transformer d'une manière aussi viscérale, c'était la fureur. Il resta coi. Je me dis que je devrais lui tirer les vers du nez. D'ailleurs, il n'aimait pas se complaire à l'évocation de ses malheurs, il n'aimait pas décrire ses souffrances aux autres, ce qui, à certains égards, m'arrangeait. Allongé sur le canapé, il se couvrit les yeux de son avant-bras et dit quelque chose au moment où le mixer commença à tourner, si bien que je ne pus l'entendre. Aussitôt, j'éteignis l'appareil :

— Je n'ai pas entendu, avec ce bruit…

— J'ai reçu un message de la préfecture, ils ne me donneront pas de permis de travail. Ils me conseillent d'aller aux Etats-Unis. Si j'avais su… Ici en France, ces problèmes de paperasserie sont vraiment chiants, la situation est devenue insupportable. Je n'avais pas prévu ce détail ; autrement, je me serais fabriqué un radeau. A l'heure qu'il est, je serais à Miami.

On le sentait nerveux, effrayé, dirais-je.

— Ne te décourage pas, reste, tiens bon ; eux, ils répètent toujours la même chose.

Ma main se crispa en versant le liquide dense dans les grands verres couleur rose orangé.

— Là-bas, je n'ai qu'Andro, et il ne pourra pas grand-chose pour moi.

La mousse du milk-shake imbiba sa lèvre supérieure, lui dessinant une grosse moustache, tout à fait comme celle de son père, mais en rose.

— A La Havane, tu as fait la connaissance de quelqu'un, un grand ami à moi. Je le sais par ton journal. Je ne t'en avais jamais parlé parce que la coïncidence m'a semblé excessive et que j'ai horreur du hasard. A mon avis, rien n'est dû au hasard. Robert Sullivan…

Je guettai sa réponse.

— Pas possible ! Ça alors, c'est dingue ! La vie est incroyable !

Ma réponse fut à double sens :

— Tu ne sais pas à quel point.

— Eh bien, j'ai perdu sa carte de visite.

Son visage s'était éclairé quelques instants pour s'assombrir à la seconde.

— Ne t'en fais pas, je suis en contact étroit avec lui. C'est Mr Sullivan qui a fait de moi une photographe, je lui dois tout. Il te viendra en aide, j'en suis sûre. Tu partirais pour de bon ?

J'en eus la chair de poule, et ce n'était pas l'effet des glaçons dans le milk-shake *frappé** à la mammée.

— A cause de toi, je ne voudrais pas partir.

Debout, son visage au-dessus du mien, il me prit le menton. Je devinai ce qu'il insinuait, mais je fis la morte pour voir l'enterrement qu'il me préparait.

— Eh bien, reste, je suis disposée à t'aider, tu sais qu'au jour d'aujourd'hui tu es mon meilleur ami, avec Charline…

J'ajoutai ces derniers mots pour ne pas donner lieu à des interprétations erronées, sans compter que c'était la vérité.

— Non, Mar, je veux dire : si… si tu voulais… (Il hésita, lâcha mon menton, reprit sa coupe embuée, qu'il avait déposée sur la table en verre.) Je veux dire : vivre ensemble, en couple… Je suis amoureux de toi, je t'aime, ouf, c'est lâché !

Trente et quelques années sur les épaules, et c'était la première fois que l'on me faisait une déclaration de ce genre avec toutes les syllabes nécessaires, avec ardeur, avec désir, avec peur, avec sueurs froides et claquements de dents. Adolescente, c'était ainsi que j'imaginais les choses. Des années et des années auparavant, j'avais espéré des phrases identiques de la bouche de José Ignacio, des lèvres de son père à lui, et de tant d'autres. Je me sentais tout à la fois flattée et honteuse.

— Ne sois pas complexée. (Il était tombé juste en interrompant ma méditation.) Tu n'es pas tellement plus âgée que moi, je fais plus vieux que toi, tout le monde le dit, j'ai déjà mené mon enquête, les sondages approuvent notre union.

Là, il me charriait.

— Ça ne collera pas. Nous en savons beaucoup trop l'un sur l'autre.

J'ai réagi par ce coup de patte histrionique.

— Je ne comprends pas. Tu veux dire que je ne te plais pas, c'est ça ?

— Je veux dire ce qui est, nous sommes super-copains et nous démolirons notre amitié si nous tombons dans ce que tu penses. Et puis je ne sais pas si tu t'en es rendu compte, mais j'ai renoncé au sexe. Je ne me suis jamais sentie à l'aise dans ce domaine, je ne sais pas comment c'est, tu vois. C'est clair comme de l'eau de roche, je n'y trouve aucun attrait, je suis frigide, en un mot...

Sur ce, je me suis retirée à la cuisine.

— Essaie toujours, a-t-il demandé très gravement.

Moi qui m'attendais à un éclat de rire.

— Tu crois que je n'ai pas essayé, à mon âge ? D'ailleurs, suppose que ça marche, tu ne vas pas mettre ton avenir en jeu juste pour tenter de me guérir d'une maladie chronique. Ou dans le meilleur des cas, pour une histoire sans lendemain, vide de sens.

Je maugréai, convaincue par mes arguments.

— Je suis sûr de ce que je veux, je ferai pareil ici ou ailleurs. Il ne s'agit pas d'un simple caprice, Mar, je te l'ai dit, je t'aime. Seul, je perdrais mes forces. Avec toi, ça sera différent. Tu ne réalises pas comme on se sent bien ensemble ? Enfin quoi, tout ce qui manque, c'est de coucher, je veux dire, de baiser. Coucher on l'a déjà fait mille fois ! a-t-il lancé d'une seule traite.

— Et tu ne t'es pas demandé pourquoi on n'est pas passé à l'acte ?

— Si, mais je n'allais pas te forcer, je voulais laisser du temps au…

— Du temps pour quoi faire ?

Charline m'aurait agonie d'injures pour tant de cruauté.

— Pour avoir la certitude que… de mon côté, c'est du sérieux. Bon, ton milk-shake, il est extra, il en reste ?

Il en restait et je le servis une deuxième fois ; je me plaçai à une distance prudente, debout, hors de portée de sa main. Cependant, il posa sa coupe à terre, sur le tapis imitation peluche d'ours polaire. Ensuite il se leva et avança vers moi.

Je ne l'esquivai pas quand sa bouche toucha la mienne, l'effleura à peine, ce fut un tressaillement qui me transporta dans une autre dimension. Une fois déjà, il est vrai, en jouant aux gages chez Anisia, on nous avait imposé de nous embrasser, mais alors nous étions encore exemptés du poids de la confirmation et avions appris à accepter le soupçon, qui à force de vaticinations paralysait l'intelligence en minimisant le délire, le risque.

— Regarde-moi, je t'aime. Et toi ?

Bien sûr que je l'aimais.

— Oui, moi aussi, mais je sais que dès l'instant où nos relations seront d'un autre type, rien ne sera plus comme avant. La cohabitation détruit l'illusion. Tu as raison de dire qu'il ne nous reste plus qu'à faire crac-crac, mais c'est justement ce qui nous permet de dormir seuls quand on veut, et de nous laisser aller à nos caprices sans avoir de comptes à nous rendre. Mieux, il me semble que nous nous aimons autant parce que nous

nous respectons et savons nous maintenir en terrain neutre.

— Si ce que tu refuses, c'est le train-train conjugal, ne t'inquiète pas ; en faisant un effort nous pourrons continuer comme avant et nous aviserons par la suite. Tu n'envisages pas d'avoir des enfants ?

— J'avoue que la vue des bébés potelés qui jouent à faire des pâtés de sable dans les squares avec leurs parents me fait fondre. Mais je me mets aussitôt à analyser tous les dangers auxquels on expose un enfant : guerres, accidents, morts, solitude, tristesse... alors j'y renonce.

— Tu pourrais ajouter à ta liste : amour, beauté, art, amitié, justice et d'innombrables merveilles, les bébés reçoivent tout cela aussi. Nous aussi on a été bébés...

— Enfin merde, Samuel ! Tu ne vois pas ? Ils t'ont donné quoi, tes parents ? Tu ne te rends pas compte ? Mort, douleur ! Ta mère a assassiné ton père sur un faux indice, par jalousie ; elle n'a même pas vérifié s'il la trompait avec cette gamine ! (J'explosai sans m'apercevoir de tout le mal que je lui infligeais, en lui reprochant le simple fait d'exister.) Pardon, je n'ai pas voulu aller aussi loin...

— Personne n'est parfait. Je ne sais pas si tu es sincère ; si en réalité je ne te plais pas, il est plus facile et moins vexant d'oser le cracher : "Tu n'es pas mon genre, quoi, je ne prendrai pas mon pied avec toi..."

Par bonheur, il n'avait pas remarqué l'assurance avec laquelle j'avais soutenu que sa mère avait fait erreur.

— C'est que je ne prends mon pied avec personne, comment faut-il que je t'explique ça, bordel ? Des rapports sexuels, j'en ai eu, je me suis même fait avorter. Mais je ne suis jamais montée au septième ciel. Ce n'est pas la faute des autres, c'est la mienne ; personne ne pourra résoudre ce problème, car il est en moi. Laisse-moi, va-t'en.

J'allai dans ma chambre et poussai le verrou.

— Merci, *madame le préfet de Police**.

Il murmura ces mots dans le couloir, entre le salon et la chambre.

J'entendis ses pas s'éloigner, le robinet de l'évier couler, un bruit d'assiettes, il faisait la vaisselle. Ensuite, il sortit en fermant à double tour. Le grincement de sa porte m'avisa que je me trouvais libre, mais seule, sans Samuel. Il me reste une courte période de fécondité, je calculai les années que j'avais devant moi jusqu'à quarante-deux ans, âge limite pour procréer.

Le lendemain matin, je me réveillai avec la ferme intention de lui révéler le secret qui, pour un motif atroce, me liait à lui et m'interdisait précisément de le prendre pour amant. Il ne s'agissait pas d'une pudeur radio-feuilletonesque devant l'évidence que Samuel était le fils de Jorge, car je n'avais pas à porter le deuil ou à faire preuve d'une fidélité éternelle envers un être avec lequel je n'avais même pas échangé deux mots. J'étais même certaine que, si j'avais été une personne normale, c'est l'inverse qui se serait produit ; même si son père, Jorge, et moi, nous avions eu enfin des rapports sexuels, c'est sans scrupules que j'aurais eu une liaison amoureuse avec son fils. Non, ce qui me marquait, c'était la mort de cet homme par la faute d'une négligence impardonnable de ma part, mon irruption fatale dans sa vie. Ce qui m'inhibait, c'était d'avoir détruit une famille entière. Si ce degré de culpabilité avait agi comme un obstacle intransigeant lors de mon existence antérieure, comment pouvais-je ignorer l'accident en pareille circonstance et, comble de malheur, devant son propre fils, victime lui aussi, de façon transitive, de ma conduite déplacée.

Le lendemain matin, j'ai frappé à sa fenêtre ; comme d'habitude, j'ai attendu quelques minutes. Il ne s'est pas montré. Au bout d'une demi-heure, il se trouvait dans mon salon, avec un tournesol enveloppé de cellophane et un sachet de *croissants** au beurre. Il a déposé un baiser sur mon front, signe – selon mon interprétation – qu'il pouvait oublier notre discussion de la veille au soir et que notre amitié reprenait là où nous l'avions laissée. J'ai déjà dit combien je déteste les bouquets, je préfère que l'on m'offre une fleur, de préférence un tournesol ou une orchidée. Le tournesol, car c'est la fleur d'Oshún. Le cattleya mauve, en l'honneur de Proust et de san Lázaro. J'ai jeté les pétales de fleurs séchées que je gardais dans un long vase étroit, et j'y ai placé le présent délicat de Samuel. Tandis que je prenais une douche, il a servi le jus d'orange dans deux petits verres, étalé du beurre et de la confiture de fraise sur les toasts, fait chauffer le lait et l'a coloré de chocolat, mis la nappe sur la table et attendu patiemment que je vienne prendre le petit déjeuner avec lui.

— Tu as cours aujourd'hui ? me demanda-t-il. (Car je suivais alors un stage de maquillage.)

Je répondis la bouche pleine :

— Non, heureusement. J'en ai marre d'étudier les masques et les peaux.

— Je t'invite au cinéma.

— Ça me donne le tournis d'aller au cinéma en plein jour, ai-je lancé l'air mauvais. Allons plutôt faire une promenade aux Tuileries ou au jardin du Luxembourg.

Il a accepté en bougonnant.

— Couvre-toi, le temps est traître.

Il alla chercher son blouson de cuir.

Je fus prête avant lui. Comme sa porte était entrouverte, j'entrai. Dans sa chambre, il papotait au téléphone avec Andro, qui se trouvait à Miami, et lui annonçait qu'il s'en irait peut-être le mois prochain, définitivement. Ici mon vieux, ça sent le roussi, je sais bien que là-bas non plus ce n'est pas la joie, mais c'est plus facile d'obtenir des papiers. Voilà ce qu'il racontait, il n'avait pas remarqué ma présence. Marcela ? Elle va bien, enfin tu sais qu'elle n'écrit à personne, elle ne téléphone pas non plus, elle dit que ça lui donne le cafard. Est-ce que tu as des nouvelles de Silvia ? Eh bien tant mieux si elle exerce comme avocate, elle a du pot ! Oui, elle m'avait expliqué qu'elle avait dû faire homologuer une série de diplômes, tu penses, dans aucune université du monde on ne vous impose la série de matières inutiles que nous on a dû se farcir, genre Marxisme I et II, et autres Communismes scientifiques. Bref, elle est sauvée, Silvia. T'as vu ça ? J'fais dans l'allitération. Qu'est-ce que je lui dis, à Marcela ? Que tu l'adores ? Tu sais, tout le monde le lui répète, mais elle s'en fiche. C'est long à expliquer, je te raconterai, maintenant je dois te laisser car c'est justement avec elle que je vais faire un tour, une petite balade dans le coin. Dis donc, je ne peux pas rester ici, ça va de mal en pis ! En plus, je suis complètement mordu de cette femme ; il faut que je mette l'océan entre nous, sinon je vais devenir fou. Hier soir je l'aurais bien tuée, tu sais, j'étais là à lui jurer que je mourais d'amour pour elle, et elle, plus sèche que le Sahara. Si jamais tu peux joindre Mine, envoie-lui des bises de ma part, pour elle et aussi pour Monguy. Ce mois-ci, je ne peux plus téléphoner, ma facture est lourde vu le temps que je passe à parler avec ma grand-mère. Hé ! salue Igor et Saúl. C'est vrai qu'ils t'ont téléphoné de l'hôtel Habana Libre ? Ils sont gonflés, les mecs ! Ils ont barboté une ligne en spécialistes. Je dois raccrocher, p'tit frère, je t'aime, je t'adore et je t'achète pas de pomodores, je t'emmènerai plutôt au cinoche quand on se verra, le mois prochain. Sur ce, tchao.

Il ne put dissimuler sa surprise quand il me vit là, en train de me balancer dans le rocking-chair en osier récupéré dans un dépotoir et rempaillé de ses mains. Ah ! c'est toi, je parlais avec Andro, il t'embrasse et m'a demandé de te rappeler qu'il t'aime. J'ai précisé que j'en étais au même point, moi aussi, dit-il en souriant, comme pour minimiser sa déclaration. Son lit était défait, un vrai foutoir, je voulus le lui retaper. Laisse tomber, il me retint par le poignet, je vais le faire moi-même. Je lui demandai, comme pour gommer sa brusquerie, où il avait acheté cette parure de draps si jolie, avec des dessins de chats et de poissons. Chez Pier Import. Mais j'en ai une pour toi, je ne te l'ai pas encore donnée ? Il alla fouiller dans ses tiroirs et trouva enfin la pochette plastique scellée. C'était le même motif, mais bleu. Pour le remercier, je lui donnai un baiser sur la joue, il en profita pour m'embrasser sur la bouche, je le laissai faire, il embrassait très bien, un vrai régal. Ensuite il m'écarta et se mit à faire son lit. C'était bon ? me demanda-t-il tandis qu'il aérait le drap de dessus et secouait son matelas ; je remarquai plein de poils frisés, signe certain qu'il s'était masturbé, d'ailleurs une serviette blanche maculée de jaune traînait par terre, au pied de la table de nuit. Je voulus répondre, tu sais bien que oui, mais oui, j'ai adoré. Alors, tu ne te décides pas à goûter la suite ? Non, grouille-toi, allons-y. Quoi, il y a le feu ? D'ailleurs je n'ai pas une âme de pompier, et toi ? Nous avons ri pour le double sens, pompier, dans Cette-Ile-là, c'est ainsi que l'on appelle les viragos.

Assis sur un banc du jardin du Luxembourg, nous prenions plaisir à regarder les balades des enfants à dos de poney ; l'un des garçons qui conduisait les animaux est cubain et il nous salua de loin. Samuel, mélancolique, signala que son enfance aurait été tout autre s'il avait pu alors monter sur un poney. Etant plus âgée que lui, je voulus le rendre jaloux et lui racontai que, moi, j'avais eu la chance de connaître encore les petits ânes du parc Almendares, ceux du bois de La Havane, et que mon père m'avait même pris en photo à dos d'âne, j'étais haute comme trois pommes. Ces animaux ne tardèrent pas à disparaître.

C'étaient peut-être des ânes impérialistes, fit-il, moqueur.

Puis, à brûle-pourpoint, il m'interrogea :

— Est-ce que tu as déjà joué à la roulette russe, avenue Paseo ?

Je n'osai pas répondre tout de suite, car en effet j'avais bien joué à ce jeu avec la mort, la nuit même où, quasi adolescent, recroquevillé dans le sombre escalier de son immeuble où habitait aussi Monguy le Bègue, il avait été témoin de la perte de ma virginité. Peut-être qu'à ce moment-là il ne s'était pas rendu compte des faits. Soit il s'en était aperçu mais ne s'en souvenait pas, soit il faisait semblant.

Je le questionnai, soupçonneuse, en essayant de détourner la conversation sur le chemin frivole de l'anecdote :

— Avenue Paseo, avec un revolver, à la barbe des flics ?

— Je n'ai pas du tout mentionné de revolver. Je parle de roulette russe à bicyclette. On était une bande d'une vingtaine de jeunes, ou plus, et on se postait à vélo en haut de la côte de Paseo, à la hauteur du Teatro nacional. A un coup de sonnette, on fonçait à toute blinde, les yeux fermés, sans nous soucier des feux rouges, les plus dangereux étant ceux de la rue Vingt-Trois et de la rue Línea. Il fallait freiner au bord du trottoir du Front de mer, côté parapet. Cette descente, je te raconte pas, le vent nous tirait la peau du visage en arrière. Parfois, les coups de frein d'un bus à un millimètre de mon corps me faisaient perdre la boule, j'arrivais en bas de la côte incapable de me tenir sur mes guibolles. Nous étions en mal d'émotions fortes.

Je ne me donnai pas la peine de demander s'il y avait eu un accident, il me suffit de l'entendre soupirer à la fin de sa phrase pour en déduire que la réponse serait affirmative. Après avoir observé une vieille dame qui jetait aux pigeons les restes d'un pain au chocolat, il soupira de nouveau et, sans que j'aie à insister, il révéla qu'une fille de dix-sept ans y avait perdu les deux jambes. Ensuite, il appuya sa tête sur le dossier en bois du siège et se cacha les yeux sous le bras. Je lui demandai s'il s'ennuyait. Il me répondit que non, mais que tant qu'à faire de rester assis dans un parc européen si bien léché, où les arbres poussaient droit, tous pareils et non pas enchevêtrés comme dans les parcs tropicaux, ce serait beaucoup plus agréable si je causais.

Les sujets de conversation de Ces-Insulaires-là sont limités à l'extrême ; quand on n'aborde pas la politique, on s'amuse à parler de nourriture, d'amour ou plutôt de sexe. La mort, on ne l'affronte jamais, mentionner la Camarde, ça porte malheur, on va même jusqu'à éviter de l'évoquer dans nos blagues. A l'époque de nos vingt ans, un Andro mélancolique décrétait : "Le moment viendra où certains de nos proches et amis commenceront à mourir, n'importe lequel d'entre nous, par exemple. C'est autour de quarante ans que la mort se met à faire des ravages." Avec moi, la Camarde a débuté de bonne heure, mais j'ai choisi de conserver au plus profond de mon cœur ce secret de fiel. Je préfère la mort à la jalousie. Dans Cette-Ile-là, nous n'avons pas pour habitude d'éviter l'angoisse en nous appuyant sur ce que nous considérons comme des banalités. Si nous allons au cinéma ou au théâtre, nous nous gardons bien de faire l'éloge du spectacle ; à peine terminé, l'effet qu'il a produit sur nous se fige et nous le critiquons, soit parce que nous avons honte de paraître ignorants, soit par une pédanterie propre aux gens complexés. Rien de pire que la médisance, comme il nous en coûte d'accepter les qualités ou les triomphes de notre prochain. Surtout si ledit prochain est un compatriote. Seule la danse nous sauve, là ce sont le corps et le regard qui se défient. Samuel et moi avions épuisé les thèmes de la mort, de la jalousie, de la haine, du délire patriotique, entre autres obsessions, il nous restait le sexe et à part l'incident de la veille, nous n'osions jamais, ou du moins très rarement, révéler nos relations amoureuses. De temps à autre, il avait fait allusion à Anxiété ou à Nieves, uniquement parce qu'il savait que j'étais au courant par la lecture de son journal, mais rien de plus. Je décidai de lui en raconter le minimum sur José Ignacio, je lâchai même quelques mots insignifiants sur Paul, mais Samuel n'y prêta qu'une attention distraite.

On avait l'impression qu'avec sa lourdeur de plomb, le jardin du Luxembourg allait se dissoudre en un magma informe, d'une minute à l'autre. Ce jour-là, il ne faisait pas spécialement beau : le soleil dura autant qu'une meringue à la porte d'une école. Soudain, à midi, le temps se rafraîchit, les Parisiens n'avaient pas encore remisé leurs classiques imperméables beiges, café au lait, bleu de Prusse, ou noirs en plastique verni ; désormais pressés, ils durent, en un sublime hommage au printemps, brandir leurs parapluies pour traverser les parcs vers des destinations dûment soulignées dans leurs agendas. Quelque belle femme mûre attendait son amant, avec ce rictus figé au-dessus des sourcils et la ride lui zébrant le nez, rictus typique de celle qui fonce tête baissée pour voir par-delà son regard, ce regard propre aux femmes adultères, jambes croisées et celle du dessus se balançant comme pour marquer les secondes qui vont de là à l'éternité, les mains serrées sur ses genoux pour éviter de fouiller dans son sac à main à la recherche d'une cigarette. Les hommes feuilletaient *Le Monde* et n'abandonnaient leur lecture que pour répondre à un appel de leur portable. Mes pupilles maniaques de photographe focalisaient et cadraient au zoom les profondeurs sentimentales de chacun des personnages. Deux enfants que leurs gouvernantes, ou leurs grands-mères peut-être, tenaient par la main se dirigèrent, excités, vers les poneys. Au moment de les enfourcher, ils ne purent éviter un accès de terreur enfantine et braillèrent à tue-tête. Enfin l'un des deux, le plus grand de taille, se calma et le second l'imita, pas très rassuré. Mes yeux balayèrent tout le champ cinématographique jusqu'au bras de Samuel posé sur ses paupières, puis je fis un gros plan appuyé sur sa peau, je pénétrai, avec une sorte de vice optique, dans ses pores dilatés, les racines de son duvet, leur hérissement. Je lui demandai s'il attendait toujours que je le flatte par quelque phrase insolite. Il le reconnut en hochant la tête de haut en bas. Au fond, au second plan par rapport à Samuel, les arbres commencèrent un doux tangage de branches. Je me persuadai que cela devait se produire maintenant ou jamais. Avoue ou tais-toi pour toujours, Marcela, ne sois pas idiote. Ensuite, incapable de me retenir plus longtemps, les mots jaillirent ; au lieu de m'écouter, je les visualisai inscrits sur le paysage, dissimulant la préciosité de la vieille dame toujours occupée à nourrir ses pigeons, les deux points qu'étaient devenus les enfants dans le lointain, estompant à ma vue les sourires des femmes adultères accueillant leurs amants, me voilant sous des nuages de poussière jaunâtre montant du sol jusqu'aux journaux des hommes qui, via leur téléphone portable, devaient traiter quelque affaire pressante. Mes phrases décollèrent, s'envolèrent de ma bouche et prirent corps, je pouvais les humer, les palper, j'aurais même pu les photographier comme s'il s'agissait d'une escadrille d'avions déployant des banderoles publicitaires dans le ciel ; j'arrivais à les lire comme les sous-titres d'un film dans une autre langue.

— Samuel, je le savais que ta mère avait assassiné ton père. J'ai été mêlée à cette histoire. C'est moi, l'auteur des lettres qu'elle a découvertes dans l'armoire. Je ne sais pas si tu te souviens des après-midi où ton père t'emmenait au parc des Amoureux ou des Philosophes, peu importe son nom, pour jouer au base-ball ; c'était moi qui guettais toujours votre passage vissée sur le balcon de

Minerva ; une fois, j'ai fait dégringoler de là-haut une corbeille en osier où ton père a ramassé une liasse de lettres. Tu as demandé qui j'étais, il t'a répondu, une amie de ta maman. Je ne l'ai plus jamais croisé. Quand j'ai revu Jorge, ton papa, on l'emmenait de chez lui en civière. Ce jour-là, Mine était avec moi, voilà pourquoi sans doute elle s'est tellement liée d'amitié avec vous, c'est-à-dire avec toi et ta grand-mère ; je crois qu'elle a assumé ma faute, vu que tout s'était déroulé sur son propre balcon. Comment pouvais-je deviner que c'était toi, le gamin qui avait débarqué à la soirée sur la terrasse de Monguy ? Je pouvais encore moins imaginer que tu débarquerais à nouveau ici, à Paris, que tu serais mon voisin de palier, que nous serions amis, mais je ne dois pas te cacher que la lecture de ton journal a semé en moi des soupçons que je ne désirais nullement confirmer et qui ne m'ont pas quittée jusqu'à hier.

A mesure que je gribouillais de la voix contre le jour grisâtre, Samuel se mit à changer de position, baissa le bras et, le visage à découvert, regarda droit devant lui, l'œil dans le vague, il s'agita sur le siège, remonta les jambes et les croisa en tailleur à la manière tibétaine, se gratta avec insistance le lobe de l'oreille gauche, serra les mâchoires, pencha la tête et chercha mon visage. Alors je détournai la tête, de sorte que je ne pus constater s'il avait entendu ou non ma dernière phrase. C'est à peine si je l'entendis murmurer :

— Quel hasard… Il y a pire dans la vie. Ce serait plus grave si nous étions frère et sœur et si, sans le savoir, nous étions tombés amoureux comme Leonardo et Cecilia[1]. Ou si, nés à une

1. Héros du premier grand roman cubain, *Cecilia Valdés* de Cirilo Villaverde (1812-1894). Leonardo et Cecilia étaient demi-frères sans le savoir. *(N.d.T.)*

autre époque et conditionnés par notre milieu, nous avions été condamnés à la séparation, à l'instar d'Héloïse et d'Abélard.

Mais quand je lui fis face, la contraction de ses tempes lui faisait saillir les pommettes, un voile épais de poussière et de larmes rendait opaque le beau contraste entre ses pupilles noires et les minuscules étincelles jaunes qui les parsemaient, telles des pépites d'or perforant deux perles de jais nageant, à leur tour, dans deux amphores obliques pleines de lait. D'un seul coup, un siècle de rides lui tomba sur la bouche et il avait beau se mordiller les lèvres, elles restaient serrées l'une contre l'autre, chassant toute expression autre que d'inquiétude.

Il bredouilla d'une voix mourante :

— Pour moi, cela appartient au passé.

— Ce n'est pas mon cas, j'ai vécu avec ce martyre et je ne crois pas que tu sois la personne indiquée et surtout ce n'est pas le bon moment pour que je puisse me débarrasser de cette souffrance.

— Ce n'est pas pour rien que nous nous sommes rencontrés.

Il transforma l'espérance en plainte.

— Nous devrions repartir à zéro, mais avec ce poids sur les épaules. Informés de tout, toi et moi, ai-je proposé, intrépide.

— Tout bien réfléchi… (Son effusion se mua en doute.) Nous devrions prendre des vacances, établir une distance entre nous, c'est le plus sensé. Je suis certain que je continuerai à penser à toi. Soudain, l'envie de coucher avec toi m'a passé. Tu ne pourrais pas t'empêcher de comparer entre mon père et moi.

Il se référait au sexe, naturellement.

— Je n'ai jamais couché avec lui, voilà le plus monstrueux, on ne s'est même pas donné rendez-vous, on ne s'est jamais parlé. Ainsi il n'a pas trompé ta maman, ce fut un malentendu.

Je réhabilitai le défunt :

— Ce n'est pas vrai. Plus d'une fois, j'ai accompagné mon père devant l'hôtel de passe de la rue San Juan de Dios, qui se situe entre les rues Villegas et Monserrate ; je savais que là-haut, dans une chambre, il y avait une femme qui l'attendait ; il me confiait à un copain, qui m'emmenait au cinéma Actualidades voir *Le Chat botté* ; j'ai vu ce dessin animé un nombre de fois incalculable. A la fin, je retrouvais mon père en train de fumer chez l'épicier du coin. Je savais que c'était une gamine plus jeune que ma mère, parce que le type lui demandait à chaque fois : "Eh ben, accouche, comment elle s'y est prise, aujourd'hui, Chair Fraîche ?" Alors il levait les yeux au ciel, aspirait une bouffée grandissime qui réduisait sa cigarette en cendres, puis soupirait dans un spasme : "Toute tendre, toute tendre, elle va m'achever."

Samuel, déchaîné, oubliait que je pouvais me sentir visée et par conséquent, honteuse.

— Je te jure que ce n'était pas moi, la fille de l'hôtel de passe. Je te le jure sur ce que j'ai de plus sacré, je n'ai jamais rien fait avec lui.

Je me défendais bec et ongles, et pour cause.

— Alors ce n'est pas toi non plus qui as écrit les lettres, a-t-il rétorqué avec conviction.

— Si, c'est moi. Ton père s'appelait Jorge. Est-ce que tu les as lues ?

Je l'ai contredit sans mesurer mon manque de tact.

— Il m'a fallu attendre assez longtemps et faire quelques démarches pénibles auprès de l'avocat de ma mère pour qu'on m'autorise à les feuilleter, mais je n'ai jamais obtenu l'autorisation de les emporter pour les garder en souvenir ; elles sont restées aux archives du Tribunal suprême.

— Ça te dit quelque chose, *Jorge juteux*, ou *Jorge substantiel* ? C'est ainsi que je les commençais.

— Tu as raison. Et en même temps tu me donnes raison. Personne ne parle de *juteux* ou de *substantiel* s'il n'a pas goûté au produit auparavant, dit-il, narquois.

— C'était une formule pour l'attirer, une simple stratégie, ai-je rétorqué, prête à me mettre à genoux devant lui.

— Et regarde où ça l'a mené. Alors, il couchait avec qui à l'hôtel de passe de la rue San Juan de Dios les lundis, mercredis et vendredis après-midi de deux à quatre ? Je suppose que je dois avaler que ce n'était pas avec toi.

Il perdait son sang-froid.

— Non, pas avec moi.

Soudain, je me suis sentie très forte, étrangère à cette histoire, désireuse de le planter là en lui laissant croire toutes les couillonnades qu'il lui plairait.

— Marcela, on ferait mieux de rentrer à la maison. J'ai mal à la tête.

Ces derniers mots, il les prononça de la même voix qu'au début de notre conversation, c'est-à-dire avec une tendresse résignée, comme s'il voulait faire oublier son accès d'incrédulité.

Nous avons pris un raccourci, coupé en diagonale pour atteindre le boulevard Saint-Germain, bientôt nous sommes arrivés à l'angle de l'Institut du monde arabe, nous avons emprunté le pont de Sully dans un silence quasi absolu. Puis, tout en marchant, nous avons échangé quelques phrases très brèves sur des boutiques, sur la mode et sur les films les plus récents. A la pointe de l'île Saint-Louis, au début du pont Henri-IV, Samuel sourit ; une seconde après, son sourire se mua en un léger éclat de rire.

— Qui lui aurait dit, à mon père, que j'allais draguer sa nana, s'écria-t-il.

— Je ne vois pas ce qu'il y a de drôle. En plus, je t'ai déjà dit qu'il ne s'est jamais rien passé entre nous ; tout ce que j'ai fait, c'est de lui écrire une vingtaine de lettres. Je ne nie pas qu'il m'attirait, mais de là à… Oh, t'as qu'à penser ce que tu voudras…

J'ai filé devant lui à toute allure et je suis arrivée hors d'haleine à mon appartement ; enfermée à clé, plus trois tours de verrou, j'ai avalé trois calmants et me suis écroulée, fourbue.

Nous sommes restés pratiquement une semaine sans nous adresser la parole ; puis nous avons repris nos relations de bon voisinage, chacun respectant son espace de manière égoïste et intransigeante. Au bout d'un mois, il m'a invitée à une soirée, j'ai accepté, ce fut comme d'habitude, on a dansé, on a bu, on a mangé, on s'est amusés, on est rentrés et on s'est dit bonsoir à la porte de nos foyers respectifs, point final. Pas question de viens, entre, je vais te faire une tisane, allez, allume la télé, à cette heure-ci il y a peut-être quelque chose d'intéressant, l'intégrale de Serge Gainsbourg, ou un film d'horreur et de mystère, ne pars pas, va, je n'aime pas voir seule tous ces fleuves de sang, reste avec moi, prends-moi dans tes bras, oh, viens dormir auprès de moi dans mon lit, bien couverts. Ne me tripote pas les seins, arrête, ne me colle pas ta pine, petit salaud, je ne suis pas de bois, moi non plus, restons plutôt comme frère et sœur, ne bousillons pas notre amitié… A vrai dire, ma muse s'était déchaînée, abusant de la situation.

Ce qui était arrivé, Charline ne pouvait pas y croire ; elle proposa de nous aider de deux manières, soit elle tentait de nous unir en organisant des dîners chez elle, soit au contraire elle disparaissait de la circulation pour que nous trouvions notre voie sans intermédiaires. Ce qu'elle ne pouvait accepter, c'était de me voir souffrir. J'acceptai la seconde option : si le hasard avait dit le premier mot, ce même hasard écrirait la fin de l'histoire, en lettres de feu, ou de sang, bref n'importe quoi. Mon amie ne cessait de se lamenter, grand Dieu, dire qu'il y a tant d'hommes de par le monde et qu'il a fallu que ce soit le fils de ce type-là, enfin quand même, j'arrête pas de te le dire, ce quartier est ensorcelé. Tu ne veux pas te mettre à relire Proust, histoire de te distraire un peu ? Je dus lui expliquer que je ne lisais pas Proust pour oublier ni pour me divertir, c'était plutôt le contraire, je le lisais pour me souvenir, pour approfondir ma réflexion et mon attitude devant la vie.

Samuel frappa à ma porte ; j'étais au téléphone avec Charline. Je pris congé en lui disant je dois raccrocher, c'est peut-être un Chronopost que j'attends du New Jersey, une boîte de bananes plantains que Lucio avait menacé de m'expédier dans l'un de ses derniers messages sur mon répondeur, il me conseillait d'en faire des chips ou, si elles arrivaient trop mûres, de les faire frire en beignets, mais surtout de ne pas les flanquer à la poubelle, si elles étaient vraiment trop blettes, il valait mieux "me taper" une branlette avec. Bref, elles sont absolument succulentes, affirma Lucio, et il me les enverrait parce qu'il avait cru comprendre qu'à Paris ces produits exotiques, je veux dire les *bananas*, pas les godemichés, valaient leur pesant d'or, d'ailleurs les engins mentionnés ci-dessus itou. Souviens-toi de moi quand tu les mangeras, ou que tu te les mettras… Tchao, ma chère Charline, évidemment, si c'est les bananes, je t'inviterai à déguster des beignets ou des chips de bananes à la viande boucanée, à s'en lécher les babines. Tchao. Fais-moi signe.

Il ne s'agissait pas de l'employé de Chronopost ou de Federal Express, mais de Samuel. Il tenait une casserole bouillante ; il courut à la cuisine et la posa sur le granit, ça dégageait une odeur sublime de maïs, c'est sûr, mon odorat était infaillible, c'était du *tamal* braisé, rien que ça. Il y avait très longtemps que l'on n'avait pas pris un repas ensemble, c'est lui qui a dressé la table et a fait le service, on s'est offert un super-banquet avec l'un de mes menus préférés. Comme dessert, on a mangé des fraises à la crème fraîche et on a couronné le tout avec un café bien serré. Au dîner, il a parlé plus qu'à son tour, mais de sujets anodins : il avait été voir Compay Segundo à La Coupole, il avait fait la connaissance d'un Cubain nouveau venu qui évoquait les dernières atrocités du régime, et puis les coupures de courant, les expulsions des "Palestiniens" (il parlait des habitants de la province d'Oriente), les vols de clous et de plaques de métal aux morts dans les cimetières pour pouvoir opérer et rafistoler les hanches, les coccyx, les chevilles cassées des vivants, le mécontentement, les tensions, bref, une histoire à n'en plus finir.

— Mar, j'ai parlé avec Mine, je lui ai téléphoné hier. Elle m'a confirmé que c'était bien toi qui avais envoyé les lettres, mais qu'elle ne pouvait pas m'assurer que tu aies été plus loin. Elle est restée sans voix quand je lui ai dit que tu m'avais tout raconté... Il paraît que Monguy va être libéré, on verra...

— J'ai cru que tu avais oublié cette affaire, comme tu m'avais dit que le passé était passé, eh bien… Je suis mécontente que tu aies vérifié auprès de Mine, ça me dépasse, une stupidité pareille. Tu sais parfaitement que je ne peux pas l'encaisser, elle ne mérite pas ma confiance.

J'ai pris une autre tasse de café ; lui n'en a pas voulu.

— Encore une chose, un petit coup de main de ta part. J'ai farfouillé dans mes cartes de visite, et je n'arrive pas à retrouver celle de Bob Sullivan, pourrais-tu me passer ses coordonnées ? J'ai besoin qu'il me tende la perche, après-demain je pars à New York, j'ai réussi à emberlificoter le type du consulat et ils m'ont donné un visa.

— Pour combien de temps ?

Mes cordes vocales se nouèrent dans ma gorge.

— Peu importe : une fois là-bas, je me débrouillerai.

— Non, pour combien de temps tu pars ? C'est définitif ?

— Je n'en sais rien, je pense que oui.

— Ne viens pas faire tes adieux. Je hais les adieux. En voilà une phrase tordue !

J'essayai de rire.

Tout de suite, je me suis assise à mon bureau afin d'écrire une lettre de recommandation pour Samuel à l'attention de Mr Sullivan. Je savais que ça serait plus efficace qu'un coup de téléphone.

Pendant deux jours, je restai emmurée. La troisième nuit, il me fallut sortir malgré mon moral très bas, car je devais inaugurer ma première séance de maquillage à la télévision. Sur le pas de la porte, mon pied droit heurta une enveloppe de papier kraft ; elle contenait le journal cinématographique avec un petit mot d'adieu de mon ami, de mon amant platonique, un de plus. Ou plutôt non, c'était le seul auquel je sacrifiais vraiment, mon amant sans l'être, mon rêve réduit en cendres à cause d'un cauchemar. Absent, il laissait son cahier en héritage. Samuel était parti en laissant mes yeux vides. Les cinq sens m'abandonnaient, avec lui s'envolait le peu de joie que nous étions parvenus à édifier ensemble. J'ai dit pourtant qu'être joyeuse ne m'a jamais intéressée, mais lui me contaminait d'une façon différente : à ses côtés, j'avais découvert que l'ironie pouvait nous restituer des bribes de bonheur, celles que j'avais enterrées dans mon adolescence, là-bas, sur Cette-Ile-là. Le désarroi s'empara de moi, la certitude terrible que l'insulaire qui va vivre sur un continent ne pourra jamais trouver la tranquillité, l'espoir en lui ne sera plus jamais pareil, il sera à la merci de l'émotion.

Mon premier politicien à maquiller avait les yeux à fleur de tête et portait des lunettes en permanence, si bien qu'en les ôtant il ne se ressemblait plus, il avait deux marques profondes et violacées de part et d'autre de la cloison nasale ; j'eus beau lui faire des massages circulaires, je ne parvins pas à les effacer. Je pensai que dans sa jeunesse il avait dû être un séducteur et même aujourd'hui il pouvait encore s'offrir ce luxe. La sueur perlait au-dessus de ses lèvres, sa denture était parfaite, mais présentait les premiers symptômes d'usure. On ne lui voyait pas de rides, plutôt des boursouflures. Chevelure épaisse, bouclée et blanche. J'ai camouflé les creux que ses lunettes lui avaient faits sur le nez avec des tonnes de crème de base, puis passé une éponge humectée de fond de teint mat sur le reste de son visage. Il ne cillait pas, ne fermait pas les paupières, me regardait fixement et suivait avec attention chaque mouvement de ma main, ce qui me mettait mal à l'aise et m'empêchait de me concentrer sur mon poignet pour lui dessiner les sourcils ou les contours des yeux. Il refusa que je lui farde les lèvres : mais j'insistai, non seulement il les avait pâles de naissance mais avec la poudre elles avaient pris la couleur uniforme de son teint et on l'aurait cru dépourvu de bouche. Je le lui expliquai en long et en large, et il céda. Il me fit l'impression d'être un homme honnête ; cela, je peux le constater quand ils se soucient à peine de leur maquillage. Il me demanda si je me sentais bien dans ce pays, si je n'avais pas subi d'humiliations du fait de ma condition d'étrangère, son intérêt dépassa la curiosité habituelle chez les touristes sur Cette-Ile-là : le soleil, la mer, les cigares, les cocotiers, et ainsi de suite. En revanche, il s'enquit de la réalité souterraine de Ces-Insulaires-là, de l'avenir de cette société, des enfants, des vieillards, des salaires, de la santé et de l'éducation ; là-dessus il avait des doutes, ainsi que sur le chômage. Je dois dire que je m'appliquai autant à lui répondre qu'à le maquiller. Pas seulement parce que je subissais mon épreuve du feu pour décrocher le poste, mais parce que l'homme m'inspirait confiance. Voyons voir combien de temps il tiendra sans se corrompre, car ces gens se gâtent dès qu'ils prennent le pouvoir, ai-je ironisé intérieurement. En tout cas, cette nuit-là je suis rentrée chez moi avec l'espoir d'un monde rénové. Le lendemain matin, je postai le journal cinématographique de Samuel, la destinataire était Charline ; j'avais glissé un mot à l'intérieur : "Garde-le, toi ; même si je te le demandais à genoux, ne me le restitue jamais. Je souhaite pouvoir le vendre aux puces comme objet anachronique."

Je ne l'avais pas relu jusqu'à ce jour. Il est cinq heures du matin et je n'arrive pas à fermer l'œil, mes draps sont trempés de sueur. J'entends remuer Charline, elle a l'habitude de se lever de bonne heure. Elle passe devant la porte de la chambre où maintenant je feins de dormir. Elle pose sa main sur mon front. Marcela, tu es brûlante de fièvre, réveille-toi. Elle me touche l'épaule, je fais comme si je venais de me réveiller. Elle se retire avec le cahier et revient une seconde après, en secouant le thermomètre. Je n'ai pas l'habitude qu'on me le mette dans le cul. Là-bas, c'est sous l'aisselle, j'en ai assez de le lui répéter ; je fais une concession : je l'accepte dans la bouche. Pourvu que tu l'aies bien désinfecté, Dieu sait à combien de gens tu l'as mis, je lui balance sur un ton de reproche. Elle me traite d'idiote, de cochonne, de grossière, de malapprise, et un tas d'autres douces insultes. Oh là là, là là, là là ! tu as quarante de fièvre ! Elle se dépêche de s'habiller pour aller m'acheter des médicaments à la pharmacie de garde, boulevard Sébastopol. Elle me recommande avec inquiétude, ne pars pas, je reviens en moins de deux, découvre-toi, ce n'est pas bon de rester sous la couette, seulement n'ouvre pas la fenêtre, un courant d'air pourrait aggraver les choses. Dès qu'elle a fermé la porte derrière elle, je me lève, je m'habille, et je prends la poudre d'escampette. Je n'ai pas la moindre envie de faire pitié, je ne souhaite pas qu'on s'occupe de moi. Ça va comme ça, je suis majeure et vaccinée, je peux choisir la gravité de ma maladie, décider même de sa durée, j'aime bien avoir de la fièvre, que mes amygdales gonflent et crèvent de pus. Ce qui pourrait m'arriver de mieux, ce serait d'attraper une pneumonie incurable, de mourir.

Peut-être que j'obtiendrai ainsi de faire revenir Samuel pour mes funérailles. J'y gagnerais quoi ? Pour obtenir son retour, ou plutôt ma mort, je n'ai pas besoin d'attendre une maladie, il suffit que je me suicide. En définitive, je ne perdrais pas grand-chose, sauf la vie. De toute façon, je la perdrai bien un jour, ma banale existence s'achèvera. En me tuant, j'anticiperais sur les événements, je m'épargnerais bon nombre d'activités insignifiantes. Je dévale les escaliers, je me prends les pieds dans le tapis, pour un peu je tombe dans le vide, et au lieu de m'abandonner à l'abîme je me raccroche à la rampe, terrorisée à l'idée de me casser une côte, ou la hanche, voire de me fracturer une jambe. Mais il y a quelques secondes, est-ce que je n'appelais pas la mort de mes vœux ? Qu'est-ce que je fais en préservant ma vie ? C'est que la simple vision de ma cervelle éclatée me donne la nausée, en plus, je suis sujette au vertige. Espèce de trouillarde, qui pense ainsi ne serait même pas capable de s'en prendre à son gros orteil, n'aurait pas le courage de l'écraser d'un coup de marteau. Une fois déjà, j'ai joué à la roulette russe, Samuel, tu étais présent, mais tu ne t'en souviens sûrement pas. Tu t'en souviens, ou pas ? Je ferais mieux de me jeter dans la Seine. Enfer et damnation, quand j'ai là-bas la mer Caraïbe, une mer si belle, vouloir me jeter dans ce fleuve imbécile et croupi. Si en cet instant les agences de voyage étaient ouvertes et si je pouvais voyager librement, j'achèterais un billet d'avion, rien que pour aller me tuer sur ma plage à moi. Merde alors, je ne peux même pas choisir de me suicider en beauté, dans le lieu de mon choix, pour exécuter mon acte de décès, celui qui m'appartient de par mon acte de naissance !

Pourtant je ne trouve rien d'héroïque à m'offrir en pâture aux requins. A vrai dire, je ne verrai rien, je ne me rendrai compte de rien, je suppose que c'est une question de secondes. Qu'adviendra-t-il de mes yeux ? Les requins les engloutiront comme une paire d'olives. Rappelle-toi, Marcela, que tu ne verras jamais plus. Tout sera sombre, très sombre. Peut-être pas. Peut-être y aurait-il une vive lumière. Une telle illumination liquide que je devrais fermer les paupières et ne pourrais plus voir. Mais il n'y aura plus de paupières, plus rien d'autre. Ouille ! non, j'ten fiche, je ne pourrais pas renoncer à la vue ! Je ne peux même pas renoncer à lire les journaux, et pourtant ils ne parlent que du côté abject de l'humanité. Viens humer l'aurore, tu es vivante, passe la langue sur ta sueur, tu es vivante, pince-toi le ventre, les seins, tu es vivante, écoute le chant des oiseaux, tu es vivante, est-ce que ce sont bien des moineaux ? Non, impossible, cette espèce d'oiseaux n'existe pas ici, et pourquoi pas ? Reste la possibilité que les moineaux de Cette-Ile-là aient migré jusqu'ici, exprès pour me rendre visite, ils me chantent à l'oreille mon paysage regretté. Observe la clarté dans leurs petites pupilles, oh oui, ce sont bien mes moineaux ! Le soleil se lève au bout de la rue, le même qui six heures auparavant a réchauffé mon pays. Oh, le regard, harmonie regrettée ! Je suis vivante.

VI

A MON SEUL DÉSIR

Samuel disparu, telle l'Albertine de Proust, je pris mon bon vieux Canon et décidai de tuer le temps en photographiant la ville. Auparavant, j'avais annoncé à Charline que j'étais revenue à la photo, mais dans un style très personnel. La satisfaction de Charline fut telle qu'elle ne put s'empêcher d'en informer Mr Sullivan par Internet. Ce dernier m'envoya un fax pour me rappeler que je pourrais réintégrer son agence où je serais la bienvenue quand je le souhaiterais ; il ajouta qu'il aidait mon ami, Samuel, que le jeune homme ne manquait pas de talent et qu'il l'avait déjà introduit dans les milieux de la pub. Je répondis par une lettre de remerciement d'une gentillesse extrême, en précisant cependant que je ne me sentais pas encore l'énergie suffisante pour me réinsérer dans le monde des reportages, et je le priais de me laisser suffisamment de temps pour me retrouver et réfléchir à mon avenir de photographe.

En trottant dans Paris, je suis tombée sur une promotion très intéressante pour Tenerife dans une petite agence de voyages ; sans y réfléchir à deux fois, j'ai acheté un aller-retour. L'idée de retrouver Enma et Randy me séduisait. Je les ai prévenus que j'arriverais un week-end et ils s'en sont réjouis doublement, car ils prenaient des vacances justement ce samedi-là. J'ai mis dans ma valise *Musique pour caméléons* de Truman Capote ; c'est plus fort que moi, le récit des funérailles où il s'entretient avec Marilyn provoque en moi un grand coup de cafard absolument délicieux ; j'y ai fourré un maillot de bain, et deux petites robes d'été, peu d'affaires pour peu de temps : quatre jours. Je ne disposais pas de congé en raison de mon nouveau job de maquilleuse à la télévision.

A l'aéroport du sud de Tenerife, je fus accueillie par la canicule de l'île, l'âpre suffocation de la sécheresse en contrepoint de la présence hospitalière de l'océan, la sérénité des montagnes filtrant la brume légère du matin, les voix chaudes ou vulgaires des habitants, genre "dis, mon trésor", "qu'est-ce qu'il y a, mon cœur ?", "viens là, mon amour", "ne t'inquiète pas, mon soleil", "adieu, mon âme" ; sur le moment, je me crus transportée rue Enramada à Santiago de Cuba. Je fonçai dehors en traînant ma valise à roulettes. Je me suis dit, si ça se trouve, ces cinglés ne sont pas venus me chercher, en regrettant déjà d'être venue dans un lieu au caractère si proche de l'origine de toutes mes nostalgies. Une autre île : j'étais nerveuse, je ne les avais pas revus depuis treize ans, auront-ils beaucoup changé ? Sur le côté du petit aéroport, j'ai entendu un claquement de portière, et d'une auto rouge – je ne me rappelle plus la marque, je n'ai jamais été calée en voitures – Enma a surgi, en bermuda beige, avec un corsage blanc à col de dentelle, une veste en fil beige jetée sur les épaules, les yeux dissimulés sous des lunettes cerclées d'écaille, elle serrait contre sa poitrine le livre de Dulce María Loynaz, *Un été à Tenerife*. Randy jaillit de l'intérieur par l'autre portière, avec son éternel sourire enfantin des vieilles aventures qui accentuait ses fossettes, le bout de la langue entre les dents, il portait un tee-shirt blanc qui lui collait au corps, un jean moulant, des sandales à grosses lanières de cuir. Mon cœur battait à tout rompre. Nous nous sommes embrassés, Enma m'a vite écartée, elle n'avait jamais fait dans le sentimentalisme. Ça va, ça va, ne nous donnons pas en spectacle, les gens nous regardent, soyons civilisés. Dis donc toi, dans la catégorie européenne, t'es pas championne. Randy fut plus démonstratif, il me souleva dans ses bras, me fit tournoyer deux fois puis me déposa à terre, comme s'il plaçait un tournesol dans un vase de Murano. Qui aurait prédit que nous nous reverrions ? Est-ce que vous réalisez ? Comme quoi il faut être confiant, car tout arrive. Qui ne tente rien n'a rien. Tu sais, Mar, dit Enma, je parie que tu ne devineras pas qui travaille ici, au restaurant El Monasterio, dans le Nord ? Eh bien, figure-toi que c'est Luly en personne, je crois que nous ne pourrons pas la voir car elle part en vacances à Athènes, elle était tout excitée quand je lui ai annoncé ta venue, on doit au moins lui téléphoner le plus vite possible, avec un peu de chance, elle sera encore là. Elle n'était pas très sûre, car c'est son fiancé qui a pris les billets, mais il lui semble que leur voyage est pour demain. Tu vois, il y a une heure de route entre ici et là-bas, entre le Sud et le Nord. J'ai pensé, toujours la lutte éternelle entre les pôles. Tu as eu des nouvelles d'Andro ? Il y a six mois, j'ai fait un voyage à Miami, bon, je crois que je t'en ai parlé, il est en pleine forme, là j'ai fait la connaissance de Lucio. Ils m'ont reçue comme une reine. Lucio est un mec super, il t'apprécie énormément. Moi pareil, Enma, moi pareil. Je ne

sais pas si Enmita t'a préparée psychologique-
ment à affronter la meute de chats que nous
avons adoptée, j'espère qu'ils ne te dérange-
ront pas, m'a avertie Randy. Enma, depuis
quand aimes-tu les chats ? Ça m'a pris récemment. Elle dépense une fortune à acheter les
meilleurs nourritures, du foie, du saumon, des
rognons, si un chat de Luyanó tombe sur un
menu pareil, il entre en transes de plaisir, il
fait un infarctus. De quoi, un chat ? Si un être
humain de Luyanó trouve une de ces boîtes
de conserve, il gratte jusqu'au fond et encore
heureux s'il ne croque pas le récipient. Ça va
de mal en pis, on m'a raconté que les coupures de courant n'arrêtent pas, alors fonce
Alphonse. Tiens, l'autre jour j'ai parlé avec
Dania, sa mamie venait de mourir à la maison,
elle téléphone à l'hôpital Calixto García pour
faire venir un médecin légiste. C'est le médecin lui-même qui répond (il n'y a même plus
de secrétaires), écoute, ma chérie, je n'ai pas
d'ambulances disponibles, tu vas devoir louer
un taxi pour m'amener le corps. Dania riposte :
mais comment est-ce qu'elle va trouver un
taxi en pleine nuit ? En plus il y a une coupure de courant dans son quartier et eux, les
pauvres gens, ils n'avaient pas de dollars pour
se payer un véhicule. Dans ce cas, mon chou,
monte-la sur une bicyclette ou sinon, écoute,
amène-toi avec la carte d'identité de la défunte,
c'est tout ce que je peux faire pour toi, et il
raccroche. Dania apporte le document à l'hôpital, le médecin jette un coup d'œil sur la
photo et signe l'attestation médicale certifiant
que la vieille dame n'est plus de ce monde.
Rentrée chez elle, Dania compose le numéro
des pompes funèbres, il lui faut attendre deux

heures pour avoir la communication. C'était le ministère des Affaires étrangères qui décrochait. Enfin une voix ensommeillée lui confirme qu'elle est au bon endroit. "C'est incroyable, les gens aujourd'hui, qu'est-ce qu'ils ont envie de mourir, chaque fois que je suis de garde, les gens meurent à la pelle ! Méfie-toi, vous devez fournir le tube de néon, les fleurs, car on manque de couronnes, nous en avons commandé depuis l'époque de Machado[1] et on ne les a pas encore livrées, d'ailleurs, il n'y a pas de corbillards disponibles." Daniela emprunte le vélo du voisin, parce que sa grand-mère commence à sentir mauvais, elle débranche le tube de néon de la salle de bains et l'attache sur le porte-bagages près du cadavre, puis pédale ainsi jusqu'au Cerro, à ses risques et périls, car la patrouille de flics peut l'embarquer en croyant qu'elle se livre au trafic de morts et d'articles de quincaillerie. Comme il n'y a pas moyen de faire descendre la grand-mère à la cave car il ne subsiste qu'une seule installation électrique, les autres se sont oxydées en raison des pluies et faute d'entretien, alors on allonge la vieille femme sur le comptoir de la cafétéria, où on la peinturlure comme elle ne l'aurait jamais imaginé de son vivant, telle une perruche pittoresque de l'île de la Jeunesse. En la transportant dans le cercueil, Dania s'aperçoit que le fond est une caisse en bois brut et que le dessus est noir avec un trou carré à la hauteur du visage de la personne défunte, non vitré. Et le carreau ? Je te l'apporte, comme c'est le seul qui nous reste, nous l'avons baptisé

1. L'époque de la dictature du général Gerardo Machado (1925-1933). *(N.d.T.)*

le carreau itinérant ; tu me signes ce papier comme justificatif que je te l'ai placé. Enfin, pas à toi, à elle. Avant de partir, tu me le restitues avec une seconde signature, comme preuve que tu ne l'as pas volé. Alors ça veut dire que quand ils jetteront des pelletées de terre, ça lui tombera sur la figure, à grand-mère ? Eh bien, ma petite, cela n'est plus de mon ressort, une fois que le cadavre est sorti d'ici, ça passe sous la responsabilité du fossoyeur. Et grouille-toi, on m'a averti que dans une demi-heure le prochain va débarquer. Mais les morts, on doit les veiller plus de six heures, soupire Dania. Ça c'était dans le temps, ma jolie, maintenant ça prend trente minutes, et allez roulez.

Et toi tu te ruines à écouter ces histoires macabres ? ai-je demandé, baignée de sueur, au bord de l'évanouissement. C'est comme ça, elle se prend pour une millionnaire, répondit Randy. Tu te rends compte, Mar, il s'agit d'une amie, je ne peux pas laisser tomber Dania. Enma, je crois qu'on ferait mieux de ne pas parler de Cette-Ile-là, en tout cas pendant ces quatre jours, je veux profiter d'une Autre Ile, avec un grand I. Attends, ne te fais pas d'illusions, ici la mer n'a pas le même arôme et en plus, tu te les gèles, le sable n'est pas aussi blanc que celui de Varadero. Mais c'est toujours une plage, hein ? Elle le reconnut en me scrutant, résignée, dans le rétroviseur. Je m'en contente, je ne vais pas passer toute ma vie à chercher l'impossible. Tu as bien raison, pourquoi le nier ?

La maison d'Enma se situe à Las Américas, c'est ce que l'on appelle un condominium, avec des piscines pour adultes et enfants. Randy habite à Condados del Mar, mais il venait tous les matins nous apporter du pain frais, se baigner avec nous, ou se promener sur la plage. Nous nous levions de bonne heure, nous donnions à manger à la ribambelle de chats, ensuite nous descendions piquer une tête. Il n'y a rien de tel que plonger dans la mer, retenir sa respiration et toucher du ventre le fond marin, les algues, les poissons, les rochers. Mon corps en était reconnaissant, bien qu'une enveloppe qui frise la quarantaine n'ait pas une tenue aussi impeccable qu'une de vingt ans, je nageais et sentais mes poumons prêts d'éclater, des crampes m'ankylosaient les doigts. Malgré tout, je pouvais entendre l'océan pendant le temps infime que me laissait mon souffle, vautrée dans le sable, je savourais le sel sur mes épaules du bout de la langue, et ma peau bronzée, quelle merveille ! Respirer la santé par tous les pores de ma peau me ravissait. Vers deux heures de l'après-midi, nous déjeunions dans le coin, de préférence au restaurant Miramar à Los Cristianos, qui appartenait à une Anglaise avec qui nous nous sommes liées d'amitié. Nous plaisantions avec elle, tu te rends compte, Kim, si les Anglais étaient entrés à La Havane ? Les Beatles auraient été havanais. Du tonnerre ! Après déjeuner, nous allions nous balader par monts et par vaux, avec des nostalgies d'Ecoles aux champs. Le soir, la mère d'Enma et Randy nous attendaient avec un dîner cubain, des salades sublimes d'avocats, de tomates, de concombres, de laitue et d'échalotes, c'était à en pleurer. Des avocats comme ceux d'autrefois dans Cette-Ile-là, disait la brave femme. Sur la véranda, le père regardait à la télé le match de football entre le Barça et le Real Madrid ; j'ai remarqué qu'il avait accroché au mur, en trophée nostalgique, les cannes à pêche qu'il avait utilisées à Cojímar lors des tournois

Hemingway de pêche à l'espadon, dont il avait été champion maintes et maintes fois. Je ne pus retenir mes larmes. Au salon, la grand-mère tissait son ennui en suivant sur une autre télé une émission de variétés, trop moderne pour son âge, à l'en croire.

Un jour, à midi, Enma me surprit en train de sangloter, absorbée dans la contemplation d'un bateau quittant le port. Elle me demanda :

— T'es dans la panade, hein ?

— Je suis très seule, Enma. A Paris tout est différent. En outre, je crois que j'aime celui que je ne devrais pas aimer.

— C'est toujours comme ça. Moi, j'ai jeté l'éponge. Je m'occupe de mes chats. Qui est-ce, sans indiscrétion ?

— Il s'appelle Samuel, c'est un Cubain, et quand il était petit son père s'est fait assassiner par ma faute.

— Putain, le coup est rude, Gertrude ! C'est pour ça que tu es partie si loin ? Ça veut dire quoi, on l'a tué par ta faute ?

J'ai tout raconté avec une profusion de détails. Enma en est restée pétrifiée. Elle a cru se souvenir que Minerva lui en avait touché deux mots un jour, mais qu'elle l'avait contredite, convaincue qu'il s'agissait encore d'une de ces calomnies dont elle était coutumière. Après tant d'années, je souffrais encore de la trahison de Minerva. Ensuite, je me suis dit tout haut que c'était sans importance, que Mine avait l'habitude d'emberlificoter tout le monde avec ses ragots ; somme toute, le cas que j'en ferais, mon pardon éventuel dépendaient du degré de traîtrise de son mensonge, de la façon dont elle avait intrigué.

— D'après elle, tu t'étais envoyé le mec, maintenant je vois que c'est faux… D'ailleurs c'est arrivé depuis belle lurette, y a-t-il du mal à ça ? Moi j'ai vu un film qui raconte à peu près la même histoire : *L'Héritage*. La femme s'envoie le père et les fils, eux n'y voient que du feu. Il y a un remède à tout, sauf à la mort. (Attentive, elle ramassait des coquillages.) Ils sont pour toi, afin que tu te sentes plus près de nous.

— Mais enfin, Enma, il y a eu assassinat.

Elle haussa les épaules.

Randy arriva avec trois verres de *mojito* sur un plateau. Il les avait commandés au Miramar. Il leur en avait donné la recette et les avait même aidés à les confectionner. On a bu, morts de soif. Je leur demandai de se placer de profil, littéralement nez à nez, pour reproduire une photo de leur adolescence, où l'on distinguait Varadero à l'arrière-plan. Maintenant, sur cette seconde photo, on aurait une plage moins belle, mais une plage quand même, il ne faut pas trop en demander dans la vie. Les deux esquissèrent un sourire, la lèvre inférieure plus prononcée, les yeux perdus dans leurs secrets respectifs, tout au fond d'eux-mêmes, la brise agitait leur chevelure. Enma, le vent lui soufflait par-derrière, de sorte que ses cheveux ondulés lui caressaient les épaules et lui couvraient la moitié du visage ; Randy, le vent les lui soulevait jusqu'aux nuages, les écartant de son oreille dégagée par la brise marine.

— A mon avis tu dois lui téléphoner, ou sauter dans un avion pour Manhattan. Je suis en train de lire une série de bouquins qui m'apprennent à être heureuse, ou au moins à surmonter mes états dépressifs, à ne pas me laisser manipuler par des éléments extérieurs à moi. Parfois, on gagne en cédant. Sais-tu combien de comprimés j'économise ? Cinq par jour.

Il faut faire ce que le désir t'inspire, c'est sûr, mais quand tu n'as pas envie qu'il te domine, eh bien tu le soumets à tes ordres. Personne n'est plus important que toi-même, tu dois savoir cela. En partant à sa recherche tu ne fais que consentir à ton envie réelle, à tes propres exigences.

— Enma, voilà que tu parles comme une vieille de quatre-vingt-dix ans. (Randy lui donna une tape.) Tiens, ça lui va bien, ne l'écoute pas.

Je protestai, mélancolique :

— Je suis très dépendante des gens, mais le problème est que je n'ai plus personne autour de moi. Voyez notre cas, après treize ans de séparation, nous ne pouvons rester ensemble que quatre jours, quelle vacherie !

— Il faut pas voir les choses comme ça, au moins on s'est retrouvés, dit le frère, optimiste. Si ce jour-là, sur le Front de mer, le jour où nous avons fait le serment de nous revoir, même si nous étions en Alaska, quelqu'un nous avait dit que cela serait possible, nous ne l'aurions pas cru. Tu sais quoi ? Je garde encore la photo de ce jour-là sur le Front de mer.

— Moi j'ai apporté la mienne.

Sitôt dit, sitôt fait. Chose promise, chose due.

— Je l'ai, moi aussi, mais égarée au fond d'un tiroir, observa Enma.

Ma visite passa en un éclair, mais il faut avouer que nous l'avons vécue avec la même intensité, ou presque, que nos aventures juvéniles. La veille de mon départ, ma valise était pleine à craquer de livres, de coquillages, de pellicules de photos, plus une robe d'Enma qu'elle avait portée lors d'un périple à Viñales. Elle m'a dit, emporte-la, cette robe a circulé dans la campagne cubaine, je sais que personne n'en profitera autant que toi quand tu la mettras à Paris. Elle ne se séparait d'aucun objet en provenance de là-bas, elle allait jusqu'à garder des savates qu'elle mettait pour aller jeter les ordures rue Lealtad, au Centro Habana, ou encore pour laver le carrelage noir et blanc. On se nourrit de fétiches, c'est irrémédiable. Le lendemain matin, je suis allée sur la pointe des pieds dans sa chambre et ai déposé un ours en peluche près de son oreiller, elle dormait bouche ouverte, elle avait toujours eu la respiration difficile. Je pris un taxi après avoir fait un crochet par l'appartement de Randy, je n'osai pas lui faire mes adieux, et laissai dans sa boîte aux lettres un album de photos de Marlène Dietrich et un petit bouquet d'immortelles.

Je crus que mon séjour à Tenerife m'aiderait à surmonter ma solitude parisienne ; cependant, dès que ma clé entra dans la serrure de mon appartement rue Beautreillis, je fus de nouveau saisie d'angoisse à l'idée de ne pas pouvoir retrouver une place dans le monde, un espace dans mon île imaginaire, un lieu où nous pourrions enfin nous trouver tous réunis. Soudain, en un clin d'œil, les présents que j'apportais dans mes bagages se flétrirent, perdirent leurs couleurs, leur saveur salée, la musicalité de leurs formes, la surprise de leur contact et une odeur fétide envahit les lieux. Je collai l'oreille aux coquillages, le vide avait fait taire la houle.

Le téléphone sonne, à la troisième sonnerie le répondeur se déclenche. Marcela, ce matin tu t'es sauvée de chez moi avec quarante de fièvre, je t'en prie, je suis très inquiète, dis-moi si tu es bien rentrée… Je vais beaucoup mieux, ma chère Charline, j'ai acheté des médicaments, ne t'en fais pas, je préfère être seule, je sais que tu n'apprécies pas, mais pour moi c'est mieux. J'ai menti. Franchement, Charline, je te le promets, demain je péterai le feu, et je t'inviterai à aller danser le *guaguancó* au Java. Non, je ne tiens pas à ce que tu appelles Sully, ni personne d'autre. Bises. Tchao. A peine j'ai raccroché, nouveau coup de fil, le bigophone n'arrête pas dans cette maison. Salut, c'est Oscar, du Mexique. Tu es là ou pas ? J'y suis. Je te trouve une petite voix. Je ne me sens pas bien, rien de grave. C'est dommage que je ne puisse pas aller te voir, je t'appelle pour te prévenir, j'ai dû annuler mon billet, on m'a filé un job formidable, commissaire d'une exposition qui voyagera dans toute l'Amérique latine et les Etats-Unis, peut-être même que je la présenterai en Europe l'an prochain. Comme tu vois, il m'est impossible de me déplacer, si je prends des vacances maintenant, je rate cette occasion ; dire que j'en avais tellement rêvé, de nous voir assis tous les deux dans les *bistrots** pour parler de Julián del Casal, de Juana Borrero ou d'une paire de chaussures que j'ai envie d'acheter depuis longtemps chez Bailly ! Ne sois pas frivole. Je plaisantais, arrête de te prendre au sérieux. J'espère qu'on se verra en décembre prochain, c'est promis. Je l'espère aussi. Je te trouve bizarre, Marcela. Je t'ai déjà dit que j'ai attrapé une grippe épouvantable. Prends de la vitamine C, c'est que nous souffrons d'une carence en vitamines, c'est sûr, et de bien d'autres choses. Bon courage, ma fluette. Pareillement, je compte sur toi en décembre. Je ne suis plus fluette, je suis grosse.

Je n'arrive pas à fermer l'œil, je me lève et je prends la liasse de courrier intacte sur mon bureau. Avec un soin extrême, j'ouvre les enveloppes une par une, les calligraphies suggestives de mes amis me sautent aux yeux. La première est celle de José Ignacio. Tu sais, Mar, tu dois me pardonner pour les sottises du passé, je veux que tu saches que je n'ai jamais cessé de penser à toi. Dommage d'avoir appris si tardivement que je te plaisais, notre couple aurait fait des jaloux. Nous amusions tout le monde avec notre fougue. Mais, Mar, *le temps passe et nous vieillissons doucement*, comme dans la chanson de Pablo[1] ; je me suis marié, j'ai deux gosses, je me bats pour eux jour après jour, pour leur donner à bouffer, pour qu'ils ne manquent de rien, mais je ne vais pas te raconter nos misères, tu aurais le cafard. Les quelques amis qui sont restés ici et moi, on se souvient de toi millimètre par millimètre. La Carmen Laurencio s'est remariée avec un ponte, elle a deux mômes de son premier mariage et un du second, nous restons en contact. Je n'ai pas grand-chose à te raconter, je passe ma vie dans les cars de tourisme, où je parle anglais à tire-larigot, n'empêche qu'à chaque coin de rue il y a une affiche pour nous rappeler qu'ici nous sommes cent pour cent cubains. Je n'oublie pas la fois où je me suis fait arrêter sur la place de la Cathédrale parce que je parlais la langue de l'ennemi. Le flic était de la province d'Oriente, comme tous les autres. Il n'avait jamais vu de sa vie une délégation étrangère, ni un guide ; il était passé direct de sa chaumière au chœur de l'église. Si tu peux, envoie-moi des aérosols pour l'asthme, mes gosses sont chroniques... La voix de José Ignacio, comment était-elle déjà ? Je crois qu'il se vantait de l'avoir un peu nasillarde, un trait sympathique, car cela donnait du piquant à ses blagues ; oui, c'était une voix de clown.

1. Le célèbre chanteur Pablo Milanés. *(N.d.T.)*

La lettre de Daniela est bourrée de phrases incohérentes : je ne m'adapte pas. Mes parents sont tombés en disgrâce, ils ne sont plus ambassadeurs. J'ai grandi, je suis adulte, et je dois m'intégrer à la société, ou *à la saleté*. Etant donné que je n'ai jamais terminé mes études – dire que j'ai fréquenté les universités les plus importantes du globe ! – je n'ai même pas décroché un diplôme de sténodactylo, j'envisage de m'adonner au trafic de cigares, j'ai un pote chez Partagás, là où ton père travaillait. Je n'ai plus l'âge de faire la pute, la concurrence est terrible, si tu voyais les gamines de onze, douze ans, c'est à peine si leurs nichons pointent, nous sommes le centre principal du tourisme pédophile. Ne rigole pas, c'est lamentable. Je vais voir assez souvent ton ancienne camarade de classe, la Mine, je sais bien qu'elle est garce, mais comme ça, au moins, j'obtiens des nouvelles de Monguy. Tu m'avais tant parlé de lui que je meurs d'envie de le connaître personnellement. Il est toujours en cabane, et bien qu'il ait refusé leur plan de rééducation, il y a de l'espoir pour une libération prochaine, dans la mesure où l'accusation n'a plus de sens, puisque détenir des devises n'est plus un délit, certes, lui, il a fabriqué des faux billets, ce n'est pas la même chose, c'est une autre chanson. Et puis, après que les gens ont pris la mer en 94, il faut être fou pour récidiver. Oh ! mon Dieu, dire que la crise des *balseros*[1] remonte à plusieurs années déjà ! Ici personne ne s'en souvient, on efface tout et on recommence, car la vie est très dure et il faut bien se jeter, pas à l'eau mais dans la débrouille pour faire bouillir la marmite... La dernière nouvelle,

1. *Balseros* : les boat people cubains. De *balsa*, "radeau". *(N.d.T.)*

c'est qu'on expulse les paysans qui ont été acculés à venir dans la capitale, tu te rends compte, du coup des inscriptions ont fleuri : "Quand Tu t'en iras je m'en irai", "Je m'en irai, mais Tu seras au volant du bus." Devrai-je te faire un dessin pour ce Tu avec un grand T ? Le Tu gouvernant. Yocandra ? Pareille à elle-même, elle fait semblant de travailler dans la revue fantôme. Elle a renoncé à t'écrire, parce qu'elle est déprimée, pour changer. Nous sommes toujours esseulées, célibataires et sans engagement, les hommes se font rares, la plupart ont quitté le pays, ou alors ils jouent de la pine. La roue de l'histoire va nous broyer. Lors de la dernière averse, je dis bien *averse*, pas cyclone, une vingtaine d'immeubles se sont écroulés entre La Vieille Havane et le Centre Havane. A propos de la campagne, que puis-je te raconter ? je suis allergique à la verdure manipulée en honneur de la misère. Raconte-moi tes voyages, je regrette ma vie antérieure de fille d'ambassadeurs uniquement pour ça, mais il n'en est pas moins vrai que j'avais besoin de m'enraciner, je pressens que j'ai choisi le pire endroit de l'univers, mais on ne choisit pas le lieu où l'on naît. *Est-ce ma faute si je suis cubaine ?* comme dans la chanson d'Albita qui, tu t'en doutes, est interdite. Si tu peux, envoie-moi des livres français, et des sandales bon marché, je porte les mêmes chaussures depuis mon hiver parisien de 87, on ne peut plus les ressemeler. Je t'embrasse, Yocandra aussi. L'écriture penchée de Daniela s'achève ici, serrée, aux lettres évanescentes. Je décide de choisir une missive ne provenant pas de l'île. Car si je continue à lire du courrier de là-bas, pour le coup je finirai dans un sanatorium genre celui de *La Montagne magique.*

Silvia m'a envoyé un mot très bref sur une carte de vœux de Nouvel An. Elle me souhaite santé, argent, amour et enfin la possibilité future du retour, dans la prochaine carte elle donnera une nouvelle adresse, c'est au moins la neuvième fois qu'elle déménage. Une carte postale d'Ana représente une mère allaitant son enfant. Une simple phrase : mettre au monde, rien de plus grandiose. A l'intérieur, il y la photo d'un bébé au soleil, couché sur un lange étalé sur une pelouse d'un quelconque parc de Buenos Aires, elle a marqué au dos l'âge en mois du petit et me rappelle que là-bas, en cette période de l'année, c'est l'été, mais que pas un seul été ne peut rivaliser avec le nôtre, au point qu'elle en arrive à regretter la canicule suffocante et poisseuse des Caraïbes. Igor m'écrit de Barcelone : je suis de passage, je ne peux pas te téléphoner parce que je n'ai pas une tune et ici ce n'est pas du tout commode de voler des lignes téléphoniques. Dans quelques heures, je serai dans l'avion direction La Havane, les gens du quartier t'envoient leurs amitiés. Dès que possible je vais pirater une ligne dans n'importe quel hôtel de là-bas et je t'appellerai. Pourvu que tu sois là, bon Dieu, car chaque fois que j'en trouve une, je fais chou blanc. Saúl a donné un concert fabuleux salle Avellaneda. Du Bach et du Lecuona, il l'a dédié aux absents, le théâtre a croulé sous les applaudissements. Le public n'est pas idiot, il a parfaitement compris qui étaient les absents, bien que chacun l'ait interprété à sa manière, par exemple, beaucoup ont cru qu'il faisait allusion aux *balseros*. Aussi. Pourquoi pas ? J'ai une mauvaise nouvelle à t'annoncer, Papito s'est soûlé le jour de l'anniversaire des comités, il s'est allongé sur un muret qui n'était pas si haut, mais il est tombé et

s'est fracturé le crâne. On l'a tout de suite trans-
porté à l'hôpital, ils l'ont opéré, mais au lieu de
lui poser une plaque C4, ils lui ont posé une C5,
il a été pris de convulsions, de tremblements
genre poulet à qui on tord le cou. Ça lui a fait
comme une danse de Saint-Guy et il est resté sur
le carreau. C'était à prévoir, qu'il casse sa pipe à
la première occasion, il était alcoolique au dernier degré ; c'est ce qui l'a mené dans la tombe.
Je ne t'accable pas davantage, va, on n'arrête pas
de parler des mêmes choses. Je donnerais tout
ce que j'ai et un peu plus pour redevenir un
enfant… Ou pour être privé de mémoire.

Je m'écroule de fatigue ; la fièvre me baigne le
dos. Je dors une quinzaine de minutes, je me
réveille les dents ensablées, comme si j'avais
avalé une poignée de coquillages, la gorge
nouée. En allant à la salle de bains pour prendre
une douche, je remarque que l'espace est d'une
ampleur anormale, comme si je percevais les
encoignures à travers un grand angle. Debout
dans ma baignoire, j'ouvre le robinet et l'eau
glacée me contracte la peau, je peux même voir
la vapeur qui en émane comme lorsqu'il pleut
sur l'asphalte fondu de l'avenue Carlos Tercero.
Le shampooing élimine la graisse de mes cheveux. J'ai des fourmis dans mes pieds violacés
qui peuvent à peine me soutenir. Je me frotte
le corps comme si je repassais un pantalon amidonné, avec une éponge anticellulite, jusqu'au
moment où ma chair devient rouge et lisse, j'extirpe des filaments de crasse de mes flancs et de
l'intérieur de mes cuisses, ce qui me libère des
écorces que mon corps a accumulées, cuirasses
de la réminiscence. Je m'habille le plus vite possible ; une fois prête, je demande par Minitel un
rendez-vous urgent chez le médecin.

Au 5 rue Saint-Antoine, le docteur Jeanson affirme que j'ai bien fait d'aller le consulter, car j'ai une angine extrêmement compliquée, il me prescrit des antibiotiques, des comprimés à sucer et un aérosol pour réduire l'inflammation. Il est doux de s'occuper de soi-même quand on est malade, il est agréable d'assumer sa responsabilité individuelle, d'admettre que si on voulait, on pourrait s'abandonner à son sort et ne dépendre que de ses décisions personnelles. Malgré mon délire, je me sens soulagée sur le chemin du retour. J'achète les médicaments à la pharmacie proche de la rue du Petit-Musc. Tout près, je rencontre Pachy. Il me trouve verdâtre. Est-ce que tu es vaccinée contre l'hépatite ? Bien sûr que non. Et qu'est-ce que tu attends ? Au fait, j'ai plusieurs messages de Samuel, tout semble indiquer qu'il viendra nous voir bientôt, à chaque foutu coup de téléphone il faut qu'il demande après toi. Je ne peux m'empêcher de sourire. Je le questionne pour noyer le poisson, as-tu des nouvelles de César ? Il est à Saint-Domingue. As-tu besoin que je te tienne compagnie jusqu'à ce que tu ailles mieux ? J'ai une réception à l'ambassade de Colombie, mais je peux y passer cinq minutes pour faire acte de présence, et revenir auprès de toi. Je sais faire un bouillon de poulet à s'en lécher les babines. Charline va rester avec moi : je mens pour m'en tirer. Je ne peux pas y croire, que Samuel a dit qu'il allait revenir. Merde, sur la tête de ma mère que c'est vrai, pourquoi je te raconterais des bobards. Il dit qu'il n'a pas pu te joindre au téléphone, soit c'est occupé, soit ton répondeur est branché. Bon, je t'accompagne jusqu'à la porte.

Je passe cinq jours au lit, à moitié somnolente, à boire du lait ou de la soupe Campbell's au poulet que Pachy m'achète au Thanksgiving. Le sixième jour, je reprends du poil de la bête, dressée comme un coq de combat pour affronter le délire quotidien. J'invite Charline au théâtre du Châtelet pour voir danser Pina Bausch ; à la fin du spectacle, nous allons vers la place du Bourg-Tibourg, dans un café-bar ouvert vingt-quatre heures sur vingt-quatre. Charline commande un kir et moi un vin blanc bien frais. Elle est plus belle que jamais, je le lui dis et elle pique un fard. J'ai pensé, qui s'y frotte s'y pique, il est vrai qu'elle a toujours été très délicate, mais si on lui donne la main, elle prend tout le bras.

A une autre table, il y a un couple qui se bécote, lui doit avoir dans les cinquante ans et quelques, mais il est bien conservé. D'après ses yeux de merlan frit chaque fois qu'elle lui caresse le duvet de l'avant-bras, on sent qu'il est tout émoustillé de désir pour cette femme. A en juger par la situation, ils n'ont pas encore fait l'amour, il en bave d'envie, et elle a les bouts de sein qui pointent sous son corsage de soie verte. Manifestement, c'est un couple adultère. La femme doit avoir dans les quarante-cinq ans, elle a des cheveux teints d'un châtain cuivré, ses cosmétiques sont de toute première qualité, mais je devine que son bronzage est artificiel, sa peau à tendance à virer à l'orange carotte ; elle porte une jupe noire moulante avec une ceinture Moschino, ses ongles sont postiches car elle les ronge très délicatement, c'est un tic étudié pour donner une impression d'insécurité, mais elle se sent tout à fait sûre d'elle. Depuis un certain temps déjà, elle a pris la décision de coucher avec cet homme mais ne l'a pas encore fait, elle préfère lui compliquer la tâche, le chauffer à blanc, profiter des préliminaires jusqu'au bout.

— Cesse de les regarder. Ils s'en sont aperçus, intervint Charline. Tu devrais aller à New York, changer d'air pour quelque temps, ou t'y installer définitivement. Tu as besoin de rejoindre tes amis.

— Ils n'habitent pas tous à New York.

— Il y a Mr Sullivan, Lucio, Andro, Samuel…

— Andro est à Miami.

— C'est vrai. Pourquoi ne vont-ils pas tous à Miami ?

— Tu es folle. Ils ont chacun leur vie.

— J'ai l'impression que ce n'est pas la vie qu'ils souhaiteraient mener.

— Ça, on le sait bien.

— Ne te laisse pas vaincre par le cynisme.

Elle liquide son verre d'un trait et commande un autre kir.

— J'essaie. Et tes amis de jeunesse, où sont-ils passés ?

— Ici. (Elle porte l'index à sa tempe.) Je n'en ai jamais revu aucun, mais je dirais que vous autres, Cubains, vous êtes des cas exceptionnels, vous dépendez beaucoup trop de la famille, de la mère, des amis d'autrefois. Vous devez apprendre à accepter d'autres personnes, à élargir le cercle, personne ne naît collé à personne, les amis, ça se remplace. Depuis que je te connais, tu ne cesses pas d'évoquer les mêmes noms. Quant à Samuel, il est pire, ses factures de téléphone étaient monstrueuses. Vos esprits se sont transformés en planisphères. Tu parles d'une telle, celle d'Argentine, ou de telle autre, de l'Equateur, ou de Tartempion, celui de Miami, etc., comme si le monde était un quartier de La Havane ; ce n'est pas normal, ça. Tu vas en crever.

Je murmure comme une automate tandis que je me rince la bouche avec la première gorgée de mon second verre de vin blanc :

— Il paraît que Samuel revient.

— Pour une nouvelle, c'est une nouvelle ! s'écrie-t-elle avec un accent digne d'Alejo Carpentier, avec une joie sincère. Tu connais la date ?

— Non, c'est Pachy qui a parlé avec lui.

— Il te téléphonera avant de prendre l'avion, assura mon amie en battant des cils.

Alors une nouvelle inquiétude me saisit, il le fera et je ne serai pas là, peut-être que mon répondeur tombera en panne juste à cet instant, il croira que je n'ai pas voulu décrocher mon téléphone. Et si jamais il débarquait par surprise et ne me trouvait pas ? Mais non, il ne viendra pas chez moi. Il logera chez un ami, ou à l'hôtel. Il préférera ne pas me voir. Il est vrai que j'aurais dû répondre à son message, celui d'il y a quelques jours, où il disait qu'il avait des nouvelles de Monguy.

— Charline, excuse-moi, il faut que je rentre à la maison.

Je règle nos consommations. Avant, je plante deux baisers sur les deux joues de mon amie, déconcertée. Pas tant que ça, elle sait qu'elle a semé en moi la graine du désespoir.

C'est triste de voir les vitrines éteintes, le trottoir du Bazar de l'Hôtel-de-Ville, si animé dans la journée et désert la nuit. Je suis terrorisée à l'idée de ne plus avoir de boutiques, de ne plus rien avoir. C'est une nuit sinistre comme toutes les nuits de films sinistres parce qu'il bruine et que je n'ai pas pris mon imperméable en polyester noir brillant. Pourtant, là-haut, la pleine lune règne, elle avance au rythme de mes pas. Quand j'étais petite, je rêvais de pouvoir me transformer en flèche et transpercer la lune. Aux actualités du cinéma Payret, j'ai vu les Américains mettre le pied sur la lune, j'étais toute petite mais j'en ai été aussi bouleversée que ma grand-mère qui pleurait parce qu'elle aussi, dans son enfance, rêvait d'être une flèche et de transpercer la lune. Tout comme sa grand-mère, et son arrière-grand-mère. Grand-mère avait prédit : un jour tu auras la lune dans ton ventre, ici, et elle avait posé sa main sur mon nombril. Bien des années après, j'ai revu cette image à la télévision, c'était un documentaire sur des vaisseaux spatiaux et des fusées, j'étais en train de lire Federico García Lorca, alors j'en ai pleuré encore davantage, parce que la lune du poète avait été visitée, mais je savais que le poète y était arrivé bien avant les cosmonautes. Personne n'avait connu chaque repli de la lune aussi bien que Lorca. Je galope dans la rue de Rivoli, il paraît que Martí a vécu ici, la lune halète au rythme de mes pulsations. Il est rare qu'il bruine par une lune aussi immense, aussi gravide de poésie, on dirait qu'elle va exploser d'une minute à l'autre. Mes seins de même. Depuis quelque temps, quand je vais avoir mes règles, j'ai les seins lourds et ils me font affreusement mal, pas facile de courir avec les nichons douloureux, ils tressautent et ma douleur avec. Un mendiant me dit, mademoiselle, s'il vous plaît, j'ai besoin d'une pièce de dix francs. Je suis pressée, monsieur, mon ami, mon amant, non, pardon, il n'est pas mon amant, ou plutôt si, la seule chose qui a manqué c'est le principal, nous connaître à la manière biblique, voyez-vous, l'homme dont je suis amoureuse va téléphoner et je crains qu'il ne me trouve pas à la maison.

Faites-le attendre, mademoiselle. Je ne suis pas une demoiselle. Bon, madame. Merde de merde, je n'ai pas de pièce de dix francs, prenez-en deux de cinq, c'est de l'argent de toute façon. Merci. Ce type a bien de la veine qu'une personne aussi généreuse l'aime comme vous l'aimez, avec cette inquiétude. Au coin de la rue, j'ai failli déraper sur une crotte de chien, les chiens d'ici, ils chient comme des bœufs, ils sont si bien nourris, leur caca est de couleur terre cuite foncée, ou jaune flamme, car ils bouffent des légumes, de la viande hachée, c'est tout juste si on ne leur donne pas de la glace Häagen Dazs au dessert. Quels flambards, ces clébards ! Je ne peux pas les supporter, ils ne font que chier en long, en large et en travers de cette maudite ville. En revanche, osez faire chier un enfant dans la rue, il ne manquera pas de gens pour vous faire les gros yeux et même pour vous prédire de quelle maladie vous allez crever. Il y a ici une préférence pour les chiens qui m'épouvante. Ces gens sont très mal lunés, tenez, les vendeuses du Monoprix, elles vous servent de mauvaise grâce, rouges de colère, les yeux exorbités, le devant de leurs blouses taché d'écume de rage. Il y a une Chinoise au Monoprix situé juste en face de l'hôtel Sully, elle ne vous parle pas, elle aboie. Je galope, à bout de souffle, c'est que je fume un paquet et demi par jour, ça y est, j'ai mis les deux pieds dans une flaque, tant mieux, ça me décrottera les semelles. Samuel aura-t-il téléphoné ? Je suis certaine qu'il l'a déjà fait, ne m'a pas trouvée et m'a envoyée au diable. Mais non, ce n'est pas son genre. S'il n'appelle pas, je me replongerai dans la lecture de Proust, je n'ai pas d'échappatoire. Oh, il y a des moments où je me prends d'un amour pour ces rues ! Je sais que ce ne sont pas les miennes. Je suis étrangère, je parle français avec un accent, certains jours je prononce mieux, d'autres je suis fatiguée, j'envoie les gens se faire foutre en cubain, alors ils se marrent, à vrai dire, ce sont les seules occasions où ils se marrent, ça les fascine qu'on les traite à coups de pied au cul. Pachy m'avait prévenue, tu ne peux pas baisser la tête devant ces gens-là, sauf pour leur entrer dedans, et il a raison. Si tu hausses le ton, si tu fais du grabuge, bref si tu les coiffes au poteau, eh bien ils filent doux, de vrais agneaux. Je suis arrivée tout près de mon immeuble, au restaurant Beautreillis, il y a une fête à tout casser, c'est le vingtième anniversaire de la mort de Jim Morrison, et de tous les côtés de la planète des jeunes gens affluent pour se soûler et se droguer en l'honneur du prince des portes, The Doors, les portes ouvertes sur d'autres mondes recréés par les hallucinogènes. Je passe mon chemin, je ne veux pas d'emmerdes et d'après ce que je vois du coin de l'œil, d'ici peu ça va cogner, les CRS ne vont pas tarder à débarquer pour disperser la foule. J'appuie sur les boutons de mon digicode, sept trois zéro cinq huit, je grimpe les escaliers quatre à quatre.

Pas de messages sur mon répondeur, ni de fax, je m'affale sur le canapé, la gorge serrée. Je devrais dormir, je devrais rêver que je me trouve à New York, en train d'épier Samuel par le trou de la serrure. Il fait ses bagages, il m'a acheté des cartes postales à la galerie Mary Boome, à présent il enveloppe un cadeau de Mr Sullivan pour moi, un vieil appareil photo soviétique, marque Lubitel, de ceux que l'on vendait autrefois à Cuba pour trente-cinq pesos en échange d'une croix dans la case vêtement de la carte de rationnement. Je me demande comment Sully a pu se procurer ce genre d'appareil, à moins qu'il ne l'ait acquis durant son séjour à La Havane, mais par les temps qui courent, un objet pareil c'est comme une aiguille dans une botte de foin, il en reste peu, de ces appareils, bien que, d'après Igor, on en vende toujours à Trinidad, au compte-gouttes. Il l'a peut-être demandé à Mine, à Nieves, à Saúl, ou à Igor lui-même… Lucio et Andro aident Samuel à boucler sa valise. Andro lui recommande de ne pas oublier de me remettre tout de suite le CD de Las D'Aida, il va même jusqu'à chantonner, terriblement faux, un passage de l'une de leurs chansons, *Profecía* :

> *Ton cœur sans battements*
> *viendra chercher ma chaleur,*
> *tes lèvres ternes et froides*
> *demanderont où je suis.*
> *Tu entendras l'écho de cette mélodie*
> *qui se répétera chaque nuit*
> *et tu penseras qu'elle fut imaginaire,*
> *la réalité d'aujourd'hui.*

De son côté, Lucio déroule un plan ancien de La Havane, il s'en sépare la larme à l'œil. Pour Marcela, je sais que c'est le plus beau cadeau que je puisse lui offrir. Non, Lucio, ne lâche pas ce trésor. Soudain, Silvia se pointe aussi dans l'appartement de Samuel à Manhattan, tiens, un présent de Quito, un poncho pour les jours d'hiver, c'est-à-dire pour toute l'année. Ana fait son entrée avec son enfant dans un porte-bébé : je suis sûre qu'elle lui fera plaisir, cette petite boîte à musique, Marcela collectionne les miniatures. Mais vous avez remarqué ? Ça joue une mélodie de Lecuona, je l'ai dénichée chez un antiquaire, c'est mignon, n'est-ce pas ? Saúl débarque. Comment est-il venu, Saúl, depuis Alamar ? Il apporte des partitions de Joaquín Nin, le père d'Anaïs et de Joaquín Nin Culmell, pour les ajouter au lot d'offrandes. Igor apporte des quartiers de goyave confite et de fromage blanc fondu. Monguy et Mine un disque de Paquito D'Rivera, acheté d'occasion au marché noir. Luly une bouteille de rhum Bacardi. Enma supplie Samuel d'accepter la corbeille où ronronne une chatte du nom de *Sissi*, Randy a exécuté la plus belle bande dessinée où il a représenté notre enfance, Pachy a peint un tableau gigantesque avec un portrait encastré en bronze de Diane chasseresse métamorphosée en Yemayá, César, à son tour, a fait un paysage où l'architecture et la nature enfin enchevêtrées rendent hommage à l'habitant... Samuel est persuadé que tous ces dons me rendront folle de joie. Soudain, mes amis ne sont plus dans l'appartement de Samuel à Manhattan, mais sur une terrasse, celle d'Andro au Vedado, la *piscuala*[1], a fleuri, les *platiserios* tombent en grappes et des orchidées foisonnantes s'accrochent aux troncs, l'eau suinte à travers les fougères repues de rosée, le rosier est gonflé de boutons, la liane forme un plafond d'ombres, les arbres de la rue pénètrent à l'intérieur. Il n'y a plus de tronçonneuses pour étêter les branches. Ils jouent à se mettre des faux nez de Pinocchio avec les corolles verdâtres des hibiscus. Cela mérite une bonne musique, réclame Monguy ; quand il va poser l'aiguille du vieux tourne-disque sur le *long-play*, j'entends un grincement horrible. L'image s'évanouit. La sonnerie du téléphone me réveille. Est-ce que j'attends le son de ma voix

1. *Piscuala (quisqualis indica)* : plante grimpante à fleurs multicolores, très parfumées. *(N.d.T.)*

déformée sur le répondeur ? Bonjour, votre message ou votre fax, s'il vous plaît. Merci.

Salut, Mar, c'est moi. C'est Samuel. Je m'empare
de l'écouteur comme s'il allait m'échapper tel un
écureuil effrayé. Oui, salut, comment ça va ? Je
meurs d'envie de te voir. J'ai des nouvelles de
Monguy et de Mine, surtout de Mine, mais j'ai
l'intention de te les donner de vive voix. Cette
nuit je pars pour Paris. Tu viens seulement pour
quelque temps, ou c'est définitif ? Je ne sais pas
encore. C'est à toi de me le dire. Moi, qu'est-ce
que j'ai à y voir ? Ça dépend de toi, tu verras.
Qu'est-ce que tu étais en train de faire ? Tu devais
être en train de lire ton Marcel, ou alors tu regar-
dais "Qu'est-ce qu'elle dit Zazie ?" à la télé en
buvant une canette de Coca-Cola *light*. Ni l'un ni
l'autre. Je rêvais de vous. Qui vous ? Vous tous,
tous les amis. Je te raconterai, grouille-toi, merde,
moi aussi je meurs d'envie de t'embrasser. Oh !
ma fluette, que c'est beau de t'entendre dire ces
mots-là ! Je ne suis pas fluette, je suis grosse. J'étais
très nerveux, je n'avais pas la moindre idée de la
façon dont tu me recevrais. Tu m'as terriblement
manqué, Samuel. En ton absence, j'ai revu ma
vie, nos vies, là-bas à Cuba, l'hyper-malédiction
de cet exil, j'ai imaginé le retour. Mais as-tu pensé
à moi dans le cadre général de la nostalgie, ou
d'une manière plus personnelle ? Je parle comme
dans une réunion de bilan, "dans le cadre général
de cette réunion, camarades"... Pourrions-nous
nous aimer ? Viens vite et ne fous pas le bordel.
Comment ça, que je foute pas le bordel ? Mais
c'est maintenant que notre spectacle va commencer. Fais pas ton malin, je parle sérieusement. Moi
aussi. J'espère bien. A demain, mon amour.

Sans tarder, je compose le numéro de Charline. Pas de réponse. Réponds, Charline, j't'en

prie. Allô ? Quelle chance que tu sois là ! Je viens de rentrer, j'étais allée faire les soldes au Printemps, que se passe-t-il, je te trouve surexcitée ? Eh bien, Samy a fini par me téléphoner, il arrive demain. Je te l'avais dit qu'il le ferait, c'est un gars formidable, quel soulagement, encore un qui ne me déçoit pas. Ecoute, demain je viendrai t'apporter du vin, as-tu besoin d'autre chose ? Ne te dérange pas, ma belle. Je peux acheter des haricots noirs, comme ça tu pourras te consacrer à l'essentiel, je veux dire réfléchir à l'avenir, ne fais pas de mauvais esprit. Je ne sais pas, des haricots, j'en ai, je les avais achetés il y a moins d'une semaine, ne t'inquiète pas. Comme tu voudras, ma chérie.

Ouf ! Ça mérite un petit coup de rhum. D'abord on verse quelques gouttes pour les morts dans un coin de la cuisine, pour qu'ils n'aillent pas se plaindre ensuite que je ne leur ai pas fait d'offrande, pour qu'ils ne se fâchent pas contre moi, regardez, je ne vous ai pas oubliés : Jorge le père de Samuel, Anxiété, mais elle, je l'ai connue à travers le journal de Samuel, cela paraît incroyable, j'ai deux morts très proches de lui. Papito, je le revois sur la plage de Guanabo, avec sa tignasse raide et noire qui lui tombait sur les yeux, il l'écartait de la main ou en renversant la tête en arrière, ou juste en soufflant dessus ; il n'était pas très velu, mais il s'était laissé pousser une fine petite moustache, il avait les yeux les plus noirs du monde, comme ceux de Samuel, mais sans la pépite dorée au milieu, il jouait au volley-ball avec nous, les filles, il en profitait et se collait à nous par-derrière avec ses bijoux de famille lâchés dans son maillot, il ne savait pas raconter d'histoires drôles mais se donnait du mal et nous, les filles, on faisait semblant de nous tenir les côtes, il a été le petit ami de quelques nanas de la bande, c'était un trouillard, il ne se bagarrait avec personne, même pas avec sa grand-mère. Un soir, en rentrant à La Havane dans le bus supplémentaire, à l'arrêt de Guanabo, un grand Nègre lui a foutu une baffe, il a réagi très calmement, s'est massé la mâchoire et lui a fait, je ne te tue pas, mon pote, parce que je ne veux pas qu'on m'accuse d'être raciste. Voilà pourquoi Viviana s'est disputée avec lui, juste parce que Papito s'était dégonflé devant les autres filles, alors, très complexée, elle l'a remis à sa place, ramasse ton barda, papa, je ne suis pas ton genre, tu as fait ton temps, comment ça se fait que tu ne lui as pas cassé la gueule à ce sale Nègre, à ce morceau de charbon. Vivana adorait les durs, ces mecs à dents en or, à l'ongle du petit doigt long comme un poignard de gitan, ceux qui s'essuient la sueur du visage avec un mouchoir amidonné et qui, pour ne pas émettre de son guttural, placent devant leur denture dorée ce même mouchoir plein de morve. Papito, en ton honneur, toi, un homme, un vrai, mon pote, je t'aime même si tu n'existes plus et que les asticots te dévorent à petites bouchées. Je te porte un toast, mon vieux copain, toi qui as risqué ta vie en nageant la brasse papillon à Guanabo, par vent du Nord, tu disais que les femmes nagent sur le dos tandis que les hommes optent pour la bête à deux dos. Tu n'es jamais monté sur tes grands chevaux, tu te fichais en rogne cinq secondes et tu oubliais aussitôt. Tu voulais être ingénieur, cette profession est seyante, affirmais-tu. Tu en es resté là, au stade du désir.

Mon autre mort, c'est le *babaloche* de Regla, je n'ai jamais su son nom parce que lui, je l'ai connu déjà mort, tiens, mon vieux, une rasade de rhum en ton honneur, ne me fais pas le coup de t'enivrer. Après lui, j'ai vu d'autres esprits, mais aucun ne m'a parlé, d'ailleurs, je ne les avais pas connus de leur vivant, il faut dire que celui de Regla non plus. Tout d'abord, j'aperçois une lueur bleutée, puis je sens le parfum dont ils aimaient s'imprégner, bientôt j'entends des ronflements, des soupirs et des paroles ; dans cet ordre, tout de suite, ils m'effleurent ou me pincent. Il y a eu une morte qui ne laissait pas mon cou tranquille, elle en voulait à ma nuque, elle me plantait même des aiguilles, une salope de jalouse ; plus tard, un renvoi amer me remonte de l'estomac, où je sens comme si une dizaine d'araignées tissaient leurs toiles. Les morts ont une saveur répugnante, leur goût est excessivement amer, sauf certains malins qui, avec une habileté merveilleuse, trouvent le moyen de vous tromper en se barbouillant de confiture ou de miel. Encore une petite rasade de rhum pour eux tous, que diable ! Andro avait prédit un jour qu'à l'âge de quarante ans nous commencerions à perdre les êtres qui nous sont chers. C'est pour bientôt.

Je me lève de bonne heure, dès huit heures j'attaque la rue, je prends le métro à Sully-Morland et je descends, ou plutôt je monte, au Pont-Neuf, je recule de quelques pâtés de maisons, toujours en direction de Saint-Michel ; j'ai besoin de m'acheter une robe, quelque chose à la mode, seulement ma mode est toujours pareille, même longueur de jupe, coloris invariables, chaussures confortables. Au Cluny, je bois deux cafés bien serrés éclaircis de quelques gouttes de lait, je mordille un *croissant** trop beurré. A l'ouverture des boutiques, je les visite une à une. Après être entrée et sortie de chez Naf-Naf, Côte à Côte, Etam, entre autres, je choisis enfin un modèle à mon goût, une robe à fleurs bleues et blanches, serrée à la taille, une veste bleu ciel, des ballerines noires toutes simples. Je dégouline de satisfaction et les gens s'en aperçoivent, je ne peux le dissimuler, je marche comme si j'avais gagné le gros lot, au tirage du millionnaire de samedi dernier. Au carrefour en face du café, toujours sur les boulevards Saint-Michel et Saint-Germain, un Africain a étalé par terre une étoffe rafistolée et s'apprête à vendre des avocats plutôt noirâtres, n'importe, j'en achète trois, Samuel adore la salade d'avocats avec pas mal d'oignons crus découpés en rondelles. J'envisage de m'enfermer dans un cinéma pour voir un de ces films sélectionnés pour Cannes, mais ça me donne des maux de tête d'aller au cinéma de jour, en outre le film m'apparaît flou car avec la lumière du soleil je n'arrive pas à sauvegarder l'information d'images en mouvement avec un minimum respectable de qualité. Je suis astigmate. Finalement, je décide de visiter le musée Cluny, du Moyen Age, que je connaissais déjà, mais aujourd'hui j'ai une certaine propension à la pénombre.

Dès l'entrée, une odeur de tapis rapé et poussiéreux m'entraîne vers d'anciens châteaux gothiques, une couronne en or massif, de conception primitive, incite à imaginer le crâne qui l'a portée, fichée entre des boucles châtain doré. Voici les bagues énormes, de l'or qui semble tricoté à l'aiguille pour confectionner les moïses des bébés, authentiques chefs-d'œuvre d'orfèvres miraculeux. Les crucifix ouvragés pour les fronts, ou les corps repoussés pour être mis en croix. Des poitrines hautaines ou blessées arborent de grosses chaînes, je peux deviner les cicatrices béantes telles des roses charnues, puis sombres et coagulées au fil des épées. Je ne suis pas attirée par l'imagerie religieuse, plaintes figées, coups de poignards dans les flancs, d'où saigne l'histoire, cuisses décomposées aux plaies suppurantes, yeux révulsés roulant sur le marbre de la salle des banquets. Dans d'autres yeux, ceux des dames tourmentées en raison de l'éternelle fidélité imposée par leurs guerriers, perlent des larmes d'épouvante et d'adultère. Certaines, à la chevelure parfumée, se querellent, prêtes à trahir jusqu'à l'assassinat, leurs décolletés entrouverts sont plus lourds qu'un sépulcre, car ils sont brodés de fils d'or et sertis de pierres précieuses. D'autres dames se répandent en sourires malfaisants, masqués sous des grimaces d'extase. Oh, l'angoisse et le dévergondage des damoiselles médiévales ! Hanaps gigantesques où burent des couples pendant des nuits d'exaltation nuptiale, d'oies sauvages. Olifants d'ivoire, parfois brisés mais si on y applique l'oreille, l'appel de leur maître y vibre, un hurlement perdu dans les bois, qui va du serf au cerf, de l'esclave au gibier, du gibier à l'arbre, de l'arbre à la fée, de la fée à la montagne, de la montagne à l'écho. L'écho de la gloire des ancêtres de l'homme.

Sur le même niveau se trouve une salle en rotonde tendue de velours noir, prévue pour accueillir les spectateurs ; c'est là que les six tentures de *La Dame à la licorne* me souhaitent la bienvenue. La richesse des couleurs enivre, le fond rouge contraste avec l'azur intense et lumineux, ce qui crée une harmonie des plus subtiles. Le tissage évoque des décors végétaux parsemés de fleurs, de feuilles et d'arbres divers, pins, orangers, chênes, houx. La faune trépigne dans ses attitudes précises de guet, le renard, le chien, le lapin, le canard, la perdrix alternent avec l'exotisme d'animaux pleins de fureur, fidèles à leur espèce, le lion, la panthère, le guépard… Dans sa convoitise, l'œil accapare cet être fabuleux imaginé dès la plus haute antiquité, un corps de cheval, une tête de chèvre, une corne qui n'est rien d'autre qu'une dent de narval. C'est ici que la licorne m'affronte, avec son pouvoir aussi étonnant qu'irréel. Selon les historiens, c'est une écrivaine qui découvrit cette belle composition, George Sand en personne, au château de Boussac, une obscure sous-préfecture située dans la Creuse. Quant aux légendes soi-disant représentées sur chacune des tapisseries, les opinions divergent. Des critiques soupçonnent qu'elles nous parlent d'un Orient merveilleux, à l'époque du prince Zizim, fils de Mehmet II et frère de Bajazet II ; prisonnier à Bourganeuf, dans la Creuse, on raconte qu'il les fit tisser pour la dame de son cœur. Selon d'autres experts, l'œuvre ne représente qu'une allégorie matrimoniale. Cependant, au dire de certains, la Dame n'est autre que la célèbre Marguerite d'York, troisième épouse de Charles le Téméraire.

Sur la tenture n° 1, *La Vue* : La Dame baisse les paupières, une moue contrariée plisse sa lèvre inférieure ; elle tend un miroir ciselé à la licorne, dont les pattes de devant reposent sur ses genoux, le lion ébloui se pourlèche du regard. *L'Ouïe* : Deux dames, l'une d'elles joue d'un orgue très ancien, l'autre écoute, le lion et la licorne, envoûtés, l'encadrent. *Le Goût* : La Dame prend une friandise qu'une autre damoiselle, agenouillée, lui présente dans un drageoir en or ; la licorne nous contemple en nous invitant à déguster cette sorte de meringue semblable à un pet-de-nonne ; le lion se pavane fièrement.

L'Odorat : La Dame, drapée d'une fine mousse-
line, tresse une couronne de pétales de fleurs ; la
suivante l'observe, hypnotisée, le lion et la licorne
semblent attendris par le parfum du lieu ; sur un
tabouret le singe hume un œillet. *Le Toucher* : La
Dame caresse de la main gauche la corne lai-
teuse de la licorne, de la droite elle tient ferme-
ment une lance, dans les pupilles de l'animal, la
dévotion pour la jeune dame représente une
expression amoureuse des plus belles et des
plus poétiques. Sixième et dernière tapisserie,
À mon seul désir : Enigme, la suivante adolescente présente à la dame une cassette ouverte,
mais celle-ci ne prend pas le collier, c'est l'inverse, elle le remet, elle s'est débarrassée du
bijou que jusqu'alors elle portait à son cou. Il ne
s'agit pas d'une offrande mais bien d'un renon-
cement à la possession. La licorne et le lion sont
appuyés contre les lances. Les critiques ont relié
cet acte avec le *liberum arbitrium* des philosophes grecs qui voyaient d'un bon œil le fait
d'échapper aux passions que déchaînent chez
les êtres humains des sentiments incontrôlables,
désorganisant ainsi l'ordre des sens.

Assise sur le banc de marbre, je peux passer
des heures et des heures à admirer la sveltesse
des corps féminins, la finesse des visages, ou le
port élégant de certains animaux. Les couleurs
lumineuses, quoique ternies par le cours du
temps, prouvent que les six pièces furent tissées
par les mains d'habiles artisans au métier très
sûr, des savants de l'image. Les velours, les soie-
ries, les joyaux, les fourrures, les brocarts furent
transposés sur les tentures de laine avec une fer-
veur raffinée. La photographie de l'âme c'est
cela, la beauté pensée et ouvragée avec une
patience séculaire et cela, aucun appareil photo

ne pourra jamais le capter. Je tiens à convaincre Samuel : c'est une sottise de sa part de préférer fantasmer sur les originaux, de refuser d'en profiter dans toute leur authenticité, dans toute leur splendeur sacrée.

J'ai à peine quitté la rotonde aux tapisseries pour visiter une autre salle qu'une voix familière retient mon attention. Je regarde autour de moi ; devant, un couple montre à un enfant la sculpture qui représente le petit Jésus dans la crèche. L'homme tient l'enfant dans ses bras, de toute évidence, c'est son père et il s'efforce de commenter en termes simples chaque pièce du musée. La femme passe maintenant dans une troisième salle contiguë. L'homme se tourne de mon côté, avec un large sourire étonné, un peu embarrassé de tomber sur moi :

— Marcela, je n'en reviens pas !

C'est Paul. Je vais vers lui ; avant de m'embrasser, il dépose l'enfant par terre. Il marche déjà, il doit avoir dans les deux ans.

— Paul, quelle joie ! Je l'avais deviné, mon intuition me soufflait que tu étais marié et que… c'est ton fils ? (Il confirme.) Il est très beau, il te ressemble.

— Penses-tu ! C'est le portrait de sa mère. Elle est ici, d'ailleurs, devant nous, je ne te présenterai pas sous ton vrai nom, elle est encore jalouse de toi, explique-t-il, nerveux.

— Mais enfin, elle ne m'a jamais connue et notre aventure a eu lieu bien avant qu'elle n'entre dans ta vie, il me semble.

— C'est vrai, mais je lui ai parlé de notre relation, et il n'en fallait pas plus pour qu'elle se mette dans la tête que tu es la femme qui m'obsède. Tu vois, j'avais seulement voulu être franc.

— Ne t'inquiète pas, pour le moment je m'appellerai Sofía.

— Tu es toujours photographe ?

— A ma manière ; je gagne ma croûte en maquillant des vedettes politiques, qu'en penses-tu ?

— Du moment que tu n'es pas contaminée. Moi j'ai ouvert un restaurant dans le Midi. Je n'habite pas ici, je suis de passage. Je ne suis pas non plus retourné à New York. J'ai mis du plomb dans ma cervelle.

— Je vois ça, j'ai l'impression que tu en avais besoin. Comment va ta cicatrice ?

Je fais allusion au coup de poignard au front, reçu des mains de voleurs dans le Harlem hispanique, et dont il lui est resté une tache profonde et violacée.

— Bof ! Des douleurs périodiques, je suis scrupuleusement un traitement médical, rien de grave.

La femme vient chercher son mari et son enfant, qui commence à faire des siennes en tripotant les sculptures. La gardienne le gronde doucement, mais fait les gros yeux à son père en signe de désapprobation pour sa négligence. La femme de Paul prend l'enfant dans ses bras et vient vers nous.

— C'est toi, Marcela ? Je l'ai deviné d'après ton nez. Paul n'arrête pas de me parler de ton nez.

— Non, je ne suis pas Marcela, je suis Sofía… enchantée. J'ai travaillé avec Paul au restaurant Priscilla Delicatessen, à Manhattan. A l'époque j'étais la copine de l'un de ses meilleurs amis, un névrosé qui vendait des parfums chez Macy's, le célèbre grand magasin.

Je mens avec une théâtralité digne de Mine, inquiète tout de même de ce que Paul peut avoir dit à propos de mon nez.

— Oh ! excuse-moi. Enchantée, je m'appelle Nathalie. (Gênée, elle fait deux pas en arrière, guère convaincue ; l'enfant se met à piquer une grosse colère et réclame les bras de son père.) Paul, tu ne m'avais jamais parlé d'elle.

— Comment ça, Paul ? Tu ne lui as pas raconté que sans ton intervention je me serais suicidée, par la faute de ton abruti de copain ? Il m'a découverte avec deux poignées de comprimés, dans la main et dans l'estomac, l'écume à la bouche.

Paul ne se remet pas de sa stupeur.

— Comment puis-je raconter des choses pareilles ? Tout ce que j'ai fait, c'est de t'emmener à l'hôpital… Je n'ai aucun mérite, n'importe qui en aurait fait autant…

Elle me recommande :

— Est-ce que tu viendras nous rendre visite à Arles ? La région est très belle. Paul, donne-lui notre carte.

Comme un automate, Paul prend une carte de visite dans son portefeuille, je remarque qu'il possède plusieurs Visa dorées. Je lis leur adresse avec attention, en attendant que l'un d'eux se décide à prendre congé. L'enfant, à nouveau dans les bras paternels, se remet à chialer et à hurler de plus belle pour revenir dans les bras de sa mère.

— Eh bien, c'était un plaisir, je descendrai sûrement dans le Midi. (Je note mon adresse sur un bloc que je viens d'acheter à la *boutique** du musée.) Ma maison est la vôtre.

Je dis cela en priant dans mon for intérieur qu'ils ne prennent pas cette expression au pied de la lettre.

Nous nous sommes embrassés quatre fois sur chaque joue, total douze baisers, quatre de Paul, quatre de sa femme, plus les quatre miens. Le bébé, je lui pince la joue gentiment, il sourit enfin et se jette à mon cou. J'ai un fluide pour attirer les enfants. Je le soulève quelques secondes dans mes bras, Paul regarde, attendri, comme pour dire tu aurais pu être sa mère. Je le restitue à la vraie. Ils marchent devant moi, mais je les dépasse très vite, ce n'est pas commode de montrer un musée médiéval à un bambin de deux ans. J'avoue que ma rencontre avec Paul m'a remué les sangs, mais aussitôt l'image de Samuel s'est interposée et mon état sentimental est revenu à la normale. Ou plutôt, si je fais un bilan, la rencontre avec Paul n'a provoqué en moi aucun effet foudroyant. Samuel comble toutes mes attentes ; j'ai beau persister à penser qu'il a été ma dernière épreuve, je résiste encore à l'idée d'une liaison avec lui. Et même d'une aventure. Alors pourquoi, hier, me suis-je risquée à lui donner des espérances ?

Songeuse, j'avance dans les autres salles du musée : ces dais, retables et prie-Dieu à foison, meubles séculaires dont le bois éraflé est verni avec un soin ancestral, survivant à la coupe des forêts, aux banquets pendant lesquels, sans nul doute, se déroulèrent des joutes amoureuses ou des combats imprévus, aux bals et à leurs propres chorégraphes ou artistes de châteaux. Des dames huppées, des guerriers harnachés, aux bracelets de cuir à clous d'or, m'épient depuis les niches. Le *Livre d'heures* du duc de Berry, le temps illustré page par page, agonisant dans le zodiaque, renaissant, éternisé par ma main, à présent que je le feuillette, immortalisé par le contact avec d'innombrables spectateurs. Je suis triste que la visite se termine, que le musée se soit éteint, au moins pour aujourd'hui.

Je rentre chez moi à pied, j'aurais pu prendre le bus 86, qui me conduit directement au boulevard Henri-IV, mais j'ai envie de naviguer en imagination sur ce bateau démoniaque qu'est l'île Saint-Louis. Je dégusterai une glace chez Berthillon, de celles-là on peut vraiment dire que ce sont les meilleures glaces du monde, rien à voir avec le Coppelia. Celles d'ici sont beaucoup plus crémeuses, au chocolat pur, à la fraise avec des morceaux de fruits succulents, à la vanille, et même une glace au rhum et au whisky, un régal. Quai Bourbon, je passe devant le n°4 où habite l'écrivaine Alba de Céspedes, arrière-petite-fille de Carlos Manuel de Céspedes ; j'ai été chez elle à plusieurs reprises. C'est une femme énergique aux yeux vifs ; elle m'a parlé de Céline et m'a montré sa fabuleuse bibliothèque. Je traverse le Pont-Marie ; la vue du fleuve que je contemple avec nostalgie (qu'est-ce que j'éprouverais si un jour on m'empêchait de voir ce fleuve ?) m'oblige à oublier un peu le Front de mer havanais. La mer sera toujours la mer, mais ce paysage confirme qu'une île au milieu d'un fleuve est beaucoup plus sécurisante, elle adoucit au moins la sauvagerie du concept d'île, au milieu de l'océan, en pleine dérive.

Arrivée à la maison, je commence mes préparatifs pour accueillir Samuel, il reste six heures à peine avant son atterrissage. Je constate que Charline m'a déposé les vins promis, c'est un amour, cette Charline. Je fais tremper les haricots noirs, je verse la mesure de riz dans un bol, je ferai une salade de tomates à la mozzarella et comme dessert, une tarte aux poires. Le téléphone sonne trois fois, c'est un fax, je lis l'en-tête, ça vient de Quito, c'est Silvia qui l'envoie.

Chère Marcela,

Je ne voudrais surtout pas te peiner, mais lis ces nouvelles. Et pendant ce temps, le monde est sourd et aveugle. Je ne vais pas me lancer dans un combat perdu d'avance, mais j'ai distribué ce fax à tous nos amis, nous devons être informés. Je n'ai pas le courage de t'écrire longuement, lis-le et prends la chose calmement, comme moi, mais nous ne devrions pas tourner le dos à de telles atrocités. J'ai pris cela sur Internet. Bises.

RÉSUMÉ DES NOUVELLES A MESURE DE LEUR ARRIVÉE

Un incendie de *"faibles proportions"* a détruit partiellement le restaurant italien Via Veneto situé dans La Vieille Havane, et qui était complet, a informé Tribuna de La Habana. L'incendie n'a pas causé de victimes, les cinquante-deux tables de l'établissement étaient occupées. De gros dégâts matériels ont affecté les vivres, les équipements et le local.

Une explosion de proportion moyenne s'est produite dans la nuit du samedi 12 avril, à la discothèque Aché située dans l'hôtel cinq étoiles Meliá Cohiba. Dommages matériels visibles de l'extérieur. Il n'a pas été question de blessés.

Un mort et six disparus dans le naufrage du bateau-citerne Pampero, survenu le 14 avril à cinq milles environ de la plage de Guanabo. Trois membres d'équipage sont portés disparus. Des témoins ont assisté à l'explosion, qui a fracassé la coque, puis au naufrage. Dix-huit membres d'équipage ont pu être sauvés. Le Pampero *faisait du cabotage pour le transport du pétrole dans des ports cubains avant de réintégrer le port de Matanzas.*

Un autre pétrolier cubain, le Gulf Stream, *a fait naufrage sur les côtes orientales du Venezuela. Une brèche s'est d'abord produite dans l'un de ses réservoirs centraux, ensuite l'incendie s'est déclaré, suivi du naufrage. Le* Gulf Stream *naviguait de Cuba au Venezuela pour charger du pétrole. Les autorités vénézuéliennes n'ont ni infirmé ni confirmé qu'il y ait eu sabotage.*

Un touriste danois a été tué par les sentinelles d'une unité militaire qui ont ouvert le feu sur lui. Joachim Loevschell, vingt-six ans, est tombé sous les balles des soldats au moment où il pénétrait dans une zone interdite.

Deux bus de tourisme Escania ont été incendiés à La Havane.

Un enfant de huit ans, Roberto Faxa, a été piétiné par ses camarades à l'instigation de leur maître, qui les avait poussés à commettre cet acte de violence, parce que l'enfant avait refusé de signer la loi 80 (qui stipule la loyauté au régime et s'élève contre la loi Helms-Burton).

Dans la municipalité López Peña, des inconnus ont sacrifié cinq bœufs et trois chevaux. Des arrestations ont eu lieu. Dans la même municipalité, le buste de José Martí a disparu du parc et a été retrouvé dans un théâtre, recouvert de slogans antigouvernementaux.

A la Centrale sucrière 30 Novembre, des inconnus ont lapidé la boutique où l'on vend uniquement en dollars. Dans la même Centrale, des incendies ont été allumés dans les champs de canne.

A La Havane de l'Est, il ne reste que deux cents enseignants pour deux cent mille élèves. Les autres maîtres ont été licenciés pour motifs politiques.

L'espace délimité par Santa María del Mar, San Miguel del Padrón et Rancho Boyeros est privé d'eau potable. Ces quartiers subissent une pénurie du précieux liquide. De source officielle, la nappe phréatique et les barrages ne peuvent fournir d'eau à la population, étant totalement à sec.

A Mayarí 60 caballerías[1] de cannaies ont été incendiées.

On a volé dans un entrepôt du Cerro du matériel dont la valeur est estimée à 141 000 dollars.

A Campo Florido, on a intercepté un camion chargé de chaussures d'une valeur de 17 000 dollars ; elles avaient été subtilisées d'une usine.

A Fomento, Pedrara et Caibarién, on informe que des incendies de cannaies ont éclaté dans diverses coopératives.

A Manatí et à Puerto Padre aussi, on informe que 30 caballerías ont été brûlées par des inconnus.

22 avril

Le Journal télévisé national a critiqué Joseph Staline en ajoutant que Lénine n'aurait pas dû l'appuyer.

Le tourisme allemand n'atteint pas, semble-t-il, les chiffres espérés par le gouvernement cubain, puisqu'une campagne de promotion est lancée pour l'augmenter de 60 %.

Les sucreries ne travaillent qu'à 60 % de leur capacité de mouture, et la seule province qui exécute son plan, selon un rapport du ministère du Sucre, est celle de Santiago de Cuba.

On annonce une bonne récolte d'oranges dans la province de Matanzas, et un achat de douze milles buffles afin d'améliorer l'industrie laitière.

---

1. *Caballería* : mesure agraire qui correspond à 13,42 hectares. *(N.d.T.)*

Le Premier ministre de La Grenade a effectué une visite de la Centrale électronucléaire de Cienfuegos.

A Pinar del Río, les plants de tabac se dessèchent, faute d'entretien.

L'essence est vendue à 90 centavos au cours officiel, à 50 centavos au marché noir.

Les travailleurs de 1 400 boulangeries se sont réunis pour traiter des points suivants : mauvaise qualité du pain, poids réduit, vol des ingrédients et indiscipline au travail.

Dans la baie de Cárdenas, des centaines de tonnes de pétrole se sont répandues. La nappe a atteint Varadero.

Pour l'année prochaine, le gouvernement compte sur plus d'un milliard de rentrées dues au tourisme.

La récolte de tabac de Los Palacios, à Pinar del Río, présente des difficultés. D'après des données officielles, la cause est due à des déficiences dans la culture et à un défaut d'entretien.

L'île des Pins fait savoir que les paquets de cigarettes sont incomplets, les cigarettes sont courtes et de mauvaise qualité.

25 avril

Seules 114 sucreries travaillent ; on annonce que la zafra[1] *prendra fin au mois de mai.*

Accident au km 43 sur l'autoroute nationale : quatre morts. La cause avancée est le mauvais état des véhicules.

A Caibariën, des enfants ont trouvé un obus d'artillerie, son explosion a causé un mort.

30 avril

Un ministre important a expliqué par l'indiscipline, le manque d'intérêt, le gaspillage et la

---

1. *Zafra* : récolte de canne à sucre. *(N.d.T.)*

corruption, le fait que l'économie n'atteint pas les objectifs fixés pour cette année.

Un autre ministre important a remercié les habitants de Santiago de Cuba d'avoir atteint leurs objectifs : à travers toute l'île, ils sont les seuls à avoir reçu une telle distinction.

Des troupes ont été postées dans tous les lieux stratégiques de La Havane pour prévenir les troubles du 1er mai, au cours du meeting qui aura lieu ce jour-là sur la place de la Révolution. Dans les hôtels Tritón, Cohiba, Neptuno, sur le Front de mer et en d'autres lieux, la présence militaire est tout à fait inhabituelle.

5 mai

Dans le bourg d'Aguada de Pasajeros, des coups de feu ont réveillé toute la population. On signale aussi un incendie dans la poudrière, suivi naturellement d'explosions. Un événement similaire s'était déjà produit à Limonar deux mois auparavant. Dans le même bourg, la population a protesté contre la distribution de lait avarié et le gaspillage de haricots noirs, pleins de charançons ; on accuse les dirigeants du Parti.

A Consolación del Norte, l'usine électrique est hors d'usage.

Il y a eu des visites de grandes personnalités de l'Armée, du Parti et du gouvernement chinois.

Début du retour dans leur province des habitants d'Oriente après le discours du Commandant qui a annoncé l'expulsion par la force de tous ceux qui seraient venus vivre à La Havane sans le consentement des autorités. Cette mesure concerne aussi les habitants d'autres provinces.

Mise en place de campements provisoires dans les parcs Céspedes, Martí et Serrano, à Santiago de Cuba, pour y héberger les gens expulsés de la capitale.

Cuba dénonce l'utilisation d'une avionnette immatriculée aux Etats-Unis pour déverser des produits chimiques sur des cultures. Ils accusent directement le gouvernement américain du fléau Thrips Palmi qui affecte la province de Matanzas.

On annonce officiellement l'inauguration de quatre zones franches : Wajay, La Havane (vallée de Berroa), Mariel et Cienfuegos. Les concessionnaires sont les Almacenes Universales S.A. et Havana in Bond de la société Cimex.

A l'usine d'électricité de Santa Cruz del Norte, s'est produite une explosion dont les causes n'ont pas été révélées ; elle a affecté les installations de pétrole et mis hors d'usage tout le complexe.

Dans la ville de Camagüey, on annonce une invasion de moustiques et la mobilisation adéquate.

On signale un quartier où il se présente des cas de dengue hémorragique.

La sécheresse persiste dans les provinces d'Holguín et de Tunas, néanmoins la récolte de canne se poursuit.

On procède en ce moment à un recensement des logements.

Camps de concentration à Santiago de Cuba pour les expulsés de La Havane. La campagne contre les illégaux, l'indiscipline et les délits se poursuit au niveau national.

On annonce que l'argent manque pour s'approvisionner dans les petits marchés officiels, dont les prix sont élevés. Les haricots noirs coûtent 8 pesos la livre, les rouges 9 pesos.

Sur le marché mondial, le cours du sucre est de 11 cents.

Des officiels du régime informent que le riz coûte 440 dollars la tonne à l'étranger – autour de 20 cents la livre – et que les besoins pour la consommation intérieure annuelle sont de 350 000 tonnes, soit une dépense de 150 millions de dollars à cet effet. Ils attendent en outre une production nationale de 150 000 tonnes pour la consommation intérieure, avec une assistance chinoise et vietnamienne.

Le Festival mondial pour la jeunesse et les étudiants commencera le 28 juillet. Outre La Havane, Santiago de Cuba sera aussi le siège de cet événement.

Dans une annonce de dernière heure, le gouvernement demande des volontaires pour semer 4 000 caballerías de canne en dix jours. Le même communiqué dénonce la mauvaise qualité des grains, le travail bâclé, les espaces vides de semailles et les pluies qui retardent les travaux.

On annonce que les sommes envoyées de l'étranger pour des parents résidant à Cuba ne seront pas imposées.

Le gouvernement signale que malgré les impôts et le chômage, environ 9 milliards de pesos circulent dans l'île.

Accident à Jatibonico : vingt et un blessés, dont deux résidents des Etats-Unis.

A Cienfuegos, on informe que des fonctionnaires du gouvernement volaient les amendes payées par la population.

J'ai posé la question de rigueur à nos frères qui luttent à l'intérieur de l'île : "Que pouvons-nous faire pour vous ?", et j'ai reçu une réponse unanime : "Continuez à dénoncer toutes les violations pour attirer l'attention des gouvernements amis et des organismes internationaux chargés de veiller au respect des droits de l'homme, afin qu'ils continuent à être très attentifs à la situation."

Comme tu vois, Mar, ce n'est pas le moment de rigoler. Je sais que tu en as marre de la politique. On en est tous au même point. Mais il s'agit de la vie des gens. On n'a pas le droit, je ne crois pas que nous devions rester insensibles. Pour ce qui est d'agir, on n'y peut rien, mais au moins on est au courant. C'est la raison essentielle qui m'a poussée à expédier ce fax à Ces-Insulaires-là disséminés de par le monde, à ceux qui comme nous savent encore rêver. Adieu. Tendresses.

SILVIA

Je suis douchée, parfumée, pomponnée, à vos marques, prêts, partez ! pour recevoir Samuel, pour le dévorer de baisers, ou au contraire de mensonges, tandis que résonne encore dans ma tête le message de Silvia. Nous ne pourrons jamais nous débarrasser du poids écrasant de l'île, nous aurons beau vivre à Paris, à New York, à Mexico, en Argentine, en Equateur, à Miami, nous ne pourrons nous en délivrer, même si nous revenions à La Havane. Un jour.

Ils ne sont pas terribles mes haricots, mais leur fumet est divin et ils sont mangeables, les grains de riz sont bien détachés, le vin, je l'ai mis à refroidir parce qu'il commence à faire assez chaud, pas trop, mais c'est toujours ça. Le dessert, je l'ai gardé au réfrigérateur, sur le plat bleu que Samuel aime tant. Mon Dieu, j'ai oublié la viande ! Je n'ai même pas eu l'idée de faire du porc grillé, un hachis ou un poisson frit ! Le plus terrible, c'est que je n'ai rien au congélateur et que tout est fermé ! A cette heure-ci je ne peux pas sortir chercher une boutique d'Arabes encore ouverte. Je ferais mieux d'attendre Samuel, sinon il risque de trouver porte close ;

une fois en confiance, je m'excuserai de mon étourderie et j'irai dégoter de la viande. Je pourrais commander un poulet chez McChicken. Mais leurs poulets ne sont pas sympas, ils sont fadasses, ils n'ont aucun jus de cuisson.

Je suis si énervée que j'ai les mains moites et le foie en capilotade. J'ouvre un tome de Proust, tu parles, pas moyen, les lettres sautent, je n'arrive pas à me concentrer sur ma lecture. J'allume le téléviseur et depuis le canapé, avec ma télécommande, je zappe sur toutes les chaînes, jusqu'à la quarante, aucune émission ne m'intéresse. Bien que sur la deux ils passent *Le Retour de Martin Guerre*, mais ce film je l'ai déjà vu au moins trois fois ; pas de doute, il me passionne toujours autant. On frappe à la porte. Je tripote la poignée sans pouvoir dissimuler mon contentement. Il est dix heures moins le quart du soir. C'est lui. Ses yeux brillent, intenses, avec ses deux pépites dorées incrustées dans deux perles de jais qui nagent dans deux océans de lait. Il a les cheveux coupés très courts, il n'a pas de barbe malgré ses neuf heures de voyage, il a dû se raser dans l'avion. Il sourit, ému. Il a maigri, il porte un jean bleu, une chemise blanche, une veste bleue aussi à petits carreaux noirs, des mocassins marron, sans chaussettes. Il ramène une valise neuve à roulettes, et une énorme sacoche. Il abandonne ses bagages près de la cheminée. Il vient vers moi après avoir posé son passeport et ses journaux sur le piédestal où se déteint un fanion cubain en soie.

— Je t'aime, Mar.

Il m'étreint, sa poitrine ronronne, comme chez les chats. Je suis en harmonie avec lui par des vibrations embarrassantes, révélatrices. Nous évitons de croiser nos regards. Je ne comprends pas pourquoi, subitement, nous ne désirons pas sonder notre infortune dans nos pupilles. Il a une bonne odeur de draps propres, il ne s'est pas parfumé, c'est une essence naturelle.

Quelques secondes après, nous décidons de nous regarder dans les yeux. Nous nous observons de l'intérieur, comme pour chercher ce qui a changé en nous durant notre séparation. Il m'embrasse en posant ses lèvres sur les miennes, rien d'autre, pas de jeux de langue, ni d'intention de légitimer la sensualité, il y a en lui du calme, de la sérénité, ce qui accroît mon indécision. Je m'interroge une fois de plus sur les attitudes immédiates, en réprimant toute démesure possible dans ma conduite, je me dois d'être circonspecte. Comme une chatte guettant un canari, ou "sur un toit brûlant" ? Il faut que j'évite de me décentrer de mon axe, celui de la sagesse. Il n'est pas sans remarquer ma crispation, mais rien ne le trouble, il se contente de relâcher son étreinte et sourit, placide ; assis sur le canapé, il étudie mes gestes. Je vais prendre deux verres dans le buffet pour porter un toast au vin blanc.

— A ton retour, dis-je.

Nos verres s'entrechoquent.

— A la vie. (C'est son habitude, de boire à la vie.) J'ai plein de cadeaux pour toi, de la part d'Andro, de Lucio et de Sully…

— Tu l'appelles déjà *Sully* ?

— Depuis que tu l'as baptisé de ce diminutif, il ne tolère pas d'être appelé autrement. C'est un mec hypercool. On déballe les affaires tout à l'heure, d'accord ?… Comment vas-tu ? Tes amis se plaignent que tu n'écris pas et ne réponds pas à leurs coups de fil. J'ai fait la connaissance de tes parents, séparément, bien sûr. Ils se demandent si tu iras passer Noël avec eux, ou si tu feras bientôt un voyage à Miami. Ils sont sympas, eux aussi.

— Comment tu as fait pour avoir leurs adresses ?

— Andro. (Il but une gorgée de vin.) Je dois te donner la meilleure nouvelle, je ne veux pas la garder pour la fin, tu devrais te détendre un peu, je te sens crispée.

— C'est que j'ai oublié d'acheter de la viande, ou du poulet, ou du poisson, ou du porc… J'ai fait des haricots noirs, du riz, de la salade, du dessert et le principal, je l'ai oublié.

— Quelle importance, nous nous mangerons nous-mêmes ! plaisanta-t-il. On m'a raconté qu'il y a longtemps, ici à Paris, un Japonais a bouffé sa fiancée. Il l'a tuée, l'a découpée en morceaux, l'a congelée, et jour après jour il cuisinait différents menus : Fiancée rôtie aux haricots verts, Fiancée à la tomate garnie de pommes sautées, Fiancée grillée à la purée de carottes, Fiancée farcie aux raviolis…

Je me suis écriée, le cœur sur les lèvres :

— Arrête, arrête, c'est dégueulasse !

Il reprit son sérieux :

— Bon, passons, j'ai des nouvelles formidables de l'île.

— J'espère qu'elles ne ressemblent pas au fax que Silvia m'a envoyé cet après-midi. Une succession de calamités.

— Pas du tout. Ça nous concerne directement.

Il ne put s'empêcher de se frotter les mains, tout réjoui.

— Monguy est sorti de prison, dit-il en savourant ses mots.

— Putain, Samy, putain, mais qu'est-ce que tu attendais pour me l'apprendre ?! ô, petite Vierge de Regla, merci, ma vieille ! ô, sainte mère, quelle joie ! (Pourtant, au lieu de rire, je me mets à pleurer.) Tu as parlé avec lui ? Il va bien ?

Il acquiesce.

— Il n'est pas en pleine forme, mais ce n'est rien de grave, il n'arrête pas de parler de Dieu et du pardon. Ça lui passera. Mine et lui, ils vont à la messe tous les dimanches. Tu ne les reconnaîtrais pas.

— Bon, d'accord, mais Monguy est libre.

J'ai allumé une Marlboro.

— Libre, façon de parler… je demande à voir. Il est moins prisonnier.

— Tu y vas fort ! Il est dehors, et elle se rachète, en tout cas je préfère la savoir à l'église que dans un comité de base en train de moucharder.

— Je ne vois pas trop la différence.

— OK. Je veux dire qu'ils sont réunis, ils veilleront l'un sur l'autre…

— Celle qui est en cabane, c'est Nieves, la Négresse. Elle s'est fait arrêter dans une rafle de prostituées, mais il paraît qu'on les relâchera bientôt.

Je pousse un grand soupir. Il n'y a pas d'échappatoire, quand ce n'est pas l'un, c'est l'autre.

— J'en ai une meilleure. (Il se pourlèche les babines.) J'ai eu une longue discussion avec Mine, trop longue même. Elle a versé toutes les larmes de son corps quand je lui ai dit que j'étais amoureux de toi, mais quand je lui ai annoncé, comme je te l'avais dit au téléphone, que tu m'avais avoué l'épisode des lettres à mon père, ton complexe de culpabilité et l'impossibilité pour nous deux de vivre ensemble… Elle a tellement pleuré que j'en ai conçu des soupçons.

— Tu n'aurais pas dû la tourmenter avec cette histoire. On en souffre déjà assez nous-mêmes.

Et moi, je lui ai causé du tort en la prenant pour témoin.

— Tu te goures, c'est elle qui t'a empoisonné l'existence, pendant toutes ces années… (J'ai fait une tête qui voulait dire qu'est-ce que tu mijotes, de quoi tu parles, bon Dieu ?) Elle a pleuré de plus belle, elle a demandé pardon à genoux, elle a suggéré qu'elle aurait dû se tuer il y a très longtemps, à l'époque de l'assassinat de mon père. Mine, j'y bite rien, moi, qu'est-ce que tu veux dire ? lui ai-je demandé prêt à l'étrangler, si elle a eu la vie sauve, c'est grâce au satellite qui filtrait la conversation. Oh, Samy, ce n'est pas Marcela qui était la maîtresse de Jorgito ! Quand elle a appelé mon père par son diminutif, j'ai reçu un coup de fouet à l'épine dorsale, elle l'avait dit trop familièrement. C'était moi, a-t-elle susurré dans un souffle. Il y avait belle lurette qu'elle couchait avec lui quand toi tu l'as repéré du haut de son balcon ; en fait, s'il m'emmenait dans ce parc, c'était pour la surveiller, ne serait-ce que de loin. Quand elle a su que cet homme te plaisait, son homme, elle a accepté de recevoir tes confidences…

— Je ne te crois pas, Mine m'a mis des bâtons dans les roues. Tu mens pour m'ôter ce problème de la tête…

— Ecoute-moi, enfin. C'est elle qui a tout manigancé. D'abord elle s'est montrée réticente, ensuite elle t'a lâché la bride, tu as mordu à l'hameçon et elle t'a expliqué comment tu devais t'y prendre, tu mettrais tes lettres dans une corbeille en osier et la lui lancerais depuis la rambarde. J'en serais témoin donc, et en bon petit, jaloux de son papa et fidèle à sa mère, rien de plus simple : elle s'attendait à ce que je ne tienne pas ma langue, et que ma vieille détourne ainsi son attention contre une autre, toi en l'occurrence. Eh bien, tout paraît indiquer que ma maternelle était déjà sur la piste. Je n'ai pas dévoilé le pot aux roses, je me demande encore pourquoi, j'aurais très bien pu raconter à ma mère les étranges visites que faisait mon père dans un immeuble suspect à San Juan de Dios, cette maison de passe. Je n'en ai rien fait. C'est Minerva qui, lasse d'attendre que le scandale éclate, a écrit une lettre anonyme à ma mère pour lui suggérer de fouiller les cachettes de mon père, car il détenait les lettres d'amour d'une maîtresse. En effet, ma mère a découvert les lettres, mais elle n'en est pas restée là, elle a chargé une amie de suivre mon père. Bien entendu, celle-ci l'a surpris la main dans le sac, alors qu'il sortait de la maison de passe, heureusement, ce jour-là je me trouvais chez ma grand-mère. Cette femme a téléphoné à une voisine, la seule de notre immeuble à avoir le téléphone. Celle-ci, à son tour, est allée chercher ma mère, qui s'est bornée à écouter ce que l'autre lui déblatérait. Décris-la-moi, a demandé ma vieille. Il semble que son amie ait répondu que ça, elle ne le ferait pas. Ma mère a insisté. Bon, a fait l'autre en hésitant, c'est une jeunesse, une petite collégienne. Je sais cela parce que la dame a tout raconté à ma grand-mère. Le jour même, quand mon père s'est affalé pour cuver son alcool, ma mère l'a drogué. Quelques minutes après... mais tu connais la suite.

— Je n'arrive pas encore à y croire, je n'y arrive pas. Pendant que Mine te parlait, est-ce que Monguy était à côté d'elle ? (Samuel fit un geste affirmatif.) Il a réagi comment ?

— Il le savait, Mar. Lui, Mine ne pouvait pas lui mentir.

— Quelles preuves as-tu ? Elle peut mentir pour qu'on se mette ensemble toi et moi, afin de me débarrasser de ce poids. Surtout maintenant qu'elle est devenue catho, tu sais, les catholiques réagissent toujours par le sacrifice…

— La preuve, je viens de la recevoir. Une photo de Mine à moitié nue, assise sur le lit défait d'une chambre de la maison de passe, les vêtements de mon père sont suspendus à une chaise. On voit ma batte et mon gant de base-ball, sa montre-bracelet à lui sur la table de nuit, et même son portefeuille ouvert où il gardait deux photos d'identité, de ma mère et de moi.

— Comment se fait-il qu'elle n'ait pas détruit cette pièce à conviction ?

— Elle a eu du mal à la récupérer. Tu t'en doutes, mon père ne pouvait pas confier cette pellicule à n'importe quel labo photo. Il lui avait expliqué qu'un copain photographe la lui développerait, dans un studio privé. Mine l'a accompagné au laboratoire clandestin du type, situé dans son propre domicile ; parfois ils prenaient le risque de sortir ensemble, ils ont même été plusieurs fois à la plage. Après l'accident, elle a foncé comme une folle pour s'emparer de la pellicule. Le gars n'y était plus, il avait quitté le pays. Elle a vécu des moments affreux, pires que pour toi et pour moi, suspendue à cette photo égarée.

— Comment l'a-t-elle obtenue, alors ?

Il chantonna, triomphant :

— *La vie joue des tours capricieux que l'on ne pourra jamais prophétiser…* Tu ne savais pas que Sully était allé à La Havane ?

— Déconne pas, je l'ai su par ton journal.

— Eh bien, là-bas, Sully a fait la tournée des anciens studios photographiques, et il s'est lié d'amitié avec un photographe ambulant du

Parque Central. Il lui a fait savoir qu'il était intéressé par l'achat de photos anciennes. L'autre lui a répondu que ce jour était à marquer d'une pierre blanche, car il avait hérité de deux ou trois archives d'un pote à lui qui s'était barré du pays depuis des années. Il les lui a vendues pour cent dollars. En écoutant Mine, je ne pensais plus qu'à ces archives, car Sully m'en avait parlé. Il m'avait dit : il y a des choses géniales, mais aussi beaucoup de déchet, et même des photos pornos, qui ne m'intéressent pas. Après ma conversation avec Mine, j'ai téléphoné à Sully, il m'a autorisé à prendre tout mon temps pour examiner ces archives. En somme, elles t'appartiennent plus qu'à moi, c'est la mémoire de ton pays, des tiens. Ces mots de Sully m'ont bouleversé. J'ai passé une nuit entière dans son agence à farfouiller dans les boîtes à chaussures, quinze au total. Sully raconte qu'à l'aéroport les douaniers se sont moqués de lui pour toute cette merde, des paperasses jaunies, qu'il faisait sortir du pays. Dans la boîte n° 12, j'ai vu la photo de manière subliminale, mais je l'ai ignorée, par nervosité. Elle est en noir et blanc, l'original est flou. Je suis arrivé à la fin et j'ai tout recommencé. Evidemment, ce qui a attiré mon attention, c'est l'adolescente à moitié nue, en culotte et soutien-gorge, une batte posée sur une chaise, le gant par-dessus. En l'examinant de plus près, j'ai reconnu Mine, elle ne souriait pas, elle avait plutôt un rictus amer empreint de terreur. Un beau salaud, mon pater ! Enfermé pendant des heures au laboratoire, j'ai reconstitué la scène dans la maison de passe, bribe par bribe, j'ai fait plusieurs tirages à partir de l'original en agrandissant les détails, ainsi j'ai pu m'assurer que les photos d'identité de son portefeuille étaient bien celles de ma mère et la mienne. Je suis rentré immédiatement à la maison et j'ai téléphoné à Mine pour lui expliquer comment j'avais mis la main sur cette fameuse photo. Elle n'en croyait pas ses oreilles, elle t'a même soupçonnée de l'avoir cachée soigneusement, après avoir trouvé le moyen de la récupérer, pour l'emmerder plus tard. Je viens de lui en expédier une copie. Elle était toujours restée dans le doute à ton égard, ne sachant si tu étais au courant ou pas, et parfois elle se figurait que mon père avait pu la tromper avec toi. Oh là là ! quelle histoire rocambolesque !

— Tu l'as, cette photo ? ai-je demandé, la gorge étranglée de rage.

Il a ouvert son bagage à main, a pris une énorme enveloppe cartonnée et en a tiré les différentes épreuves. C'était Mine, en effet ; la batte, le gant, la montre, la robe bleue en toile de jean, les sandales blanches immaculées, en témoignaient avec une précision infaillible. J'ai remarqué un autre détail : Mine portait des chaussettes hautes qui lui arrivaient aux genoux, tricotées en gros fil, avec de larges rayures rouges à la hauteur des élastiques. C'étaient mes propres chaussettes, ma tante me les avait tricotées, et elles avaient un succès fou au collège. Mes copines en bavaient d'envie, car elles étaient à la mode. Mine me les empruntait continuellement.

— Ce sont mes grosses chaussettes à larges rayures. Minerva les adorait, elle disait qu'avec ça elle pouvait planquer ses quilles toutes maigres.

— Et voici les photos d'identité que mon père rangeait dans son portefeuille. La seule chose que j'ai tenu à garder pour moi. Grand-mère était réticente à me les donner. Le jour où je suis parti de là-bas, elle a cédé et me les a remises.

Cela coïncidait à la perfection avec le détail grossi du portefeuille ouvert et des photos placées dans le porte-cartes en plastique.

— Je ne sais pas quoi dire, Samuel, je ne sais pas… Tu lui pardonnes ?

— Pourquoi pas ? Elle était follement dingue de mon pater, comme une vraie chatte en chaleur. Ma mère, de son côté, pareil. C'est ainsi.

— Pourquoi tu n'écris pas à ta mère ? Pourquoi tu ne lui donnes pas sa chance, à elle ?

— Rien ne justifie ce qu'elle a fait.

— Même pas l'amour ?

— Ce n'est pas de l'amour, ça.

— Vois le Japonais, il aimait beaucoup sa fiancée, il l'a tuée et il l'a mangée, il croyait que de cette façon elle ne le quitterait jamais.

— Ça n'a rien à voir. Le Japonais était un sale fou.

— Elle n'est pas en reste, elle, ai-je remarqué ironiquement.

— Personne ne devient fou en deux heures. Le Japonais préparait son coup depuis un bon moment, depuis que sa fiancée avait menacé de le quitter.

— Ta mère aussi avait des soupçons ; en silence, elle s'est mise à accumuler trahisons et rage.

— C'est faux. La nuit ils baisaient comme des ânes, je les entendais. Elle n'a jamais rien demandé à mon vieux, elle n'a jamais été fichue de lui demander des comptes par rapport aux ragots qui circulaient, elle ne semblait pas plus jalouse que n'importe quelle autre femme…

— A ta connaissance…

— Ce n'est pas la question, Marcela. Ce fut atroce, de plus j'étais là, moi. Elle n'aurait pas pu penser à moi ? Elle a tant aimé mon père qu'elle a préféré le supprimer plutôt que de renoncer à lui ? Ou elle l'a tellement haï ?

— Elle-même n'en avait pas conscience. La passion procède par des voies innommables, entre autres le suicide ou le crime...

— Dis, s'il te plaît, j'ai faim, on dîne ou pas ?

J'étale la nappe sur la table et je place dessus les serviettes à fleurs, alors les six tapisseries de *La Dame à la licorne* me viennent à l'esprit, une description que je réserve pour plus tard, car j'ai l'intention d'inviter Samuel au musée Cluny ; c'est injuste qu'il s'interdise à lui-même ces chefs-d'œuvre au nom d'un rêve ancien où, tandis qu'il admirait les reproductions dans un catalogue emprunté, il imaginait que la Dame, sereine auprès d'une licorne, accepterait dans l'au-delà de devenir son amante. Je dispose les assiettes bleues, les couverts aux manches assortis, les grands verres couleur rose orangé et les coupes de cristal. J'apporte la marmite de haricots noirs, la casserole de riz, le pain, la salade. Je sers des portions à peu près égales dans chaque assiette, une louche de plus pour lui. Nous mourons de faim, de soif et de désir. Je verse le vin, offert par Charline.

— C'est dommage de manger ces plats a cappella, sans aucune viande. Nous devrions rendre hommage à Virgilio Piñera[1].

Ma remarque arrache à Samuel un sourire mauvais.

Le désir désordonne les sens. La convoitise érotique se mue en cauchemar glouton révélé dans la torpeur. On vide les plats, on sauce avec

---

1. Virgilio Piñera (1912-1979), célèbre écrivain cubain. Ce passage fait référence à sa nouvelle "La viande", in *Nouveaux Contes froids*, Seuil, 1988. (N.d.T.)

des bouts de pain. On se ressert du riz blanc aux haricots noirs et de la salade. Le vin donne aux yeux un éclat irréel. Samuel avale un morceau, s'essuie la bouche avec sa serviette. Soudain, il se lève de sa chaise, me saute dessus et se penche pour me baiser les lèvres. Je l'incite à prendre le couteau à viande, je retrousse la manche de mon corsage, il scie une tranche de mon bras. A la cuisine, il assaisonne et fait sauter ce rosbif à la poêle, ajoute un filet de citron et du sel. Il revient devant son assiette, découpe ma chair en petits morceaux et la dévore. Je saigne à gros bouillons. Alors c'est moi qui vais à lui, en brandissant le couteau, je lui tranche un morceau de côte car, avec une charmante gentillesse il a ouvert sa chemise et il me signale l'endroit qu'il désire que je lui ampute, sur le flanc gauche, j'emporte même le téton d'un coup. Son cœur et ses artères sont exposés à nu. Je passe le morceau de chair sur le gril, après l'avoir saupoudré de sel, d'ail haché, de pincées de cumin et d'origan, et arrosé de vinaigre. Quand il est à point, je le sers dans mon assiette. C'est cuisiné à la française, c'est encore saignant quand j'y plante les dents. Son cœur bat frénétiquement, je peux le constater de mes yeux. Je lève ma jupe, j'extirpe moi-même un beau filet de ma cuisse, muscles et tendons restent à découvert. Je fais mijoter le morceau avec du persil, de l'ail, de l'oignon, du concentré de citron, je fais frire le tout en remuant constamment. Je couvre ma poêle et j'attends quelques minutes. J'obtiens un énorme steak braisé. C'est succulent, s'écrie Samuel, cette crème liée avec les caillots de couleur ocre battus dans la friture. Il consomme la dernière bouchée de mon entrejambe, de nouveau il a le geste d'essuyer ses commissures grasses avec sa serviette, la graisse humaine épaissit plus vite. Après, il plante sa fourchette dans son bas-ventre et en extirpe une lamelle de son tissu juste avant le sexe. C'est une écorce fine, transparente comme du carpaccio. Cette très fine membrane, il l'arrose de vin rouge, met sa peau en sandwich entre deux tranches de mozzarella, me le fait goûter. Quel régal ! Il me supplie, glouton, maintenant j'ai envie d'une bouchée de ton cou, et puis de tes bouts de sein. Il serait très agréable de savourer ton sexe, comme menu spécial, je lui chuchote. Nous écartons les assiettes, les plateaux, les marmites. Allongés sur la table et enlacés, il arrache mon aorte d'un coup de dents, juste à l'emplacement d'un grain de beauté hérité de ma mère, pendant qu'il mâche et remâche, je suffoque, j'étouffe. Bientôt il descend vers les pores hérissés de mes tétons violacés et palpitants, suce avec la voracité d'un nouveau-né, les détache d'une secousse, deux jets de lait dense imprègnent la nappe. De la bouche, je parcours son flanc sanguinolent, je baise la masse pressurée dépendant de la systole et de la diastole, je descends à l'aine, je gratte avec mes canines sa prostate, ses testicules. J'enveloppe son pénis de ma bouche, la tête du gland se colle dans ma gorge et j'avale, c'est comme si je m'étranglais avec un morceau de boudin aux pommes. Je serre les mâchoires, mes dents sectionnent la base du membre et l'extirpent net. A sa place il y a un trou, comme dans une forêt quand on déracine un arbre touffu. J'observe, à l'intérieur, la nappe phréatique, plus bas un océan noir, ensuite l'orbite cellulaire se retire et un vide apparaît, d'une telle blancheur qu'il en est lumineux, comme le pus accumulé dans une égratignure sur un genou enfantin. Il introduit ses griffes dans mon flanc, à la hauteur de mon foie, il tourne et retourne, ses ongles le fragmentent, il extrait un mélange de bile, d'ovaires, d'utérus, d'intestins. Il engloutit avec une faim millénaire. Entre-temps j'ai commencé à ronger ses os, mais mon attention est puissamment attirée par l'inflammation de sa plèvre pulmonaire, je n'en fais qu'une bouchée. Son cœur s'est mis à bondir dans une délicieuse arythmie, sa masse craque sous mes dents. Pendant ce temps, il a creusé un petit trou dans le mien, il fait passer un tube en plastique et aspire comme s'il s'agissait d'un narguilé, laissant la peau asséchée. Il sollicite en une plainte rauque, une fois qu'il a fini de me sucer le cœur, donne-moi ta bouche. Nous nous possédons encore plus enchevêtrés, noués par les tendons et les clavicules, l'un se déversant dans l'autre, cerveaux triturés et mélangés avec des particules de tympans, de cartilages, de poils, de kystes, de virus, de parasites ; avec les yeux, pareils à des œufs exquis d'oiseaux exotiques ; les excréments juteux baignent et aromatisent ce hachis. Sa langue amputée acquiert sa propre liberté, transite à l'intérieur de ma bouche, et la mienne, cisaillée, serpente, mêlée à des caillots, restes provenant de la mutilation infligée à son pancréas. La denture de Samuel s'aligne en file indienne, sur les rebords de ma pulpe labiale. J'entends un son comme la déchirure d'une soie très fine. Cela se produit au moment précis où je pense lui déclarer, avant qu'il ne soit trop tard, avant que nous ne soyons réduits en chair à pâté : "Je t'aim…" Téléphone. Nos corps, plus hâtifs que raisonnables, entament un processus de recomposition. Sauf que, au lieu de récupérer mon cœur, je m'empare du

sien ; lui de même. Faute de temps pour réinsérer nos organes, chacun attrape ce qu'il peut,
sans faire attention, au milieu de ce désordre
sanglant. Nous ne distinguons plus si lui est moi,
si moi je suis lui. L'état de veille nous rend pro-
pice la condition hyperrréaliste à laquelle nous
devons nous soumettre.

Driiing. Bonjour, votre message ou votre fax.
Merci*. – *Bonjour, Mar, c'est Andro. Si tu es là,
réponds. Je vais te faire une surprise incroyable.
Tu réponds, oui ou non ?… Evidemment tu es en
train de faire la noce avec Samy… Coucou !…
Assez fricoté, décrochez le téléphone… Bon, tant
pis, je vois qu'il n'y a personne… Rappelez-moi
dès que possible… Je vous donne un avant-goût
de la surprise… Je suis en train d'organiser une
bringue à tout casser. Je parie que vous ne devi-
nez pas qui j'ai à la maison ? Par le plus grand
des hasards. Il se trouve qu'Ana est venue habiter à Miami. Sans s'être concertée avec elle, voilà
que Silvia a atterri aussi, elle est en train de
conclure une affaire avec une maison de production de disques d'ici et une autre d'Equateur,
elle ne restera qu'une semaine. Lucio a pris un
congé et il est descendu passer ses vacances avec
moi. Vous savez qui il a entraîné jusqu'ici ?
Comment pouvez-vous le savoir si je ne vous le
dis pas ? Vous n'imaginerez jamais : Mr Sullivan !
Nous invitons aussi Winna et Félix, vous savez
qu'il leur suffit de traverser la rue pour être chez
moi, nous sommes voisins… Certes il manque
Monguy, Mine, Luly, Enma, Randy, Nieves, Igor,
Saúl, José Ignacio, Carmucha, César, Pachy,
Viviana, Kiqui, Dania, sans compter Isa, Roxana,
Carlos… Et puis vous ! Toi et Samy. Il y a trois
jours que je ne me suis pas couché, je reste assis à*

la fenêtre, hypnotisé par le flamboyant d'en face.
Je suis devenu mystique pour ainsi dire. Nous
vous téléphonions pour vous dire que nous vous
aimions beaucoup ; où que l'on se trouve, on ne
doit pas se laisser abattre par la douleur, encore
moins par la haine. On ne peut pas consentir à
ce que la haine l'emporte, Marcela, Samuel, on
ne peut pas. La haine, c'est bon pour eux, les
responsables de toute l'horreur que l'on subit et
à laquelle on nous a condamnés. Il faut s'aimer,
voyez-vous, s'aimer, bordel. Et je ne suis pas
beurré, si vous voulez savoir. J'ai l'esprit plus clair
qu'une source de la vallée de Viñales. Est-ce qu'il
y a des sources à Viñales ? Je ne sais même plus.
Oh, je donnerais ma chemise pour revoir les
mogotes[1] ! Bien que j'aie appris à me contenter
d'un jardinet minuscule où l'on me permettrait
de cultiver une laitue et d'élever une poule.
Maintenant je me nourris de laitues biologiques,
mais tout de même, quand j'ai un coup de cafard,
je vais dans la rue Ocho pour m'empiffrer de
pommes de terre farcies bien grasses. Ne vous
figurez pas que par ici c'est du gâteau, parfois je
rentre à la maison avec le moral au trente-
sixième dessous, alors je me branle trois fois de
suite afin de trouver le sommeil, ou je recharge
mes batteries comme une lampe halogène pour
aller de l'avant. Bref, je me sens comme l'oncle
Alberto de la chanson de Serrat, j'ai l'impression
qu'il l'a écrite en pensant à moi. Enfin, j'insiste
à propos de l'amour. Notre jeunesse a été un
sacré rêve ! Arrêtons là ces sottises. Chantons
avec Xiomara Laugart et avec Albita : "Quelle
manière de t'aimer, quelle manière !" Je pense
fermer ma librairie et ouvrir un lieu de rencontre,

1. Promontoire recouvert de végétation. *(N.d.T.)*

où la nostalgie ne constituera pas la flagellation permanente, mais une impulsion pour revendiquer la joie. Je pense fonder une sorte de salon pour apaiser l'agonie de l'attente, mais entre-temps on danse, on chante, on jouit, on s'aime. Je l'appellerai Café Nostalgia. Nous vous envoyons tous plein de baisers de la taille du "crocodile vert", vous rappelez-vous le poème de Nicolás Guillén ? Mar, as-tu déjà écouté le disque de Las D'Aida que je t'ai envoyé ? Dis-le-moi en chantant, à la une, à la deux, à la trois, fonce, mon pote !

*"La vie joue des tours capricieux
que l'on ne pourra jamais prophétiser..."*

Paris, juin 1997.

TABLE

BABEL

COÉDITION ACTES SUD – LEMÉAC

Ouvrage réalisé
par les Ateliers graphiques Actes Sud.
Achevé d'imprimer
en décembre 1999
par Bussière Camedan Imprimeries
à Saint-Amand-Montrond (Cher)
sur papier des
Papeteries de Jeand'heurs
pour le compte
d'ACTES SUD
Le Méjan
Place Nina-Berberova
13200 Arles.

N° d'éditeur : 3580
Dépôt légal
1re édition : janvier 2000
N° impr. : 995219/1